Y0-CCM-641

позитивная проза

ЖИЗНЬ ПРЕКРАСНА

♥

♥

татьяны веденской

Татьяна Веденская

Ключ к сердцу Майи

роман

Москва  2018

УДК 821.161.1-31
ББК 84(2Рос=Рус)6-44
В26

Дизайн серии *С. Прохоровой*

Художественное оформление *Н. Кудри*

Издание осуществлено при содействии литературного
агента *Н. Я. Заблоцкис*а

Веденская, Татьяна.
В26   Ключ к сердцу Майи / Татьяна Веденская. — Москва : Эксмо, 2018. — 288 с.

ISBN 978-5-04-096021-7

Как не верить женской интуиции?! Лиза знает: в этот теплый майский день обязательно произойдет что-то нехорошее. Не потоп, так пожар, или муж выкинет очередной фортель. Вечером, когда все домашние и друзья собираются за столом, чтобы сыграть в покер, близкая подруга — Майя — внезапно теряет сознание. Предчувствия Лизу не обманули! Именно в этот момент в доме Ромашиных все встает с ног на голову...

УДК 821.161.1-31
ББК 84(2Рос=Рус)6-44

ISBN 978-5-04-096021-7

Мы способны на все, но всего нам не успеть...

Автор неизвестен

Ящик Пандоры открылся, и оттуда, ухмыляясь, вылез мой в зюзю пьяный бывший...

Народное

Не открывай дверь, которую ты не в силах закрыть.

Арабская пословица

Abyssus abyssum invocate

Глава 1
Плохая примета

Эта история началась с игры в покер и хитрющего рыжего кота, проскользнувшего в нечаянно открытую дверь. Каждый из нас находился в тот момент не на своем месте, не там, где он должен был быть, а все знают, что даже маленькая ошибка может привести к большим проблемам. К примеру, к таким, когда в твой дом врывается наряд. И это не тот наряд, который выбираешь для себя каждый день перед зеркалом, а полицейский наряд — мужчины в пятнистой форме и бронежилетах. С некоторых пор я чертовски не люблю людей в форме. Даже если они и без нее — тоже не люблю, у меня на них теперь аллергия. Но ведь никогда не предскажешь, где именно и что пойдет не так.

Итак, дано: одна неплотно прикрытая дачная дверь, один непослушный рыжий кот и одна запутавшаяся в своих чувствах девушка. Надо: принимать решения и отвечать за свои поступки. Но это-то ведь как раз хуже всего. Впрочем, обо всем по порядку. Были майские праздники, светило солнышко, но на едва зазеленевших кустах лежал еще нестойкий, похожий на хлопок, майский снег. Он таял, осыпая все искрящимися на солнце каплями, и это было волшебство, неправдоподобное, как горячий торт «Аляска» с обжигающе ледяным мороженым внутри. Невероятно, но факт, и вкусно к тому же. Я ахала и прыгала вокруг кустов, фотографируя их на свой телефон, пока ко мне не подобралась Файка, моя родная сестра. Она посмотрела на кусты с неодобрением.

— Природа сошла с ума, — пожала плечами Фаина, с опаской поглядывая на солнечное небо. — Только и жди какого-нибудь урагана. Или вообще шторма.

— Ты, как всегда, полна оптимизма, — рассмеялась я. — Откуда шторм в Подмосковье?

— Вот именно! — кивнула она, словно сам мой вопрос доказал ее точку зрения, и ушла. Можно ли найти двух более разных людей, чем мы с Фаиной? Это так странно, что мы с ней разделяем общее ДНК, что у нас одни и те же родители.

Повозившись, Файка открыла скрипучую дверь, и все мы шумною толпой завалились на нашу семейную дачу, чтобы подышать, оторваться от города и в полной мере осознать в очередной раз, как крепко мы все привязаны к прелестям цивилизации. Без посудомойки и воздух нам не сладок, Майя и минуты прожить не может без бубнящего «ящика» с рекламой, и все мы поголовно морщились, глядя на добротный уличный туалет. «Совсем разбаловались», — сказала бы наша мама, протирая посуду бумажными полотенцами. Но ее-то с нами как раз не было. Она уехала в тридевятое царство со своим новым мужем, а мы остались здесь.

Мы — это, собственно, я сама и двое прилагающихся ко мне детей, моя сестра Фая Ромашина, ее флегматичный, неприлично красивый гражданский муж Игорь, прозванный Малдером за сходство с молодым и прекрасным Дэвидом Духовны, и моя соседка Майя Ветрова в обнимку со своим обожаемым котом. Мы приехали все вместе, еле втиснувшись в вишневый «Опель» Игоря. К обеду приехал Юра Молчанов, бывший парень моей

сестры, и не просто приехал, а привез нам — вот спасибо большое — свою новую пассию, девятнадцатилетнюю
девицу Катюшу, которая вообразила себя фотографом
и везде размахивала новеньким поляроидом. Катюша
хлопала глазами, фотографировала свои пальцы — «потому что какие же они странные», и спрашивала, чем
помочь по кухне. Фая старательно делала вид, что ей все
равно, и улыбалась так широко, что я начала бояться,
что у нее порвется рот. Все-таки, как-никак, Юра был
«Бывшая Большая и Трагическая Любовь» моей сестры.
И пусть теперь они с Юркой были просто друзьями, все
же приезжать к нам на дачу с этой смазливой Катюшей,
девятнадцатилетней к тому же, — это уже перебор.

*Но, как говорится, что выросло, то выросло. Главное,
чтобы эта чертова Катюша могла отличить стрит от
флеш-рояля.*

Часам к пяти подтянулось еще несколько знакомых
по даче, пришедших к нам в дом чисто ради того, чтобы
поиграть в покер. К примеру, любитель помидоров пен-
сионер Семен Евгеньевич — близкий мамин друг, подавленный новостью про мамино замужество. Он не подходил нашей компании ни по возрасту, ни по философским
взглядам, ибо был коммунистом еще со времен СССР. Но
мы не смогли ему отказать, когда он напросился на покер.
В этой игре не важно, какие у тебя убеждения, во что ты
веришь и как сильно вытянуты коленки твоих трени餐ков.
В покере все равны, и все, что нужно, — это обладать суммой, необходимой для начального взноса. А что еще необходимо от хорошего человека? Кирилл с Томой — это
уже мои друзья — в покер играть не умели, но давно жа-
ждали научиться, и деньги у них были. Им я бы ни за что
не отказала, слишком мы соскучились за зиму, которую
не виделись. Еще собирался приехать мой муж Сережа.
Не то что бы кто-то его приглашал к нам на дачу...

Никто его не звал, но это ничуть не остановило Сережу. Когда сегодня утром я собиралась на дачу, он появился на моем пороге с двумя сумками продуктов, завалил меня вопросами, пожеланиями и новыми несмешными анекдотами и, пока я не пришла в себя, пожелал мне хорошего отдыха, пообещал приехать к нам попозже и убежал в магазин — за чесноком, который он якобы забыл. Я только и хлопала глазами. Сережа словно говорил со мной на неведомом языке. В последнее время между нами наметилось страннейшее, нелепейшее непонимание. В том, что я не понимала Сережу, не было ничего удивительного, это как бы нормально. Однако с некоторых пор сам Сережа категорически перестал понимать меня в целом и русский язык в частности. Это была проблема. И что делать с этим, я не знала. Я ведь как бы ушла от мужа. Думала, что ушла. Я вообще ждала Германа. Я хотела, чтобы Герман Капелин, человек, о котором я думала не переставая последний месяц, приехал ко мне на дачу, и посмотрел на меня с высоты своего двухметрового роста, и улыбнулся своей все понимающей улыбкой взрослого мужчины, в жизни которого уже все было. И запустил бы ладони в свои непослушные кудрявые темные волосы, такие редкие для мужчин. Посмотрел на меня своими темными, внимательными глазами — земное воплощение Джона Сноу[1]. Ну или чтобы хотя бы позвонил. Но Герман не объявлялся, зато Сережа напоминал мне о себе чуть ли не каждый час.

— Лизавета, привет! — сказал он самым бытовым тоном со щепоткой доброжелательности. — А у нас есть приправа для плова? Я чего-то ее не найду.

— Я не знаю, — растерянно ответила я, отвернувшись от всевидящего ока моей сестры. Майя же только улыбнулась.

---

[1] Джон Сноу — герой саги «Игра престолов» Джорджа Мартина (примеч. авт.).

— Ладно, я сам посмотрю. Ты там отдыхай. Как дети? — спросил Сережа.

Это было так странно, что я даже поставила телефон на громкую связь, чтобы сестра могла слышать наш разговор. Я ответила, что дети хорошо. Бегают и сбивают с кустов снег. Мы закончили разговор, Фая неодобрительно покачала головой, но ничего не сказала. Потом прошел час, и Сережа позвонил снова.

— Слушай, я тут чего-то закрутился, не знаю, смогу ли до вас добраться, — сказал он.

— Ну так не приезжай, — осторожно предложила я. — Мы же, собственно, тебя и не... — попыталась добавить я, но Сережа меня прервал:

— Я посмотрю, как чего. Может, успею. Постараюсь. Ты, главное, отдыхай, — снова добавил он. — Пообещай мне, что не станешь там все мыть и драить, Лиза. Пообещай мне. В конце концов, мама ваша уехала, никто вас пилить не будет, если вы не вытрясете половики. Погода хорошая, нечего пахать. Отдыхай!

— Я буду отдыхать, да. Обещаю, — растерянно согласилась я, и Сережа отключился. Мы помолчали, а потом Файка с нескрываемым разочарованием бросила:

— Заботливый какой!

— Я не понимаю, — развела руками я. — Я же ведь... кажется, бросила его. Разве нет? Ведь не померещилось же мне, а?

— Ты уверена? — скривилась Фаина. — Может быть, тебе только показалось, что ты его бросила? В конце концов, ты могла бросить его во сне. Это тоже возможно. У меня бывали сны, когда я даже не была уверена, сплю я или бодрствую. Ты сама говорила, что это осознанные сны.

— Ну, спасибо, — фыркнула я, глядя на свой мобильник, как на ядовитую змею.

— А что, это было бы вполне в твоем стиле, — философски заметила Майя. — Ты бросила своего мужа, но сказать ему об этом забыла. Психологический парадокс.

— Хотя погоди, — задумчиво посмотрела в небо Фаина. — Это я однажды реальность спутала со сном, тогда, в лесу. Можете себе представить, что я почувствовала, когда открыла глаза, а вокруг лес. И трава высокая. И я посреди травы — материализовалась, как будто меня с неба сбросили.

— Так тебя и действительно с неба сбросили, с вертолета, — напомнила ей я.

— Но я-то этого не помнила! Это было очень странное чувство, когда ты думаешь, что спишь, но на самом деле тебя просто чуть не убили. Такой сюрреализм в условиях лесов Смоленщины. Впрочем, не важно. Значит, говоришь, бросила ты мужа? Отчего-то у меня какое-то дежавю. С чего бы это, а?

— Отвали, — хмуро буркнула я. — Могу пересказать дословно. Я сказала: «Сережа, я не люблю тебя и хочу, чтобы ты ушел». Разве можно это трактовать как-то иначе?

— Сережа все может. Сережа твой — это не просто человек, это иная форма бытия, симбиоз homo sapienc и какого-нибудь паразитирующего червя, — невозмутимо произнесла сестрица. — Чтобы избавиться от Сережи, недостаточно просто сказать ему, чтобы он ушел. Его надо выводить как чесотку. Нужно несколько недель мазать кожу какой-то жуткой ядреной штукой. И все равно может быть рецидив.

— Откуда это ты так хорошо знаешь, как выводить чесотку? — возмутилась я. — Может быть, сейчас уже придумали какую-нибудь таблетку. Выпил — и все прошло.

— Только не в случае Сережи. Нет такого лекарства.

В этот момент телефон снова зазвонил, и оказалось, что это опять Сережа. Он только хотел сказать, что починил кран на кухне. Я захотела разбить телефон — желательно, о его голову.

— Тебе нужно поменять замок, — ответила Фая. — Тебе давно нужно было поменять замок, а то, что ты этого до сих пор не сделала, говорит только о том, что ничего еще не ясно и что Сережа может вернуться.

— Нет! — выкрикнула я, не столько протестуя, сколько испугавшись этого мощного черного магического проклятия.

Словно желая добить меня, Майя вытаращилась на меня и проговорила замогильным голосом, как из фильма ужасов:

— Сережа всегда возвращается. Иначе бы он уже давно ушел.

— Инопланетный вирус в виде человека, — кивнула Фая.

— Ты всегда ненавидела Сережу, Фая, ты всегда...

— Была права? — подсказала мне она. Я стояла насупившись.

— Разве это так приятно, что ты была права? Неужели тебе не надоело быть во всем правой?

— Почему ты не поменяла замок? — переспросила она невозмутимо и откусила от большого круглого бублика с маком.

Я раскрыла рот, но не нашла, что ответить. Несколько минут я подбирала слова.

— Я сказала ему о том, что мы должны разойтись. Я думала, что этого достаточно.

— Это когда было? Примерно месяц назад, да? Замки, сестра!

— Но ведь ему некуда было идти. Я подумала...

— Ты его ПОЖАЛЕЛА! — Тут Фая театрально развела руками. — Ты, наверное, сначала молчала, потому что не хотела делать Сереже больнее, чем уже есть.

— Я думала, что ему просто нужно некоторое время, чтобы пережить эту новость, чтобы придумать, как поступить.

— Денег ему одолжить... — хихикнула Фая.

— Ну тебя. Иди в баню, — не выдержала я.

Фая и Майка невольно переглянулись и посмотрели на меня.

— Он что, реально у тебя денег одолжил? — сощурилась сестра.

Я замолчала, кусая губу. Пауза затянулась.

— Господи, Лиза! — воскликнула сестра, уперев руки в бока, а Майка, отвернувшись, принялась яростно начищать картошку. Она давилась смехом.

— А ты... ты вообще почему ничего не делаешь-то, а? — попыталась я перевести тему.

Файка расхохоталась:

— А чего мне делать?

— Иди Майке помоги. А то всегда филонишь, только и умеешь, что по клавишам бить и засохшие бутерброды в холодильниках забывать. У тебя там не только мышь повесится.

— У нее Игорь есть, он ее прокормит, если что, — захохотала Майя.

Я не сдержалась и тоже улыбнулась. В конце концов, чего я хочу? Они обе были правы, и как бы я ни ненавидела этот факт, я была вынуждена это признать. Я всегда была идиоткой — по крайней мере, во всем, что касалось Сережи. Я в полной мере испытала на себе эффект «розовых очков», год за годом гоняясь за мужчиной, как Скарлетт О'Хара за чертовым Эшли, а на кой ляд он ей такой — она не знала. И я не знала. Теперь, после стольких лет и с двумя детьми на руках, я могу уже признаться хотя бы самой себе — я понятия не имею, зачем и почему я так вцепилась в свое время в Сергея Тушакова. Я только помню, что чувствовала себя тогда, будто меня затягивало в черную дыру и не хватало воздуха дышать, а рядом с ним я могла об этом не думать и вообще не думать, и это было намного лучше и легче — не думать ни о чем.

Тогда умер наш отец.

Нет, только этого мне не хватало, начать копаться в самой себе. Я не стану об этом думать. И так уже хватает — мое подсознание как поле, которое все изрыто и перекопано в поисках хоть какого-то смысла. А смысл был только в том, что с кустов смородины, искрясь и поблескивая, капала вода, в том, что снег таял, а жизнь продолжалась, и Василисе было пора поменять памперс. К нам в кухню заглянул Игорь Апрель.

— Девочки, у вас все в порядке?

— У нас все просто идеально! — воскликнула я. — Мы занимаемся нашим любимым делом!

— Чистите картошку? — усмехнулся Игорь. — Только Фаине не давайте, а то она без рук останется, а мы без картошки.

— Ты просто полыхаешь верой в меня! — возмутилась Фая.

— Что ты, любовь моя, это просто здравый смысл. Магазины тут далеко, а больницы еще дальше.

— Не волнуйся, Игорь, Фая твоя ничего путного не делает. Мы чихвостим меня, разбираем на части — меня, мою жизнь и мои решения. Присоединяйся, если хочешь. Что ты думаешь о моем муже?

— Ага, ага, — побледнел Игорь. — Ничего я не думаю. Ну, не буду вам мешать. — И поспешно убрался восвояси.

Мудро. Да, Файкин гражданский муж был человеком мудрым, профессиональным и к тому же штатным психологом в большой корпорации. Он вел семинары, тренинги для успешных бизнесменов и менеджеров высшего звена, имел право прописывать сильнодействующие препараты и отлично знал, когда нужно было сбежать от греха подальше. Я же могла бы сделать целый семинар для своих клиентов. *«Как привести свою жизнь в полный раздрай, а затем продолжать жить как ни в чем не бывало»*. Такой вот психологический трюк от профессионального психолога. Это ведь только считается, что человек разумный. Человек — существо непредсказуемое и нелогичное, действующее бог весть из каких соображений и зачастую себе во вред. И я — тому лучшее доказательство.

— Он — отец моих детей. Я не могу просто так взять и выкинуть его на улицу, — выпалила я Игорю вдогонку.

— Что и требовалось доказать! — Фаина хлопнула в ладоши. — Сережа еще всех нас тут переживет.

— Смейтесь, смейтесь, — передразнила ее я. — И вообще, вот вы тут смеетесь, а Сережа сейчас сядет на электричку и приедет к нам. Будете знать.

— Ну и ладно, лишь бы у него было триста рублей. Чем больше игроков, тем лучше, — заметила Майка, бросая в кастрюлю последнюю картофелину.

— Эй, ты говоришь о Сереже, — хмыкнула моя сестра. — У него никогда нет трехсот рублей. Если бы он приехал к моей сестре с деньгами, это вызвало бы в нашем мире настоящий квантовый парадокс. — И сестра показала мне язык и состроила рожу.

Мы собрались тут, на маминой даче, чтобы поиграть в техасский холдем покер, и деньги в техасском холдем покере были совершенно необходимы. Без денег игра теряла элемент азарта, заставлявший людей напрягать извилины самым серьезным образом. Просто удивительно, на что люди способны, если поманить их пусть даже самой скромной по размеру морковкой. К примеру, мы играли в покер всего на триста рублей. Самое главное — чтоб людей было побольше. С каждого игрока базовая ставка по триста рублей за стандартный набор фишек. Деньги небольшие, потерять не страшно. Но с десяти человек уже собирался банк в три тысячи рублей, а это, как ни крути, уже что-то и каждому приятно выиграть. Победитель в холдеме останется один — с приятной суммой и с кучей позитивных эмоций. Отсюда мотивация. Отсюда интерес. Все остальные играют ради удовольствия приятно провести время и пообщаться с людьми — тоже неплохой расклад за триста-то рублей. Даже билет в кино сегодня стоит больше.

Мы с Файкой умели и играли в покер с детства. Это прозвучит странно, но научил нас и пристрастил к этой игре отец — ученый-физик Павел Владимирович Ромашин. Он любил покер за то, как легко ему удавалось втравить нас, его дочерей, в расчеты вероятностей. Покер — настоящая рекламная брошюра для теории вероятностей. И с самого детства мы играли в него на деньги, что было не слишком уж педагогичным и раздражало маму. Но таков уж был наш отец, как и все гении, он на все имел свое мнение. Уже к пятому классу мы с Файкой знали назубок победные комбинации по порядку, но Файка считала вероятности и видела всякие фулл-хаусы куда лучше меня. Технический разум, вся в отца.

Чемоданчик с картами, фишками, зеленым плотным сукном для стола и прочим реквизитом картежников и прожигателей жизни у нас на даче лежал еще отцовский. К вечеру толпа народу еле втискивалась в нашу избушку. Уютно гудела печка, за стеклянной дверцей плескались огненные волны, тихонько бормотал что-то старый телевизор у стены — его включила Майка, сказав, что в условиях отсутствия городского шума она теряет покой и у нее начинает болеть голова. И что ей нужен этот «ящик Пандоры» — слишком много свежего воздуха. Дети играли лишними, ненужными покерными фишками, строили из них на полу всякие домики и фигуры — из фишек выходил неплохой конструктор. Под ногами крутился кот Ланнистер. С кухни через открытую дверь в гостиную влетали запахи тушеного мяса и печенья. Как говорится, было душевно и мирно. И ничего не предвещало беды.

Глава 2
На реке[1] я наконец увидела труп врага

Я вовсе не ожидала победить, в техасский покер вообще играют не для того, чтобы победить. Скорее чтобы пощекотать нервы каждый раз, когда ситуация за столом становится острой и непредсказуемой. Но выиграть? В конце концов, за столом имелись куда более опытные игроки, взять хотя бы ту же Файку. Профессиональный программист, выпускница физтеха, папина радость, моя сестра не только видела свои комбинации, но и хорошо просчитывала, что может быть у кого на руках. Ее слабым местом была полная неспособность читать человеческие эмоции, иными словами, она не видела блеф. Ее Игорь, напротив, «читал лица» хорошо, но не видел комбинаций в картах, избавлялся от сочетаний, которые потом становились выигрышными. Катюша играла на удивление ровно, не рискуя без повода, но удача ее подводила, и количество фишек у нее уменьшалось, чего нельзя сказать про Молчанова — тот бросался в любую схватку, провоцировал людей, вел себя исключительно агрессивно и разорился, пойдя ва-банк с двумя парами на руках.

---

[1] Река, «ривер», последняя раздача в холдем покере (примеч. авт.).

Ничего, Катюша, тебе явно повезло в любви.

Итак, к какому-то моменту расклад оказался таким: мы играли уже четвертый час, ставки выросли по сравнению с началом игры втрое, и счетчик тикал. За столом из девяти игроков осталось только четверо. Фаина — кто бы сомневался — сидела за столом с хорошим банком. Игорь, ее флегматичный муж, проигрался, хоть ему даже дали один раз «докупиться» — вложить еще одну ставку и получить новый стартовый набор фишек. Не помогло, и он потерял аж шестьсот рублей, Игорь спокойно и с достоинством раздавал нам карты, «работая» как бы постоянным дилером. В этом качестве он был идеален — с его серьезным лицом Малдера на задании. Оказалось, он умеет мастерски перемешивать карты — так, что это походило на прелюдию к красивому карточному фокусу.

Майя, как ни странно, все еще была в игре, удержавшись против яростных атак Юрки Молчанова и мелких заварушек от наших дачных соседей. Больше того, она не просто удержалась. Майя играла, наверное, второй или третий раз в жизни и вполне подтверждала правило про то, что новичкам везет. Несмотря на то что перед нею постоянно включенным лежал телефон с фотографией покерных комбинаций — без этой картинки она бы не отличила фулл-хаус от сета — Майка завладела самым большим банком. Перед ней аккуратными столбиками стояли фишки самого разного номинала. Щеки ее раскраснелись, она улыбалась и постоянно поглядывала то на нас, то в телефон, то в свои карты. Семен Евгеньевич еще держался, но из последних сил, и сил этих у него оставалось буквально на пару блайндов — слепых обязательных ставок, с помощью которых игра двигается вперед. Чтобы было понятнее, покер играется в три раздачи — флоп, терн и ривер. Первая, флоп, — когда на стол выкладываются три карты. В сочетании с двумя картами на руках эти карты уже могут составить одну из выигрышных комбинаций в покере, если же нет, игрокам нужно решить, будут ли они играть дальше этот круг или выйдут, «спасуют», сбросив карты. В случае если все бы спасовали, игра бы встала на месте. Именно для того, чтобы поддерживать движение, и существуют блайнды, обязательные ставки, которые делают вслепую. Таким образом, даже в случае, если спасуют все, кроме победителя текущего круга, победитель не уйдет с пустыми руками.

Ах да, и по ходу игры ставки растут. Первые два часа игроки разминаются, и ставки блайндов остаются одинаковыми, но потом блайнды поднимают. Сейчас они росли по часам, каждые двадцать минут. С какого-то определенного момента ставки выросли так сильно, что любой проигранный блайнд приносил уже очень ощутимый ущерб. С этого-то момента обычно никто больше сильно не рискует, но мне, чтобы переломить ход игры, было необходимо что-то сделать. Все, чего я ждала, — это подходящего момент. Я бы, конечно, предпочла игру против Майки — хоть новичкам и везет, а все же играть против Фаины было куда сложнее. Но звезды сложились так, что пришлось идти против родной сестры.

В моем случае сыграть по-крупному было совершенно необходимо, так как хоть я и имела в запасе приличное количество фишек, их было недостаточно для выживания. По большей части мои фишки были отыграны еще в самом начале на одном хорошем раскладе — мне пришел тогда сет, три карты одного достоинства. Хорошо еще было то, что за всю игру я ни разу не блефовала, по крайней мере, так, чтобы быть пойманной за руку. А это значило, что если я вдруг резко подниму ставки, люди за столом, плюс-минус, поверят, что у меня на руках реальная мощная комбинация. Но это — только в теории. На практике — блеф всегда означает риск. В покере тоже есть, знаете ли, естественный отбор.

И вот случилось, Малдер выложил нам флоп: девятка, дама и туз. Такой флоп означает одно: тот, у кого туз на руках, имеет почти стопроцентные шансы на победу. Если, конечно, у кого-то на руках вообще окажется туз.

— Ничего себе! — хмыкнул Юрка Молчанов, хоть и вылетевший одним из первых, он продолжал наблюдать за игрой. Его склонность к неоправданному риску выкинула его из-за стола. Но следует признать, Юрка не был бы таким великолепным журналистом и таким невыносимым человеком без этого оголтелого куража.

— Кому-то повезет, — кивнула Катюша, откусывая яблоко. Наверняка то же, что кусала и Ева. Искусительница Катюша с поляроидом на шее.

— Ну что? — спросил Игорь у Семена Евгеньевича.

Тот с мукой неземной вертелся на стуле. В этом раунде он ничего не терял, блайндов не ставил, но если сейчас войти в игру, можно проиграть все за этот круг. А тузов с дамами, видимо, не пришло, вот и решил пересидеть еще один раунд со своей парой фишек.

— Пас! — недовольно покачал головой он и бросил свои карты Игорю. Такая манера игры — это как сидеть на шаткой доске на краю пропасти и болтать ногами. Падение Семена Евгеньевича было только вопросом времени, но в покере всегда остается надежда на следующий раунд. Что-то там принесет нам река.

— Майка?

— Пас, — покачала головой Майка. Бог его знает почему, так как ее половинный блайнд как раз стоял, да и деньги (то есть фишки) у нее были.

Мой блайнд тоже был в игре, и я решилась. Сыграем по-семейному. Когда еще представится момент сыграть один на один с сестрой, да еще на большие деньги — если она, конечно, согласится играть. Если нет — я заберу блайнды, стартовые ставки. Фая сосредоточенно смотрела в свои карты. Что у нее там? Если дама или туз — мне каюк, никакой блеф не заставит ее спасовать. Она будет играть до конца.

— Я поддержу, — проговорила Фая, бросая на стол ставку.

Значит, по-легкому не выйдет. Что же у нее там? Адреналин ударил в кровь, и я постаралась сдержать дыхание. Риск — не моя фишка, и каждый раз, когда я вступала в игру, организм реагировал так, словно я перебегала через полную летящих на меня автомобилей МКАД.

— Ты выйдешь? — спросил Малдер.

Я потянула паузы, затем покачала головой:

— Я еще подергаюсь, пожалуй. Все равно блайнд уже стоит.

— Ну, давай, — кивнула мне сестра, и мы остались вдвоем. — Только давай поднимем на двести, а то играть на блайнды — это как-то несерьезно.

— Даже так? — Я сделала вид, что задумалась. На самом деле думать мне было пока не о чем. У меня на руках ничего не было. У Фаи явно было что-то хорошее. Вполне возможно, что и туз. Я прикрыла пальцами свои карты — тройка и шестерка, полная чушь, но Фае об этом было необязательно знать. Я подтолкнула фишки и поставила двести, не рублей, конечно, а условных покерных единиц. Потом подумала и добавила еще двести.

— Поднимаешь? — удивилась Фая.

Я пожала плечами, оставив ее в задумчивости. Я знала, сейчас Файка попытается просчитать, что же у меня там. А что у меня «там» может быть. На столе девятка, дама и туз. Ничего такого, что было бы ясно на сто процентов. Могут быть у меня две девятки, чтобы снова получился сет? Вероятность такого повторения невелика, Фая наверняка ее отбросит как ничтожную. Тогда она решит, что у меня на руках какая-нибудь хорошая пара. Может быть, даже с дамой. Если так, и если Фая осталась в игре, у нее может быть только туз. Вот черт. Фая бросила фишки. Сравняла. Все плохо, у нее точно туз.

— Ставка закрыта, — со всей серьезностью казиношного дилера сказал Игорь и выложил нам на стол восьмерку.

Нет. Ничего особенного тут не сымитируешь. Остается только держаться за идею, что у меня пара на дамах. Я посмотрела на Фаину, улыбнулась и спросила:

— Ну что?

Та помедлила.

— Чек, — наконец сказала она.

Это был хороший знак. Чек — это значит, игрок не хочет рисковать и вкладывать дополнительные деньги в текущий круг. Чек — он всегда говорит о сомнениях. Возможно, у нее все-таки нет туза, потому что, если бы он был, она бы уже сейчас попыталась меня разорить. Впрочем, она может бояться, что я соскочу. Адреналин жег меня, как будто я сидела напротив открытого огня, лицо горело. Тише, тише, Лиза, в конце концов, это просто игра. Что ты теряешь? Триста рублей? Да наплевать.

— Нет уж, так просто я тебя не отпущу, — сказала я, напомнив себе еще раз, что ничего, кроме трехсот рублей, если что, не потеряю. Ну, и немножечко проиграю в репутации — если что. Но ведь еще не вечер.

— И на сколько же ты хочешь разориться? — спросила она.

Юрка Молчанов отошел от печки и подошел поближе к нам. Он чувствовал риск, он от него балдел. Его глаза горели, игра подходила к стадии, где каждое решение может оказаться смертельным. Я прижала свои карты к столу пальцами. Сейчас нельзя никому их видеть, мои жалкие тройку и шестерку. Любая реакция может выдать меня. Даже если Фаина не умеет читать лица. Даже если так.

— Давай попробуем по пятьсот, — пробормотала я тихо.

— Не кисло, — хмыкнул Юрка.

Майя встала из-за стола и направилась за водой. Ей, спасовавшей, этот раунд был не очень интересен. Я пожала плечами и посмотрела на Фаину. Та с неохотой подтянула к столу красную пятисоточную фишку, а затем, вот черт, еще одну такую же. Банк рос как на дрожжах. Кто его заберет? Я ткнулась и выложила свою «красненькую».

— Ставка закрыта, — невозмутимо объявил Малдер, и я задержала дыхание. Он выложил валета.

Валет. Что это мне дает? Возможно, ничего. На столе восьмерка, девятка, дама, валет и туз. У меня на руках какая-то хрень. Нет даже пары. Но пока что никто не знает, насколько я в глубокой яме. Я вдохнула и громко засмеялась. Нотки истерики прорвались против воли, но они мне не мешали. Не мешали моему плану. Я решила сымитировать стрит. Для этого нужно было сделать вид, что именно река, именно последняя раздача, именно валет оказался решающей в моей комбинации. Фая должна была сейчас со всем своим математическим складом ума просчитать, что на руках я должна бы иметь десятку. Нет, десятку и короля. Это было бы логично. Если бы у меня с самого начала был король, это бы объяснило, почему я не вышла с первого круга — я ждала пару к королю. Это дало бы ей ключ к моему поведению. И к тому, что я бурно и откровенно смеюсь сейчас. У меня как бы есть два возможных расклада — два потенциальных стрита. С десяткой — от восьми до дамы. Но с королем и десяткой, старший стрит, — от десятки до туза. Такое не перебить.

— Ва-банк, — я услышала свой голос со стороны.

— Ну все, пошли стреляться да вешаться, — хмыкнул Малдер.

Даже его продрало, надо же. Ва-банк на такой стадии — это странно. Это неожиданно даже для меня. Особенно для меня, после всех тех часов, что я просидела, пасуя или рискуя, что называется, по-маленькому.

— Сдурела? Блефуешь? — посмотрела на меня Фая.

Я молчала, думая, что ответить.

— Конечно, — кивнула я. — Конечно, блефую. Вскрой меня, пожалуйста. Не так уж и дорого.

У нас с сестрой был почти одинаковый банк. Ответить на мою ставку означало потерять все, что есть, и потерять за один раунд. Спасовать сейчас, когда река уже выложена на столе, означало потерять очень и очень много. Но не все. В этом-то и был ключ к тому, что произошло дальше. Фаина поверила. Она поверила в мой старший стрит. Фая посмотрела на карты на столе. Валет. Последним пришел валет. И я пошла ва-банк. Что еще это могло быть?

— У тебя стрит? — спросила она.

Я еле сдержалась, чтобы не подскочить. Значит, я все просчитала правильно! Я просчитала ход мыслей моей сестры. Восхитительно! Она действительно думает об этом.

— Вскрой меня, — предложила ей я.

Майя со стаканом воды подошла к нам и стала смотреть с интересом.

— И вскрою. Сколько там?

— Я не считала. Тысяч десять, наверное, — пожала плечами я.

Юрка присвистнул. Я поставила на круг почти четверть всего нашего банка в три тысячи рублей.

— Самая умная, значит, — проворчала Фаина, но ее рука даже не потянулась к фишкам.

Ва-банк — это было слишком. Наверняка у Фаины туз. Иначе она бы давно спасовала. Может быть, у нее даже два туза. И она думает, прикидывает, могут ли у меня на руках оказаться десятка и король, потому что мой стрит все равно победит, даже если у нее три туза.

Каковы шансы, что у меня десятка и король? Какова вероятность того, что все это сложилось в сияющий лучезарный стрит только в последнюю раздачу, на ривере, когда ее же собственный муж выложил валета. Ее гражданский муж, для уточнения.

— Давай, поставь на своего туза, — улыбнулась я самой коварной и холодной улыбкой, на которую только была способна.

Фая посмотрела мне прямо в глаза, а потом... барабанная дробь... Фая молчала все отведенное ей время, все тридцать секунд.

— Пас, — наконец выдохнула она и отбросила карты.

— Ну, показывай, — потребовал Юрка Молчанов.

Я рассмеялась, для меня вечер уже удался. Я перевернула карты. Фая несколько секунд смотрела на мои тройку и шестерку, а потом оглянулась, нашла кухонное полотенце и со всех сил кинула им в меня.

— Мазила! — рассмеялась я, легко увернувшись от ее броска.

— Врать грешно, тебя в детстве не учили, что ли?! Тебе в аду гореть. Шестерка с тройкой? Да как у тебя язык повернулся? — воскликнула она.

А Юрка Молчанов принялся аплодировать. К нему присоединились Катюша, Кира с Томой и даже Малдер. Фая посмотрела на него взглядом «и ты, Брут?». Когда мы все отсмеялись, Фая вернулась в игру вчетверо беднее, чем она была до этого раунда. Следующий круг вынес на берег Семена Евгеньевича. Вышибить из игры Фаину заняло еще десять минут. Деморализованная моим аморальным блефом, Фая больше не знала, чему верить и как просчитывать. Столкнуть ее в пропасть было теперь делом несложным.

— Я тебя обыграла! — Я показала ей язык. Она меня передразнила.

— Потому что совести у тебя нет, — укоризненно посмотрела она, но я только хихикнула и потерла руки.

— Это не ложь, это лишний коэффициент неизвестности в твоем уравнении, дрова в твою печку вероятностей.

— Коэффициент завирания, — фыркнула она, вставая из-за стола.

Надо признаться, у меня были все основания для экстаза. Я обыграла Фаю впервые за очень долгое время. Переиграть Фаину было очень и очень непросто. Сбылась мечта идиотки.

— Ну что, продолжим? — спросил вдруг Малдер, перемешивая карты.

Я огляделась, вспоминая, кого еще я забыла обыграть. И только тут я вдруг поняла, что игра-то еще не закончена и что за столом с самым невинным видом сидит и терпеливо ждет меня Майя. И поглядывает на картинку с покерными раскладами. Начинался финальный раунд.

Когда игрок проигрывает в покер, он выходит из-за стола с необъяснимым и нелогичным ощущением несправедливости и желанием продолжать. Именно эта жажда, близкая к наркотической, делает игру вероятностей столь опасной для неокрепших умов. Люди могут проиграть состояние и все равно пытаться вернуться в игру. Кто угодно, но только не Фая. Для нее ничего не выходит за пределы математики. После проигрыша Фая категорически потеряла интерес к происходящему на зеленом сукне, принялась есть, смотреть телевизор, болтать с Кирой, мешая нам, а потом, когда Майка попросила ее быть потише, она и вовсе ушла укачивать проснувшуюся Василису. Семен Евгеньевич тоже отправился домой — спать или рыдать, уж не знаю. Наша компания поредела. Игорь Апрель продолжал раздавать карты, хотя и было видно, что он тоже устал. Даже Катюша устала и ушла наверх спать, хотя ее драгоценный Юрка Молчанов — стойкий оловянный солдатик — остался следить за нашей игрой с интересом. Мы все думали, что финал близок. Мы думали, что все будет быстро. Я и Майя Ветрова, мы сидели напротив друг друга, пытаясь предугадать, что же будет дальше. Но того, что произошло, не смог бы просчитать никто.

— Ставки сделаны, ставки закрыты, — в который уже раз произнес Игорь, выкладывая на стол флоп.

Мы гоняли фишки друг между другом, я и Майка Ветрова, словно заигрывая друг с другом перед тем, как нанести сокрушительный удар.

— А Майка-то ваша хороша! — воскликнул в какой-то момент Юра Молчанов, когда я проиграла приличный банк, доверившись собственной паре девяток.

Майка набрала две пары. Я с удивлением отметила, что она не рискует понапрасну, но вполне способна блефовать и что обыграть ее даже с моим опытом никак не получается. Часом позже мы все еще сидели за столом, и почти весь банк перекочевал в Майкины нежные, ухоженные ручки.

— А я-то думала, ты преподаватель английского. А ты, оказывается, покерный жулик, — злилась я. С этим невозможно ничего поделать, проигрывать не любит никто, а я уже несколько раз оказывалась на краю бездны.

Майка по-доброму расхохоталась.

— Покерный жулик, который комбинаций-то не помнит. — И она потянулась и повернула голову к телевизору, там довольно громко играла заставка к новостям.

— Мешает? — спросил Игорь. — Это Файка оставила.

— Нет-нет, нормально.

— У Майи фобия, она боится загородной тишины, — добавила я. — Ладно, продолжим? Добивай уже, подруга дней моих суровых. Хватит мучиться тут. Знаешь, что, я пойду ва-банк.

— Так я еще не раздал даже карты? — удивился Игорь.

Но я пожала плечами:

— Чего тянуть-то? Не выстоять мне, разве сам не видишь?

— Да уж, сдалась ты, мать, — разочарованно пробормотал Юрка Молчанов.

Майя спокойно пододвинула фишки, приняла мою ставку. Для Майки ставка была сравнительно небольшой, и она почти ничем не рисковала, больше смотрела в «ящик», чем на стол. Устала/заскучала? Игорь раздал нам карты, дал несколько секунд осознать возможные комбинации, затем выложил флоп. Подумав с секунду, он выложил и остальные карты, в конце концов, все ставки были уже не столе. Вопрос шел о чистой случайности, идеальные условия для применения теории вероятностей в действии. Шанс — один к одному, и я выиграла эту ставку. Я не хотела этого, если честно, я хотела закончить игру. Майка же даже не смотрела на стол. Вообще не смотрела. Настольно, что это было странно — все-таки она была так близка к победе.

— Значит, продолжаем? — вздохнул с огорчением Малдер и снова набросал карты.

— Да наплевать, — снова кивнула я и поставила все, что пришло ко мне в прошлом раунде.

Майя сидела, прямая, как палка, и смотрела новости с каким-то странным, отсутствующим выражением на красивом, подвижном лице. Серые глаза потухли, словно кто-то задул огонь.

— Ветрова, делать ставку будешь? Алло?! — спросила я.

— Что? — Она вздрогнула и обернулась ко мне, буквально секунду посмотрев мне в глаза, и я сразу поняла, что права.

Что-то не так, что-то изменилось. У Майи в глазах мелькнуло нечто неправильное, словно я застала ее врасплох за чем-то неприличным, будто вошла в неприбранную комнату. Она посмотрела так, словно никак не ожидала меня увидеть. И тут же отвернулась. Впрочем, кивнув, она подтолкнула нужное количество фишек. Игорь стал раздавать карты, и снова я выиграла в открытой раздаче. Слепая удача, не больше. На этот раз мы с Майей снова оказались в почти равных условиях, но ее это словно больше не волновало. Новости кончились, и пошла какая-то реклама, но Майя продолжала таращиться на телевизионный экран.

— Ну что, ва-банк? — спросил Юрка.

— Майя, ты в порядке? — Я встала и подошла к подруге.

Она не отвечала. Я провела рукой перед ее лицом, и она вздрогнула и дернулась так, словно я сделала ей физически больно, будто ударила ее.

— ЧТО? Что? — Она озиралась, как зверь в ловушке.

— Хочешь, остановим эту дурацкую игру? — предложила я. — Ты выиграла. Ты плохо себя чувствуешь?

— Э, какого лешего? — возмутился Молчанов. — Лизавета, да у тебя все шансы.

— Да наплевать мне на шансы. Майя, скажи хоть что-то?

— Я... я... неважно... ничего... — растерянно пробормотала она.

Юра недовольно покачал головой. И тогда Майя пододвинула все, что у нее было, вперед, на зеленое сукно.

— Ва-банк? — спросил Игорь. — Серьезно? Вслепую?

Через тридцать секунд я стала законным победителем нашего покерного турнира. А еще через двадцать секунд Майя Ветрова упала на пол, потеряв сознание.

Глава 3
Горький вкус победы

Никто так и не понял, что случилось, все только кричали и размахивали руками, предлагая разнообразные рецепты спасения — от подорожника до нашатыря, а кто-то даже требовал вызвать МЧС, хотя имел в виду, конечно, «Скорую помощь». В нашей глуши, да в такое время «Скорую» вызывать можно с тем же эффектом, как и духов из потустороннего мира с помощью спиритического сеанса. С той разницей, что духи еще могут прилететь, а врачи — только не в выходные, не на майские, не в такую погоду. У них сейчас все Подмосковье ходуном ходит, сплошные отравления да инфаркты на почве такого счастья.

Все бегали и ругались, а Ланнистер вертел рыжей мордочкой и шнырял между ногами. В какой-то момент он подошел к лежащей рядом с печкой Майе и осторожно ткнулся носом ей в плечо. Я стояла рядом со столом, на котором все еще валялись горой ненужные покерные фишки, и смотрела на рыжего кота. Если ты смотришь в бездну кошачьих глаз, бездна тоже смотрит на тебя. Ланнистер вдруг повернулся и тоже посмотрел на меня, да с такой человеческой серьезностью и осмысленностью, словно бы он все понимал, но не мог сказать. Кто-то подбежал к Майе, чьи-то ноги заслонили от меня кота. Я стояла и не шевелилась — какой-то странный ступор, — и мысли крутились вокруг того, что случилось за несколько последних минут. Образы вспыхивали в обратном порядке, словно бы я пыталась найти момент, где все пошло не так.

Я проигрывала. Майя упала. Майя утратила интерес к игре. Я чуть не проиграла все за один раз.

Я что-то упускаю. Где кот, куда он девался?

Я помню, что Майя встала и вышла из-за стола. Потом она пила воду из треснутой чашки, рядом без умолку трещало и что-то вещало телевидение. Что-то про биткоины, потом что-то про культуру. Какая-то премия. Биткоины опять растут. Может это иметь значение?

Может быть, Майя вложилась в биткоины? Вложилась? Какая глупость, откуда у нее деньги? Не то чтобы Майка плохо зарабатывала. Английский язык нынче в моде, а Майка учит очень даже неплохо — об этом можно судить по бесконечной веренице учеников, приходящих к ней домой. Но чтобы во что-то вложиться, нужно заниматься чем-то более денежным, чем репетиторство, разве нет?

С другой стороны, чего тут такого? Почему бы Майе не потерять деньги на биткоинах?! Может, она у кого-то заняла. Если бы я потеряла на биткоинах *чужие* деньги, я бы тоже в обморок упала.

Господи, о чем я думаю! Что делать-то?

— Черт, может, ее водой облить? — услышала я. Голос принадлежал Молчанову. — Когда я был в Египте, мне однажды там так напекло, что я отрубился, так меня ребята облили водой, и я очухался.

— Ты уж тогда расскажи, сколько ты выпил, — усмехнулась Фая, а Катюша растерянно посмотрела на Юру.

— Ты там отдыхал? — спросила она.

Фая и Юрка переглянулись в недоумении. Фая знала: такое понятие, как отдых, для Юрки Молчанова совершенно чуждое. Если он был в Египте, это могло означать только одно: в Каире была какая-нибудь очередная революция, и Юрка ее обозревал. Лез, как говорится, на рожон и в самое пекло. Ему, иносказательно выражаясь, постоянно напекало.

— Конечно, отдыхал, — улыбнулся Юра своей Катюше. — В аквапарке катался, головой ударился. О, погоди, вроде она очухивается. Майка, ты как? Ты меня слышишь? Сколько у меня пальцев?

— Серьезно? — переспросила Файка. — Ты ей «фак» показываешь?

Я напряглась, почувствовав нечто нехорошее, как предчувствие, которое объяснить нельзя. Время и пространство вокруг меня вдруг расширились и замедлились, как бывает в кино, когда наступает какой-то суперважный момент. Я вдохнула, что-то было не так с воздухом. Холодный и влажный, а еще минуту назад он был горячий и густой. И это, как говорится, не фигура речи, это — нормальная подмосковная сырость. С улицы потянуло холодом.

Окно? Кто-то открыл окно? Я склонила голову и увидела кота. Ланнистер улыбался мне, как Чеширский кот. Я вытаращилась на него, но он только махнул пушистым рыжим хвостом, проскользнул сквозь множество ног и неторопливо направился к входной двери. Я медленно проследила взглядом за его грациозными движениями и вдруг заметила, что дверь в дом приоткрыта и что Игорь Апрель стоит в дверях и говорит с кем-то по телефону. Холодный воздух струился, втекал в дом.

— Кота... кота держите! — попыталась закричать я, но голос меня не послушался. — Кота! Игорь!

— Я не знаю, нужна ли нам «Скорая». У нас девушка без сознания. Да никак не долго, только сейчас. Что? — Игорь обернулся и посмотрел, но не на меня, а как будто поверх меня. — Что? Пришла в себя? Да это я не вам вообще! — гаркнул в трубку он.

— Кота! Кота не выпускай! — выпалила я, и Игорь действительно сделал шаг внутрь дома, словно услышав меня, но в последний момент он сдвинулся влево, обошел меня и ушел к Майе. Ланнистер стоял на крыльце и смотрел на меня. Я боялась пошевелиться, чтоб его не спугнуть. Присев на корточки, я протянула руку и принялась заигрывать и зазывать кота.

— Кис-кис-кис, иди-ка сюда, я тебе что-то дам. Вкусное, ням-ням, ну же, иди сюда, рыжая скотина. — Я улыбнулась неискренней, холодной улыбкой.

— Ланнистер! — вдруг тонко прокричала Майя, в голосе ее были истерика и ужас. Я инстинктивно шагнула вперед, наклоняясь в направлении кота. Он никогда не был на улице, он был домашним котом. Он и на даче-то был впервые, непуганый рыжий ангелочек среди наших деревенских монстров. Бей городских — их девиз.

Кот спокойно стоял и словно ждал меня, пока я шла по дому, по крыльцу, а потом он вдруг передумал — возможно, вспомнив, что на улице его ждут какие-то важные дела. Ланнистер развернулся и неторопливо посеменил прочь. Я бросилась за ним, тогда он рванул в кусты и в считаные минуты полностью исчез из зоны видимости.

— Нет, нет, черт, вернись. Ты не кот, ты свинья какая-то, — бесновалась я, продираясь сквозь колючий и холодный крыжовник.

— Ты его видишь? — крикнула Майя.

Она стояла на крыльце босая, растрепанная, бледная, как привидение, вызванное на том самом спиритическом сеансе. Она вытягивала шею, чтобы разглядеть что-то в непроглядной загородной дачной тьме. В нашей деревеньке за свет платить не любили, и уличные фонари горели тускло, были расставлены редко, с шагом чуть ли не в километр. Мы бегали по округе, кричали, охали — все с нулевым эффектом.

— Он должен быть где-то тут, неподалеку. Он же никогда не был на улице, он же забоится идти далеко, — неуверенно уверяла я Майю, она же только смотрела на меня огромными, полными ужаса серыми глазами. — Мы его найдем.

— Он может быть где угодно, это же кот, — поделился с нами своим видением Юрка, будь он неладен. Он курил на крыльце.

— Курить вредно, ты можешь помереть, — едко бросила я.

Юрка пожал плечами и глубоко затянулся. Майя вдохнула, и я подумала, что она сейчас снова упадет в обморок. Никогда не думала, что подруга будет так переживать из-за кота. С другой стороны, кот — это важно. Тем более для Майи с ее-то способностью привязываться. С ее-то тонкой душевной структурой.

— Ты как, а? Ты держись там, слышишь? — сказала я, не зная, как еще поддержать подругу.

Майя сжала губы и вообще как-то вся напряглась, словно готовясь к прыжку. Ее глаза покраснели, а кулаки сжались. Бить будет? В конце концов, это я предложила взять Ланнистера с собой на дачу.

— Он не вернется, — обреченно пробормотала Майя. — Он не вернется, он ушел. Это все из-за меня.

— Что ты плетешь? — оторопела я. — Из-за тебя? Что из-за тебя?

— Он ушел из-за меня. Обиделся.

— Спятила, все-таки спятила. Говорила я тебе, нельзя столько работать. Ты ж никогда не отдыхаешь. Вот и дожили. Нервный срыв. Ну скажи: ты-то при чем? Ты хоть как себя чувствуешь?

— Я чувствую себя скотиной последней, — призналась Майя и села на крыльцо.

Из дома на нее таращилось несколько пар глаз, во всех — один и тот же вопрос: «Что за ерунда?»

— Так, пойдем в дом, я тебе чаю сделаю, и ты мне все расскажешь. — Я взяла Майю за плечи и с усилием заставила встать. — А кота мы найдем, никуда он не денется. Коты всегда возвращаются.

— Только не ко мне, — твердо сказала она и посмотрела так, что я поняла — в этой истории есть что-то еще, что-то, о чем я не подозреваю. И я была права. Это «что-то» даже имело название или, вернее, имя. Константин. Мужчина мечты.

— Ты понимаешь, я ведь его предала! — воскликнула Майя, обхватив горячую чашку с чаем ладонями. Я прикрыла дверь на террасу. — Я еще не рассказывала об этом тебе, я не рассказывала об этом даже ему, но я уже предала его.

— Кого? Кота? — нахмурилась я, прикидывая, не слишком ли сильно Майя ударилась о пол головой при падении.

— Да, кота. Я как раз собиралась с тобой сегодня поговорить об этом после покера. На самом деле я хотела поговорить с тобой всю последнюю неделю, но я что-то была так занята... ученики, все такое, скоро экзамены, все как с цепи сорвались, ЕГЭ. Впрочем, я опять все вру. Я вообще постоянно вру, главным образом самой себе. Я откладывала этот разговор, потому что я — трусиха.

— Майя, Майя, остановись, я не понимаю, о чем ты вообще. О чем ты хотела со мной поговорить? Это он? Это же из-за него, да?

Майя вытаращилась на меня и вдруг замолчала, потеряла дар речи. Ее глаза говорили за нее. Ее взгляд был полон презрения к самой себе, Майя молчала, а ее лицо покраснело, словно она упала в воду и теперь ждала, когда у нее кончится воздух. Тогда я сказала все за нее. Я произнесла имя. Я озвучила проблему.

— Константин? — спросила я, и Майя шумно выдохнула и кивнула. Я так и думала. Мужчина мечты. Майкиной мечты. Вот интересно, отчего мечты всегда имеют самые непредсказуемые последствия.

— Он переезжает в следующий выходной, когда вернется из командировки. Он сейчас в Швеции, — зачем-то добавила она. — И он думает, что Ланнистера давным-давно уже нет, что я давно уже его отдала. Тебе отдала, — виновато добавила она.

Ситуация начала проясняться.

Это была весьма странная история, в которой я играла не самую последнюю роль. Мы познакомились с Майкой примерно около трех лет назад, когда она вселилась в двухкомнатную квартиру на тринадцатом этаже — ровно на два пролета вниз от меня. Несколько раз мы сталкивались в холле на первом этаже около почтовых ящиков, вежливо улыбались, обменивались приветствиями. Несколько раз вместе ехали в лифте наверх, пару раз Майя помогла мне вытащить коляску с Вовкой — я таскала с собой прогулочную коляску, чтобы не таскать Вовку на руках. Он хоть и был шебутным, подвижным карапузом, уставал быстро и постоянно норовил залезть на шею — в прямом смысле слова. Пару раз Майя случайно стала свидетельницей наших с Сережей разборок около подъезда, я думаю, это и стало началом истории нашей дружбы. У нее самой хватало разборок — с мужчиной ее мечты, Константином, человеком больших душевных достоинств и хорошего финансового положения. Я не любила Константина, хоть и не знала его лично. Я не любила его заочно, за все те выкрутасы, которыми он отравлял моей подруге жизнь. Константин — он ведь значительно старше Майи, как говорится, привык к определенному ходу вещей, а к Майке относится покровительственно, снисходительно, считает, что делает ей одолжение, встречаясь с ней — простой учительницей английского языка. И еще у Константина аллергия на котов. Аллергия вымышленная, но он настаивает на ней с упорством точащей камень воды.

— Я решила отдать кота. Совсем отдать! Можешь судить меня по всей строгости! — выдохнула Майя, и плечи ее задрожали, она расплескала чай по столу. — Я собиралась об этом с тобой поговорить, понимаешь? Я не смогла бы таскать Ланнистера туда-обратно, как мы делаем, если Константин жил бы у меня. Разве не так? Это же невозможно, утром приносить кота, вечером уносить? А если Костя вдруг вернется домой с работы раньше? А меня не будет дома? А Ланнистер будет?

— Не тараторь, — попросила я, задумчиво глядя на стоящий на плите поднос с печеньем. — Ты решила отдать мне кота — и что? Что тут такого?

— Я не знаю, что тут такого, — с неожиданной злостью сказала она. — Что я за человек такой, если выкидываю из дома кота?

— Ты же его не выкидываешь, ты его отдаешь мне.

— Нет, это зашло слишком далеко. Нужно называть вещи своими именами. Я выкинула кота, и если бы не ты, мне бы давно пришлось отдать его каким-нибудь совершенно чужим людям. А сейчас ты просто не понимаешь до конца, о чем я говорю. Я бы отдала тебе кота насовсем. Он бы стал твоим котом, понимаешь? Навсегда. У тебя двое детей, бывший муж, с которым тебе еще разводиться и который живет у тебя в доме, а еще твой новый физик-ядерщик, с которым у тебя роман или что там у вас. Может быть, он будет против кота.

— Он не против кота, и потом — нет у меня с ним никакого романа. У меня муж дома. Кран починил в кухне. А Герман даже не позвонил мне, — мрачно добавила я. — Лучше бы я продолжала любить мужа, это было бы куда проще. И кстати, я не уверена, что Капелин — ядерщик.

— Да какая разница. Главное, у тебя самой в жизни сплошной кавардак, и в любой момент ты можешь вдруг осознать, что НАСОВСЕМ тебе кот не нужен. Потому что это не твой кот, а мой. И я от него избавляюсь. И мне это понятно, и тебе это станет понятно, но главное — даже сам кот это понял, а ты знаешь, какой Ланнистер гордый, как его всегда обижало то, что я выбираю мужчину вместо него.

— Ты хоть сама себя слышишь? — рассмеялась я. — Выбор между мужчиной и котом. Ты серьезно?

Вместо ответа Майя посмотрела на меня — взгляд, как у полицейского на допросе. И не хороший, а плохой коп, злой коп. Майя вполне серьезно считала, что, выбирая между мужчиной и котом, должна была выбрать кота. Я покачала головой.

— Мы найдем его и все решим, и ты зря делаешь из мухи слона.

— Из мухи кота, — поправила меня Майя с горькой улыбкой. — Ты считаешь, мы найдем его?

— Я согласна, что Ланнистер — умный кот, но не настолько, чтобы обидеться, оскорбиться, развернуться и уйти. Он вернется.

— Нет. Уйти — это как раз вполне в стиле моего кота, — рассмеялась Майя сквозь слезы. Я посмотрела на нее и тоже рассмеялась. — Он меня бросил.

— Мы его найдем.

— Да, — кивнула Майка неуверенно.

— Мы найдем моего кота, — добавила я с выражением. — Даже не так. То, что он будет все время у меня, вовсе не значит, что он станет только моим. Он уже давно наш общий кот, разве нет?

— Наш общий кот, — фыркнула Майка. — Не утешай меня, все равно не поможет.

— Ну и не буду.

— Вот и не надо.

— И не буду. Только ты больше в обмороки не падай.

— Хорошо, — сказала Майка. — То есть постараюсь. Время от времени меня так и тянет в обморок, знаешь ли. У тебя такого не бывает?

— Иногда мне очень бы хотелось взять и упасть к чертовой матери в обморок. Но у меня мозг либо очень крепкий, либо очень пустой. Не отключается.

— Это потому что ты мать, — предположила Майя. Некоторое время мы просидели молча.

— Мы странные люди, да? — скорее сказала, чем спросила я после долгой паузы. — И ты, и я, и моя сестра, и вообще все мы — какие-то ненормальные.

— Совершенно ненормальные, — согласилась Майя, и мы снова помолчали.

— Кроме, наверное, Файкиного Апреля, — предположила я.

Майка задумалась, а затем кивнула.

— Да, пожалуй. Игорь Файкин — он-то нормальный. Он совершенно ненормально нормальный. Он такой нормальный, что я в его присутствии как-то теряюсь.

— В его присутствии многие теряются. Даже мама в его присутствии постоянно все какие-то пылинки смахивала с одежды. Потому что он всегда как с какой-то рекламной картинки. Даже если он в трусах, то выглядит, как модель на подиуме. Вообще непонятно, как рождаются такие мужики. Я больше таких никогда не видела вживую. Красивый и нормальный. Это ведь сочетание, которое может пошатнуть вселенскую гармонию.

— Ты видела Игоря в трусах? — хищно улыбнулась Майка. — Рассказывай-ка, да в подробностях. Как так?

— Я тебе рассказывала же, как я приехала к ним ночью. С Германом. Когда я узнала про Анну.

— Ах ты про тот раз, — разочарованно протянула Майка.

И мы обе, не сговариваясь, замолчали. Анна — это была первая любовь Игоря Апреля, отдельная история, слишком грустная, чтобы рассказывать в ночь, когда мы остались без нашего общего кота.

— Я не представляю, как моя Файка с ним живет. — Я вернула разговор в привычное русло. — Она-то никакого отношения не имеет ни к чему нормальному. Как она с ума не сойдет от такого нормального мужика? Вот я — да, ненормальная.

— Это почему?

— Суди сама, я бросила мужа, который изначально и жениться-то на мне не хотел. Бросила после того, как родила ему двоих детей. Бросила, но он не ушел. Краны мне теперь чинит. Получается, с тех пор как я его бросила, наши отношения улучшились? Что в этом нормального?

— А я встречаюсь с мужчиной, который имитирует аллергию на кота. Я вот не знаю, он вообще меня любит?

— Кто? Кот? — переспросила я.

Майка посмотрела на меня как на сумасшедшую. Я пожала плечами. В кухню зашла Фаина. Мы повернулись к ней, затем переглянулись и, не сговариваясь, расхохотались. Сказались нервы, стресс. Файка обиженно хмурилась и требовала объяснений.

— Вы вообще в порядке? Заперлись тут, секретничают, над ни в чем не повинными людьми смеются. Это, между прочим, неприлично, вы не знали?

— Файка, как ты терпишь своего Игоря? — спросила я.

Фаина склонила голову в задумчивости:

— Бредите?

— Нет! Как ты терпишь то, что он такой красивый и нормальный?

Файка задумалась.

— Вопрос в том, как он меня терпит. Вчера ночью я его разбудила, потому что я работала допоздна, а потом, пока шла из кухни к компьютеру с чашкой, тарелкой с бутербродом и с планшетом, — я споткнулась о собственную же кучу тряпья, упала и все разбила. И все это — в третьем часу ночи. После того, как я пообещала Игорю, что вообще не буду работать ночью. А буду спать.

— И что он? — спросила Майка с интересом.

— А он проснулся и минут пять в темноте тихо любовался, как я матерюсь, и чертыхаюсь, и пытаюсь тихо убрать всю эту катастрофу. А потом, когда я его раскрыла, принялся так ржать, словно комедию посмотрел. И сказал, что в следующий раз заснимет этот «кордебалет» на видео, чтобы показывать нашим детям. Когда они спросят у него, в кого они такие.

— Вообще не ругался? — спросила я. — Даже голос не повысил?

— Спросил, не нужна ли мне его помощь.

— Чудовищно! — переглянулись мы с Майкой.

— Согласна. Вот я бы лично наверняка наорала. Или хотя бы начала переживать. А он встал, принес тряпку. Потянулся и спросил, как я поработала. Хорошо ли, мол. Продуктивно ли. Мне кажется, что он вообще живет на каких-нибудь успокоительных таблетках, — развела руками Фая. — Потому что нельзя, как в той песне поется, потому что нельзя быть спокойным таким.

— Там вообще про красоту, — напомнила Майя. — Что в твоем случае абсолютно соответствует действительности. Красивый и спокойный. Может быть, он маньяк-убийца? Ты никогда не просыпалась, а его нет?

— К слову про таблетки, — добавила я. — Твой Малдер — он ведь практикующий врач, психотерапевт. Мог и прописать себе какое-нибудь эффективное успокоительное, чтобы как-то устоять под шквальным ветром жизненных обстоятельств. Особенно после того, как он связался с тобой.

— Девочки, у вас все хорошо? — спросил заглянувший в кухню Игорь (Малдер) Апрель.

Его невозмутимое, спокойное лицо так вовремя и кстати появилось тут, в дверном проеме, что мы все втроем, не сговариваясь, расхохотались. Игорь сначала просто растерянно смотрел на то, как мы смеемся, затем зашел, встал к стене, сложил руки на груди и принялся нас рассматривать, как подопытных кроликов — только лупы и не хватало. От этого мы смеялись только сильнее. И чем спокойнее он смотрел, тем веселее нам становилось. Наконец, чуть успокоившись, я выдохнула и не сразу, со второй или третьей попытки спросила у Игоря:

— Хочешь чаю?

— Собственно, не только я хочу чаю, — ответил он. — У нас там, по ту сторону стены, приличное количество людей, и все хотят чаю и печений и узнать, все ли с вами в порядке. Волнуются. К слову, возможно, что волнуются они не на пустом месте, ибо поведение ваше нормальным никак не назовешь.

— Нормальным, — еле выдохнула я, и мы снова принялись хохотать.

И в тот вечер я так и забыла спросить Майку, почему, собственно, она вдруг упала в обморок. В тот вечер мы все забыли про все на свете.

Глава четвертая
Не биткоины

Ланнистер не вернулся ни в тот вечер, ни на следующий день, ни через три дня, когда всем нам нужно было уезжать, и, конечно, все выходные были испорчены. Никогда еще в своей жизни я не тратила столько сил и времени на поиски животного, мы буквально перевернули наше дачное товарищество с ног на голову и так и оставили — на голове. Мы опросили соседей, присматривались с подозрением к чужим котам, допрашивали с пристрастием хозяев больших собак, мы нашли у соседей принтер и обклеили объявлениями с десяток деревень вокруг. Фотографию Ланнистера мы тоже вставили — Катюша, оказывается, щелкнула нашего кота на поляроид. Она, выходит, не только свои пальцы снимала.

Ничего не помогло. Майя к середине третьего дня дошла до такой степени самоистязания, что мне уже было больно на нее смотреть. Она была убеждена, что Ланнистер погиб. Я говорила ей, что коты живучие, и предлагала вспомнить героев «Игр престолов». Такие не погибают, взять хотя бы Тириона. Мои аргументы на подругу действовали плохо.

К концу майских я уже проклинала кота и поклялась себе, что, когда он найдется — если эта тварь рыжая найдется живой, — я сама его убью. Странная, конечно, логика, но что поделаешь.

Майка уехала с дачи раньше нас и одна. Мы умоляли ее остаться, но она только мотала светлыми волосами и смотрела на меня полными страдания серыми глазами. В конце концов мы плюнули на все и отвезли ее на станцию, но я долго не могла выкинуть из головы ее сгорбленную фигурку на платформе. Собственно, именно поэтому я и избегала любых контактов с Майей Ветровой всю следующую неделю — чтобы не смотреть ей в эти ее бездонные серые глаза. Чертов кот. Но сколько веревочке ни виться, в субботу Майка пришла ко мне сама. Без предупреждения, потому что, если бы она предупредила, я бы нашла повод и сбежала бы из дома. Наверное, Майя понимала это, во всяком случае, она пришла ко мне неожиданно. А так как звонка я не слышала, дверь ей открыл Сережа, я в это время развешивала в ванной белье. В кухне работал телевизор — буквально орал, перекрикивая жужжащий кухонный комбайн. Сережа готовил.

— К тебе пришли, дорогая! — крикнул он из коридора. Я высунула нос из ванной, продолжая держать в руках выкрученные центрифугой простыни. И тут же уперлась взглядом в удивленное Майкино лицо. Попалась, которая кусалась. Я проследила за ее взглядом, она смотрела на Сережу, как тот уходил обратно на кухню, к котлетам. Затем Майя посмотрела на меня с укоризной, а я прикусила губу.

— Хочешь как-то пояснить? — спросила Майя.

Я поводила губами, как пчелка жалом.

— Что пояснить? — спросила я, с самым невинным видом. — Что тебе интересно?

— Что твой муж тут делает? Вы помирились?

— Ни в коем случае! — испуганно воскликнула я.

— Значит, есть какое-то другое объяснение тому, что он у тебя тут ходит в трениках и майке и руки его в фарше.

— Руки у него в фарше из-за котлет. Сережа готовит.

— Ты не делаешь вещи легче, давая такое объяснение. Только еще больше все усложняешь и порождаешь новые вопросы.

— Я люблю котлеты, — сказала я, сама не зная зачем.

— И?

— У меня просто все, как на Фейсбуке, — статус «Все сложно».

— Ты же знаешь, нет у меня Фейсбука. Что за статус? Статус-кво?

— Понимаешь, Майя, проблема в том, что с тех пор как мы с Сережей разошлись, то живем буквально душа в душу. И я не знаю, что мне с этим делать. А почему у тебя нет Фейсбука? Сейчас у всех есть Фейсбук, даже у моей мамы. А она эсэмэски училась читать месяц. И ничего, научилась. У всех есть соцсети.

— Тятя, тятя, наши сети притащили мертвеца, — процитировала Пушкина Майя. — Нет уж, спасибо, я в реальном мире пока побуду. У меня ученик есть, так он в своем телефоне постоянно сидит. Даже когда ко мне приходит. Так мы с ним и сидим, я ему — про неправильные глаголы, а у него телефон все «пилик», «пилик». Знаешь, как бесит. Спрашиваю, что там. Отвечает, что мим. Это что вообще значит? Бессловесный клоун с белым лицом? Который пантомиму делает? — Майка смотрела на меня незамутненным взглядом человека, не потревоженного технологиями.

Она относилась к тому редкому типу людей, для которых телефон — это только прибор для звонков домой. Как-то в свое время я пробовала научить ее принимать электронную почту, убила целый вечер, так она все надо мной смеялась и отвечала, что за это время она вполне успела бы на нормальную почту сбегать.

— Может, мэм? Картинка с надписью? — Майя пожала плечами и кивнула, а затем осторожно спросила:

— От Ланнистера нет известий? — Я с ожесточением принялась расправлять простыню, словно та была в чем-то виновата.

— Майя, что ты от меня хочешь?! Соседей я предупредила, оставила ему еды, если он вдруг придет, а нас нет. К тому же, если что, Кира с Томкой позвонят. Думаешь, если бы у меня была информация от кота, я бы не прибежала к тебе в ту же минуту?

— Я знаю, понимаю, — принялась частить она.

Я помедлила, но потом шумно вздохнула, стянула простыню и потащила ее в ванну, бросила на стиральную машину. Через несколько минут мы заходили к Майе в квартиру.

Квартира — зеркало души. Меня всегда удивляло, как личность влияет на окружающую среду. Хочешь узнать человека, зайди к нему в дом. Характер жильца всегда изменяет стандартную атмосферу как две капли воды похожих друг на друга квартир. Наши с Майкой квартиры были как близнецы, но которые с определенного момента прилагали титанические усилия, чтобы стереть и растоптать эту генетическую похожесть.

Мой дом — вместилище множества диванов и старых кресел, пледов и ковров. Большая часть мебели была куплена еще моим отцом, я добавила от себя только какие-то незначительные детали — стеллаж из ИКЕА, чтобы складывать детские вещи, лампа на прищепке, стойка для зонтиков, в которую я просто влюбилась, случайно попав на блошиный рынок. Множество вещей, купленных или полученных исключительно в связи с необходимостью, — дети, дети, дети. Все в моей жизни за последние шесть-семь лет было связано с детьми. Коляски, переноски, манежи, бесконечные игрушки и бесконечная обувь разных размеров. И посреди всего этого я — усталая, растрепанная, почти вовсе забывшая, что такое педикюр. Наслоения от всех моих ошибок нарастали и каждый год оставляли круги на срезе ствола моей жизни — на моей квартире. Каждый день оставлял след, даже сегодня оставленный мною муж на моей кухне жарит котлеты. И горящее масло оставит пятно на полотенце, которым Сережа будет его оттирать от стола.

— Проходи, чего стоишь? Не волнуйся, Костика нет, — «обнадежила» меня Майя, засовывая ноги в небольшие бархатные тапочки на платформе.

Но я не волновалась, больше того, я считала, что нам с мужчиной ее мечты давно уже пора было познакомиться.

— Он у тебя — как призрак отца Гамлета, — пробормотала я.

— В смысле? — хмыкнула Майка. — Думаешь, такой же пугающий?

— Такой же неуловимый. Все о нем слышали, но мало кто видел.

Квартира Майи Ветровой мне всегда отчего-то напоминала любимую программу моего отца — «Кабачок "13 стульев"» из семидесятых. Потрепанные, но явно дорогие стулья из темного дерева, деревянные светильники на стене, этот мягкий, приглушенный свет, под которым так уютно читать. Бархатная портьера отделяла гостиную от прихожей. Все было подобрано, все было к месту и со вкусом, словно этот ретрохаос создавался по заранее задуманному плану, а не накапливался годами. Кресла с тонкими подлокотниками, даже любимая Майкина картина в стиле кубизм, которую она называла «мой кубик Рубика». На журнальном столике у Майки вечно валялось множество книг, но даже в этом беспорядке была какая-то своя красота. Книги, по большей части старые, в обтрепанных обложках, с некоторым вкраплением современной учебной литературы по английскому языку. Плоский телевизор у стены — единственная Майкина современная техника, с которой она умела справляться, — выбивался из общей картины именно своими размерами и плоскостью, сюда куда лучше бы подошел пузатый телевизор семидесятых. Даже телефон у Майки дома был старый, почти антикварный, на проводе, закрученном в спираль. Машина времени, да и только. Я никогда не задумывалась, откуда в Майе столько ностальгии по времени, к которому, по сути своей, ни я, ни она никакого отношения не имели. Удивительно, но даже мои разрушительные по своей природе дети тут, у Майки, вели себя тише, становились словно на три тона воспитаннее, чем дома. Атмосфера влияла.

— И как Константин, обживается? — спросила я, оглядываясь вокруг в поисках изменений. Все-таки встречаться с мужчиной, даже часто, периодически — это одно. Жить с ним — совершенно другое.

— Он в основном обитает в другой комнате, — пояснила Майка, включая телевизор. Ах да, она же ненавидела тишину. В голосе ее прозвучала грусть.

— Ты рада, что он переехал к тебе? — спросила я. — Ты же счастлива, да?

— Я... да, конечно. — Майя улыбнулась мне, но улыбка получилась немного натянутой. — Я никак не могу привыкнуть к мысли, что Ланнистер ушел. И потом, мне не кажется, что Косте тут комфортно.

— Почему? — удивилась я.

— Не знаю. Мне просто так кажется. Это невозможно объяснить, но он словно старается ни к чему не прикасаться, что ли. Словно на самом деле раздумывает, не совершил ли ошибку. Это все из-за меня.

— Ты надумываешь, Майя. У тебя просто бурная фантазия. Ты не должна этого с собой делать. Посмотри на меня. Посмотри на человека, который знает толк.

— Да-да, потому что ты психолог и разбираешься в людях, — кивнула Майя.

Я покачала головой:

— В людях разобраться невозможно, это же — как космос, набитый бесконечным мусором и обертками от конфет. Попробуй понять! Осколки и обрывки миллионов событий разной степени важности от первой любви до последней распродажи. Можно только немного расчистить пространство, чтобы было где жить и чем дышать. Но из всего мусора, что мы бросаем себе в подсознание, недовольство собой хуже всего.

— Хуже, чем, к примеру, быть виновным в убийстве? — с интересом спросила Майка.

— Ну, ты не сравнивай крайности. Чувство вины — оно как зыбучий песок, чем больше дергаешься, тем глубже вязнешь. Имей в виду, я знаю, о чем говорю, потому что я вырастила в себе такое чувство вины и недовольство собой, что из-за них мне уже ничего не было видно. Даже моих собственных чувств. Буквально непробиваемая стена.

— А чем ты недовольна?

— Да мне не хватит пальцев на руках и ногах, чтобы пересчитать все. Хотя бы тем, что я — плохая жена. Я так долго боролась за звание жены года, что сама любовь стала какой-то вторичной. Сережа вообще ушел со сцены. Я как бы любила его по определению. По умолчанию. Default.

— Чего?

— Базовая установка. Не бери в голову, — махнула рукой я. — А ты знала, что я в свое время из-за своего чувства вины даже университет бросила?

— Ты бросила университет? — удивилась Майя. — Я думала... ты же психолог. Ты же что-то заканчивала, да?

— Я что-то заканчивала. Что-то — да. Но факультет экономики в нашем всеми любимом Государственном университете имени М. Ломоносова бросила, — ухмыльнулась я.

— И как же так вышло? Что поменялось?

— Что? Если честно, я не знаю. Я встретила Сережу, он был тогда женат, я увела его из семьи. Думала, что моя любовь может оправдать что угодно. Знаешь, такая огромная, от которой лопнуть легко. Я ведь всегда знала, что с Сережей не будет просто. Я даже не пыталась быть счастливой. Я скорее принесла себя в жертву.

— Зачем?

— А разве не понятно? Я хотела этого. Такая была потребность. Взойти на костер, как Жанна д'Арк. Если вдуматься, я так сильно прицепилась к Сереже, потому что с ним можно было жертвовать чем-то хоть каждый день. Университетом, своим телом, своей чистой совестью, своим домом, своими деньгами. Памятью об отце. Новая жизнь с чистого листа. В топку старые чувства. Отец тогда только умер, нас тогда обеих закрутило — меня и Файку. Но ее как-то меньше почему-то, хотя, казалось бы, должно было быть наоборот. Она была ближе к отцу.

— Ближе? Почему?

— Ну, знаешь, я была с Земли, а они нет. С другой планеты, вообще не из нашей галактики. Как же это бесило! Они вечно решали задачки, ездили вместе на конференции. Файка читала его работы, увлекалась квантовой механикой, этими бесконечными Котами Шредингера, которыми она набила все мысленные коробки. А я с трудом курс высшей математики дотянула. Если честно, мне на экономическом факультете повеситься хотелось. Не мое это.

— Тогда твой уход оттуда нельзя назвать жертвой, — заметила Майка. — Куда хуже было бы выучиться на плохого экономиста и ненавидеть все, что ты делаешь.

— Возможно, ты права. За любой жертвой, как правило, стоит очень даже эгоистический мотив.

— Ты правда так считаешь? — переспросила Майя, как мне показалось, с радостью в голосе.

— Когда я училась на психолога, у нас было много разных предметов — социальная психология, психофизиология, методология, возрастная психология. Удивительно, что, чем дальше я уходила туда, на глубину, тем больше у меня возникало вопросов. Когда я только-только решила поменять всю свою жизнь, я была так уверена во всем. Я точно знала, что одно событие влияет на другое и что все это не случайно. Но теперь, говоря по правде, я понятия не имею, что именно двигало мной и что вообще движет людьми.

— Ненависть? Смутное чувство бесконечной несправедливости, которую от нас скрывают? Даже не скрывают, а маскируют — не очень удачно, — предположила Майя.

— В каком-то смысле — да. Сплошной обман и кругом какая-то матрица. Кто-то творит, что хочет, и ни малейших сомнений, ни малейших угрызений совести. А кто-то переживает, если на него косо посмотрели. И далеко не все объясняется тем, кормили ли человека грудью в младенчестве. И тем, шлепали ли его по заднице больше, чем надо. Только не говори Файке, что я поставила под сомнение Базовую Истину Психологии, а то она примется танцевать на моих костях.

— Людям хочется свалить все на других. Почему бы не на родителей, да?

— Все далеко не так просто, как описано в книгах по психологии. Что-то можно просчитать, а что-то совершенно невозможно объяснить. Одни и те же ситуации приводят к разным последствиям. Кто-то в сливках тонет, кто-то сливки сбивает в масло, а почему так — мы понятия не имеем. Мы только наблюдаем и записываем. У одного мир рушится, а он приходит в себя и идет дальше. А у другого тишь да гладь, но ничего в жизни не получается. Двое детей, никакой работы, одни только прожекты. Руки в фарше, купленном на чужие деньги, и никакого желания хоть что-то поправить. Одни только отмазки.

— Ничего себе! — присвистнула Майя. — Неудивительно, что ты решила бросить мужа.

— Ага, бросила — только недалеко он что-то отлетел, — невесело пошутила я.

— А тебе... как сказать... стыдно, что ты его бросила? Испытываешь чувство вины? — спросила Майя. — Что? Чего ты улыбаешься?

— Да нет, Майка, ни черта я не испытываю никакой вины. А ведь должна бы, да? Ведь это же неправильно, и он — отец моих детей, и у жены я его увела, и вообще. Но вся наша жизнь, вся наша психология субъективна, и именно поэтому чувство вины — это не что-то такое неизбежное, это наш добровольный выбор.

— Ты меня потеряла, — рассмеялась Майя. — Добровольный выбор?

— Добровольный, но не всегда осознанный. Наше человеческое сознание — это же сокровенная тайна вселенной, самое большое чудо. Суди сама — мы знаем, что мы существуем. Мы знаем, что мы смертны. Мы не просто чувствуем это, а уверены. Мы умеем отличить прошлое от будущего, умеем заранее просчитать последствия наших поступков. Но делаем все равно все по-своему.

— Ну, это не от осознания, это как раз по дури. Чтобы делать все по-своему, нужно сознание отключить. Инстинкты хищника.

— Конечно, можно попытаться провести границу, но зачем? Сознание против инстинкта. Лев, который в окровавленной пасти держит кисть и пишет Мону Лизу. Чего тут больше?

— Парадокс, разве нет? — спросила Майя.

— Парадокс — это только массив неучтенных данных. Нечто, что делает тебя тобой, а меня — мной. А Сережу — Сережей. Думаешь, меня не удивляет то, что он жарит на моей кухне котлеты? Он не оскорблен, не подавлен, не ищет объяснений и не требует их. Он — Сережа. У него не бывает чувства вины, ему всегда комфортно, его не мучает ни сознание, ни инстинкт. Гармония улитки.

— И никаких вопросов?

— Только по поводу того, где у нас соль, — кивнула я. — На кухне жены, которая вероломно бросила его.

— Под такое настроение, пожалуй, не чай, а коньяк пойдет. Держи. — И Майя протянула мне большой стакан с чаем в железном подстаканнике — такие штуки были только у нее и в поездах дальнего следования. — Значит, Сережу правда не интересует?

— Правда, Майка, переоценена. Правда — как хлорка, делает мир чище, но вреда от нее больше, чем пользы.

— А ты его спрашивала, почему он не злится? Что сам Сережа говорит?

— Что он меня понимает. Что все бывает. И еще много всякой ерунды, в которой, по большому счету, нет никакого смысла.

— А в чем же тогда смысл?

— Я думаю в том, что он меня и сам разлюбил. Или никогда не любил, но эта версия мне нравится куда меньше. Мне кажется, я его никогда и не знала по-настоящему. Мне всегда казалось, что все можно поправить — если найти подходящую к ситуации книжку. Или тренинг. А сейчас я знаю, что «есть вещи, которые я в силах изменить, а есть те, что изменить не в моей власти. И я только ищу мужество принять это и увидеть разницу.

— Это ты мне девиз анонимных алкоголиков зачитываешь? Нельзя же быть такой наивной, в самом деле! — воскликнула Майка.

Я расхохоталась и подалась вперед.

— А ты всерьез считаешь, что Ланнистер ушел, потому что к тебе переехал Константин? Ты считаешь, что его уход — твоя прямая вина? Если хочешь знать, да, это твоя вина, только к переезду Константина не имеет отношения.

— В каком это смысле? — нахмурилась Майя.

— Ланнистер ушел, потому что ты в обморок грохнулась. Все перепугались, вот Апрельчик Файкин и оставил дверь открытой. Он звонил в «Скорую». Впервые в жизни Ланнистера перед ним открылась дверь в большой мир, и он не упустил этой возможности. Если бы я была котом, тоже воспользовалась бы шансом. Возможно, он прямо сейчас экстремально счастлив. Может быть, у него любовь. Или даже две.

— Или его съели, — мрачно заметила Майка.

Я замолчала, что тут скажешь. Если человек хочет винить себя, он всегда найдет за что.

— Ну не дура ли? Лучше расскажи, вот чего ты в обморок упала? Чего с тобой в тот день-то случилось? В покер мне продула как дура.

Теперь замолчала сама Майя. Она поежилась так, словно ей вдруг стало холодно. И обняла себя двумя руками, защищаясь — от меня? Или от чего-то еще?

— Я не хочу об этом говорить, — пробормотала она.

— Не хочешь — не говори, — смирилась я. Нет, не смирилась. Любопытство, оно такое, от него кошка сдохла. Надеюсь, что не Ланнистер, тьфу, тьфу. — Ты деньги потеряла, что ли?

— Что? Деньги? Почему деньги? — вытаращилась Майя.

— Биткоины? Ты вложилась в них, признавайся, глупая ты женщина? — Я посмотрела на нее фирменным взглядом «Шерлок, версия 2.0».

Майкины брови «полетели» вверх, ее серые глаза смотрели на меня в полнейшем неведении.

— Что такое биткоины? — Майя таращилась на меня, ожидая ответа, и я тут же осознала, насколько была не права. Я говорю с Майей, как я могла забыть. Это вам не Фая, которая сама вручную хакнула программу управления нефтяными насосами, когда, как говорится, накипело и приспичило[1]. А Майя Ветрова, когда ее просят

---

[1] Подробнее об этой истории в книге «Вторая половина королевы».

отправить письмо, спрашивает, есть ли марка, и идет на Почту России. Какие биткоины.

— Я просто подумала... криптовалюты сейчас вроде как рухнули, плохие котировки, и все такое, — неуверенно пробормотала я, а потом добавила с некоторым даже обвинением: — Это сейчас модно — покупать эти биткоины. И ты же в тот день телевизор смотрела, когда упала. Новости про биткоины, будь они неладны. Во всяком случае, мне так показалось. Чего молчишь-то, а? Ладно, наверное, я перепутала.

— Ты не перепутала, — тихо ответила Майя. — И тебе не показалось.

— Нет? Биткоины? Серьезно? — теперь пришел мой черед удивляться.

Майка помотала головой, а затем полезла в шкаф за упомянутым уже ранее коньяком. Пришло время выпить чего-нибудь покрепче.

Глава 5
История Майи Ветровой, рассказанная ею самой

Обычно все, что начиналось словами «и что-нибудь покрепче», заканчивалось непредсказуемо. Майя достала из недр своего секретера бутылку хорошего армянского коньяка и включила «ящик Пандоры». Полились звуки рекламы — покупайте новую машину, если что, будет на чем уехать от жены. Я взглянула на нее вопросительно, она помялась, а затем попросила меня принести компьютер и «эту штуку, которой ты его к телевизору прицепляешь». Этой штукой был HDML кабель, но для Майи любые устройства с кнопками, а также их соединяющие элементы были «этими штуками».

— Зачем? — поинтересовалась я.

— Я хочу тебе кое-что показать.

— Что показать? — настаивала я. Мне было лень идти к себе за компьютером. Все-таки два этажа вверх, потом два этажа вниз. Даже если на лифте.

— Я не удивлюсь, если ты мне не поверишь, — ответила Майя, хоть это было и не то, о чем я спрашивала. — Я бы не поверила. Если бы я была на твоем месте, то решила бы, что брежу. Я покажу тебе кое-какого человека.

— Я на своем месте и постоянно брежу, этим меня не напугать, — усмехнулась я. — Ладно, давай принесу ноутбук. Только у меня в последнее время он виснет постоянно, вирус поймал или что? За ним, когда меня нет, Сережа сидит. Он бог весть куда лазает на этом ноуте.

Майя покачала головой. Все, что связано с Сережей, бесило ее. Как и большинство моих друзей, родственников и знакомых. Иногда это бесило соседей и совершенно незнакомых людей. Нашу консьержку. Водопроводчика. Маму Игоря Апреля. Меня.

Через десять минут мы с Майей сидели перед плоским экраном ее телевизора, и я пялилась на изображение человека, которого Майка сочла необходимым зачем-то мне показать. Я его, конечно, знала. Его все знают — лицо этого человека, его все видели в фильмах, на афишах, в утренних шоу. Мне это лицо знакомо, как знакомо любому из тех, кто хоть иногда смотрит телевизор. Его имя — Иван Кукош. Имя вроде натуральное, не придуманное, хотя кто их — звезд — разберет, где у них имя, а где псевдоним. Это был мужчина средних лет, телосложения среднего и такой же средней красоты. Мужчина как мужчина, не красавец, не урод. Разве что лицо запоминающееся, в этом не откажешь. В молодости он был значительно смешней и как-то умилительнее, тогда-то он и заработал себе народную любовь и славу. Повезло. Иногда удается попасть в правильное место, в правильное время, получить правильную роль. Звезды сошлись.

Харизма осталась, но сейчас черты лица у Ивана Кукоша стали резче и острее, волосы казались жесткими и стояли дыбом, как у уличного пса, но снимать его не перестали. Напротив, теперь стали даже больше, но в основном в ролях обаятельных злодеев. В «ящике» он появлялся часто — в ток-шоу и всяких передачах со звездами. У него был запоминаемый скрипучий голос, который я отчетливо вспомнила. Откуда я это вдруг вспомнила? Ах да, он же ведет довольно популярное радиошоу, оттуда. Иван Кукош всюду ходил в круглых темно-зеленых, почти черных очках, как у кота Базилио. Ничем остальным он не выделялся из пестрой толпы людей, заполнявших «ящик». Знаменитость.

— Как думаешь, он — хороший человек? — спросила вдруг Майя и посмотрела на меня внимательно, изучающе, как будто это был какой-то тест.

Я растерянно наморщила лоб, этот вопрос был настолько из разряда абсурдных, как если бы она спросила меня о вероисповедании пингвинов.

— Да кто их там разберет. Вряд ли вообще-то. Откуда в «ящике Пандоры» взяться хорошим людям.

— Просто бывает же иногда, что хороший человек совершает плохой поступок. Такое бывает, я знаю, такое возможно. Обстоятельства разные иногда складываются, — пробормотала Майя и посмотрела в экранные глаза Ивана Кукоша, словно пытаясь найти там какой-то ответ. Словно она пыталась его понять.

Только тут до меня понемногу начало доходить то, что Майя сказала раньше. Не биткоины. Что еще в тот злополучный день показывали по «ящику»? Что-то про культуру. Какая-то новость, но я, хоть убей, не помнила, что именно там было. Стекляшки темно-зеленых очков кота Базилио и какие-то очень традиционные слова про самобытность, про луковицу характеров. Почему я запомнила про луковицу? Иван Кукош, да, конечно! Это был он в той новости. Подсъёмка в каком-то театре, я помнила: за спиной у актера были темно-бордовые театральные кресла. Бархат портьер.

— Это все из-за него?

— Да, из-за него, — согласилась Майя. — Его показывали по телевизору на даче...

— ...когда ты грохнулась в этот свой обморок, — закончила я за нее.

— Он был в новостях. Прямо перед этими твоими биткоинами, — улыбнулась Майка. — Забавно, что ты о них подумала.

— Только я не понимаю, какого лешего... Ты что, его знаешь?

— Да, знаю, — подтвердила Майя серьезно.

— Ничего себе! Вот это поворот. Как? Откуда? О, я поняла. У вас был роман? Он женат, да? У него есть жена? — Майкино лицо оставалось бесстрастным, непроницаемым. Она ждала, когда версии у меня кончатся, но я продолжала: — Он тебя обидел? Ударил? Избил, как Марат Башаров?

— Нет, — покачала головой подруга.

— Ну, я не знаю. Он — твой внебрачный сын? Нет, погоди. Ты что, беременна от него? — воскликнула я.

— Ты стреляешь по мне вопросами, как из пулемета. Та-да-да-да. — И Майка изобразила воина с пулеметом наперевес. — У тебя фантазии хватило бы на три сериала. Беременна? Наверное, тройней. Ты забыла, у меня же Костик!

— Ну и что? Костик — это миф, и потом, — пожала плечами я, — сердцу не прикажешь. Никому еще никогда никакой Костик не мешал. У меня вон был Сережа, и что? Теперь вот мне Герман не звонит. И я ему звонить не буду, даже если мне для этого придется напиться на ночь твоим коньяком, чтобы уснуть. На сегодня, кстати, я уже норму выполнила.

— Лиза, я это ощущаю на себе! Ты можешь остановиться, мисс Марпл?

— Я слышу, слышу. Просто пытаюсь донести до тебя — люди попадают в самые разные ситуации, ты сама так сказала. Обстоятельства. Так я права?

— Ты права, но я не беременна.

— Ты уверена? — с сожалением переспросила я.

Майка пожала плечами и подлила коньяку. Мы молча выпили, многозначительно глядя друг другу в глаза, и тут подруга громко, со стуком опустила пустой бокал на стол — несколько капель разлетелось по столешнице.

— Если ты беременна, это дело временное. Если нет — это тоже временно, — продекламировала она преувеличенно пьяным голосом, громко, с театральным надрывом.

— Ничего я не хочу тебе говорить, зря я это начала. Глупость все это. Забудь.

— Нет уж. Забудь. С ума сошла? — возмутилась я. — Глупость не глупость, а начала — так договаривай. Чего этот Кукош тебе сделал? Если не ребенка.

Майя раскрыла рот, словно хотела что-то сказать, но накрыла его ладонью и замолчала, обдумывая что-то. Затем помотала головой и посмотрела куда-то за мою спину, на шкаф у стены, набитый книгами.

— Знаешь, у нас был сосед, в детстве, очень злой мужик. Нет, неправильно, не злой — обозленный. Но не на нас, а вообще — в целом. Он был зол на жизнь и всех ненавидел. И все к этому привыкли. Мы иногда в гости к ним приходили, моя мать с его женой дружила. Так он вечно сидел у телевизора, смотрел новости, а у самого кулаки были сжаты, словно он еле сдерживается, чтобы по экрану не ударить. И все время шипел чего-то себе под нос. Однажды я подошла к нему и спросила, что он говорит. А он повернулся и посмотрел на меня. С такой, знаешь, осязаемой ненавистью, от которой кровь в жилах стынет. И сказал мне: «Их всех вешать надо на столбах».

— Кого — их?

— Не знаю кого, да и не важно это было. Всех «их». Тех, кто виновен в том, что мир не такой, каким должен быть. «Вешать без суда и следствия, как собак». И именно на столбах — уж не знаю почему. Я спросила маму, почему на столбах, но она мне сказала, что это сосед просто так болтает, что это не всерьез. Что иногда люди просто ненавидят, без причин и оснований, и что это у них гормоны играют. Особенно у мужчин в определенном возрасте. Я никак не могла понять, как может не устраивать целый мир. Все равно ведь никакого другого нет и не будет. Для соседа это было просто чувство глобальной вселенской несправедливости. Он, понимаешь, хотел изменить мир и верил, что на это хватит столбов.

— Жуть какая, — сказала я.

— Жуть? Ну, в принципе, да. А потом я как-то узнала, что дядьку этого со скандалом уволили с работы. Вроде его подставили, и он на этом помешался, — продолжала Майя.

— Думаешь, правда подставили?

— Может быть, а может, и нет. Не знаю. Там все было очень серьезно, кто-то вроде даже погиб или калекой остался, и был суд. Он потом совершенно спятил с этим его «вешать на столбах». У него, знаешь, был взгляд человека, способного на убийство. Столько ненависти, что об нее можно было обжечься. И никакого чувства самосохранения, ни разума, ни любви. Я этого просто не понимала. Выкинуть свою жизнь на помойку, и ради чего? Ради некоей условной справедливости, до которой никому никакого дела?

— Но он же никого не убил по-настоящему, взаправду. Это были только слова? — поинтересовалась я.

После долгой паузы губы Майи искривила горькая улыбка. Майя кивнула.

— Только слова, да. Тут ты права, — повторила она. А затем добавила: — Он меня обокрал.

— Что? Кто? Сосед этот? — опешила я.

— Иван Кукош, — ответила она, и я растерялась, не зная, что сказать.

Потом я нашла слова, самые дурацкие, бессмысленные и ненужные. Я сказала:

— Не может быть.

— Не может, согласна, — рассмеялась Майя. — Это звучит, как какой-то бред. Да это и есть бред. Иногда мне кажется, что я все это себе придумала. Острый случай клинического самовнушения. Потому что — ну как так, а? Иван Кукош — он ведь хороший человек, он муж, и он — отец. В конце концов, он — звезда. Я до сих пор не могу понять, как такое возможно. И деньги у него есть, и слава. Зачем? Да? — И Майя кивнула в такт тому, как кивала я.

Я допила коньяк в рюмке и закусила кусочком сыра — последним. Майя смотрела на меня с каким-то даже сочувствием. Она налила мне еще коньяк, но не себе, так и продолжая стоять с бутылкой в руке.

— Мало ли зачем. Мы не знаем, обстоятельства бывают разные. Может, он разорился, — предположила я. — Может, он вложил все свои деньги в биткоины.

— Да к черту твои биткоины, — расхохоталась Майя. — Он меня обокрал. И это правда, которая как хлорка. От нее действительно больше вреда, чем пользы. Я не сошла с ума, но понятия не имею, что с этим делать. Только вот тоже сидеть перед телевизором и злиться. Может быть, мне начать говорить, что их всех надо вешать на столбах. — Майя подняла вверх целую бутылку, словно предлагала тост. — Вешать их, на столбах!

— А что он у тебя украл? Откуда вообще ты его знаешь? — спросила я, все еще пытаясь сбросить ощущение нереальности происходящего.

Майя задрала руку, как если бы бутылка была горном, и сделала несколько больших, шумных глотков коньяку. Она пила из горла.

— Он был моим учеником, — сказала она, когда с коньяком было покончено.

Глаза ее увлажнились, но не потому, что она собиралась плакать, это все коньяк, я видела, Майя еле выдохнула. Она же «вообще-то не пила», а тут такое.

— Учеником? — удивилась я. — Сколько ему лет, сорок? Пятьдесят?

— Ему сорок шесть. Я подтягивала его английский.

— Зачем? Ты занималась с Иваном Кукошем? Здесь, в этой квартире? — уточнила я с сомнением.

— Да, — просто ответила Майя. — Ему нужен был хороший разговорный английский, потому что его пригласили сниматься в каком-то западном сериале. Акцент допускался, потому что его роль была — русский иммигрант, но говорить все равно нужно было бегло. Иван, когда пришел ко мне, по-английски почти не говорил, а роль очень хотел получить. Это ж международная известность, туда, на большой европейский экран, прорываются единицы. Он часто говорил, что, когда переедет в Голливуд, меня тоже туда выпишет. Он вообще был таким... — Майя замедлилась, подбирая слова, — открытым и приятным, особенно с виду. Я понимаю, актеры знают, как нравиться людям, но он действительно в жизни куда приятнее, чем на экране. Странное дело. Занимался он, кстати, неистово. Всем бы моим ученикам такую мотивацию. Смотрел фильмы с титрами, заучивал целые куски наизусть. Мог мне позвонить посреди ночи, требуя объяснить какую-нибудь языковую заковырку, которая ему спать не давала. Роль он, к слову, получил.

— Он тебе до сих пор нравится, — с удивлением отметила я.

— Я уже сказала, он — хороший человек, — грустно согласилась Майя. — Как раз вот такие моменты и делают наш мир совершенно чокнутым. Хороший человек, который совершил плохой поступок.

— Ты мне так и не сказала, что он украл.

— У него трое детей, — пробормотала Майя, проигнорировав мой вопрос.

— Я думала, что чуть ли не четверо.

— Вроде трое, — нахмурилась Майя, вспоминая. — Двое совсем маленькие, а дочери двенадцать. Ах да,

есть еще сын от первого брака. Точно, как это я забыла!

— Ты заявляла в полицию о краже?

— Да. В полицию, к пожарным, в «Скорую помощь»
и в «Камеди-Клаб» тоже написала, чтобы они уж сразу
монолог про меня писали. Обхохочешься. Будет миниа-
тюра дня. Как бредят репетиторы по английскому языку.
И что, мол, никуда нельзя пойти-податься простой скромной знаменитости, чтобы тут же на него не навели ложной
тени и всякого другого несправедливого обвинения.

— Я не понимаю, что именно он у тебя украл. У тебя
что, была какая-то семейная реликвия? Икона, что ли?
Залежи древних монет? Чаша Грааля? Что он у тебя
украл? — спросила я.

Майя посмотрела на меня с вызовом, а потом предложила почитать новости.

— Новости? — вытаращилась на нее я.

Затем я убрала с экрана компьютера фотографию
Ивана Кукоша и загрузила страницу. Майя ткнула пальцем в экран.

— Вот это, — сказала она.

Статья все еще висела в первых же ссылках, стоило
вбить имя — Иван Кукош, — хотя и была датирована
прошлым месяцем. Заголовок новости: «Невероятный
дебют Ивана Кукоша». Я посмотрела на Майю, и та кивнула. Я кликнула на новость. Выплыла большая, почти
во весь экран, фотография: Иван Кукош стоит на сцене в просторной белой рубахе, подпоясанной кожаным
ремнем. Его темные зеленые очки поблескивают, лицо
одухотворенное, в руках он держит статуэтку.

*«Литературная премия «Чистый лист» досталась из-
вестному актеру и шоумену за «Книгу брошенных камней»,
бестселлер № 1, продержавшийся наверху списка книжных
продаж страны больше четырех месяцев».*

Дальше текст пошел плотный, без абзацев, частоколом узкого шрифта, и мой взгляд стал рассеиваться, я выхватывала только круглые, типичные начала фраз. *...Острый как бритва сюжет... пугающе холодный взгляд на животную природу человеческих инстинктов... история, от которой можно лишиться сна... тонкая грань между отчаянием и сумасшествием... месть, которая возвращается бумерангом... капкан... многослойный, сложный язык Ивана Кукоша... ведутся переговоры об экранизации...*

— И что? Что тут смотреть? — спросила я, ощущая какой-то неприятный холодок предчувствия. Я вгляделась в фотографию, но на Иване не было никаких даже условно дорогих вещей. Ремень? Ботинки? Бред какой-то. Статуэтка?

— Его книга, — сказала Майя. Голос был какой-то ватный, проваливающийся в снег.

— Что — книга? — все еще не понимая, спросила я.

— Ты ее читала?

— Нет, а что? Хорошая книга?

— Я не читала книгу, — покачала головой Майя. — А ты о ней хоть слышала?

— «Книга брошенных камней»... — Я покрутила название на языке. — Название какое-то пафосное. Детектив?

— В некотором роде, — кивнула Майя. — В той степени, в которой детективами называют книги, где есть убийца и его нужно поймать. Ты считаешь, название слишком пафосное?

— Смотря как его повернуть. Ну, вообще-то да, пафосное. Явная отсылка к Библии. Кто без греха, пусть бросит в меня камень. Это же оттуда?

— А ты знаешь предысторию этой фразы? Побивание камнями было видом смертной казни. В том смысле, что к ней официально приговаривали, как сейчас к инъекции яда. То есть если человека признавали виновным, то выносилось решение о «лапидации» — это от латинского слова «камень». Технически исполнялось это по-разному. К примеру, в некоторых течениях у иудеев человека не забрасывали камнями, а сбрасывали вниз на камни, однако, если приговоренный не умирал сразу, его добивали — сверху на приговоренного бросали камни, достаточно большие по размеру, чтоб убить. В Исламе, напротив, необходимо, чтобы камни были определенного размера — чтобы убить приговоренного не слишком быстро. Человек, берущий в руки камень, самим этим действием выносил свой личный смертельный приговор, если хочешь, «вешал всех на столбах». В сути своей, камень в руке и есть орудие убийства.

— «Книга брошенных камней»... погоди, ты это оттуда цитируешь? — щелкнула пальцем я. — А говоришь, не читала.

— Не читала, — медленно кивнула Майя. — Я ее не читала, Лиза. Я ее написала.

Глава 6
Хороший человек

Я стояла и смотрела на Майю, открыв рот и растеряв слова. Я подумала — невозможно. Или... я опять ошибаюсь? Кто-то считает, что человек обязательно сделает то, ради чего рожден. Даже если не хочет. Даже если знает, что это неправильно. Даже если у него были другие планы. Это если, конечно, верить в судьбу. В то, что все в нашем мире предопределено — от полета фотонов света до того, во сколько сегодня с работы вернется мой муж. Особенно если он вообще не работает.

Моя сестра Фая в судьбу не верит, она говорит — судьба математически невозможна. И начинает нудеть про тот самый злополучный квант. Что, мол, сама наша вселенная не предполагает идеальных решений, что она приблизительна, *вероятна* и что у нее всегда есть погрешность. Последние достижения физики убедительно говорят, что никто не может узнать точно, где и когда окажется фотон света в тот или иной момент. Иными словами, вместо судьбы и провидения она подсовывает мне «потому что потому, все кончается на «у». И Демон Максвелла у дверей в НИИЧАВО[1], а Эйнштейн воздевает руки к небу и спрашивает, как же так. Разве же можно играть в кости на целую Вселенную!

---

[1] Научно-Исследовательский Институт Чародейства и Волшебства из книги Стругацких «Понедельник начинается в субботу».

Лично я верю в судьбу. Не так чтобы до глухой, ослепляющей уверенности в том, что каждое мое действие предопределено, а в то, что во всем этом есть какой-то смысл. А иначе — зачем? К чему столько сложностей: рождаться в муках, расти, подвергаться опасности, влюбляться в «не тех» мужчин. Должна же быть какая-то логика, в том числе и в том, что говорит Майя, хотя смысл ее слов не так уж и очевиден. Я стою посреди гостиной моей подруги, моей соседки, моей соратницы в борьбе за личную свободу от детей и котов — в гостиной Майи Ветровой. Я не участник событий, я — наблюдатель, зачарованный раскрывающейся перед ним интригой. Одним своим присутствием я меняю направление спектра световых лучей. Воздействую на историю тем, что слушаю ее, и тем, что не верю в нее.

Невозможно.

У Майи украли книгу? Что она имеет в виду? Идею для книги? Купленную ею книгу? Рукопись — из тех, которые не горят?

— Я знаю, да, знаю, — кивнула Майя, внимательно изучая мое лицо. — Это звучит, как какая-то глупость.

— Не в этом дело, — вяло ответила я, а кровь зашумела в ушах, и мне захотелось просто взять, развернуться и уйти. — Не в этом дело.

— А в чем тогда ДЕЛО? — Майя вцепилась в меня глазами, как клещами, и не выпускала.

— Да ни в чем, — ответила я с неожиданной агрессией.

Я знаю, что повела себя глупо и что мое поведение иррационально. Что мне стоило улыбнуться, и согласиться, и сделать вид... Но я никогда не была хорошей актрисой, а сейчас меня занимала только одна мысль — как мало мы в самом деле знаем друг о друге. Майя Ветрова, смеющаяся красотка с серыми глазами и мягкими светлыми волосами. Она всегда была сумасшедшей или только-только сошла с ума? Да ведь она в десять раз нормальнее меня. Это я могу спятить — с моими вечными историями, в которые влипаю, с моими проблемами, сумасшедшими клиентками, мужчинами и непостоянным сердцем, пустым кошельком и моей вечной зависимостью от сестры.

— Ты мне не веришь, — вдруг ахнула Майя и сморщилась. — Черт, ты же не веришь ни единому моему слову, верно?

— Почему не верю, — запоздало сфальшивила я.

— Ты ведешь себя по-идиотски, — зло оборвала меня она.

— Что ж, я себя и чувствую по-идиотски!

Мне очень хотелось уйти, но я не могла этого сделать, для этого требовался какой-нибудь веский повод. Иначе это выглядело бы неприлично, грубо. Майя могла бы догадаться о том, что я думаю. А думала я о том, что, оказывается, оставляла своих детей с сумасшедшей женщиной. Это не такая уж редкость, как многим кажется. Только в прошлом году на мою сестру напала бывшая клиентка ее идеального Игоря — чистая шизофреничка, у нее и справка была. Но до этого она какое-то время притворялась и пряталась, и никто не замечал, и никто, как говорится, не просек. Вдруг и Майя тоже... не без справки, как говорится. Книгу украли у нее, что дальше? Вешать на столбах, опять же. Тьфу, глупость какая.

— Знаешь что, мне все равно. Не веришь — не надо. Черт с тобой, — разозлилась Майя.

Опасно. Красный свет — ходу нет.

— Если ты говоришь, что Иван Кукош украл книгу, почему бы мне не поверить, — пробормотала я, ласково улыбаясь и просчитывая маршруты отхода.

Майя холодно улыбнулась в ответ.

— Какой тонкий сарказм. Хотя нет, не тонкий. Толстый, жирный, как шпроты в масле. Посмотри на меня.

Прямо в глаза. Почему ты совершенно уверена, что это неправда? — неожиданно агрессивно спросила Майя. — Чего в этом невозможного? Что я написала книгу или что ее украли? Или тот факт, что ее именно Кукош украл? Что именно из вышеизложенного кажется тебе таким невозможным? Или ты настолько меня не уважаешь, что не считаешь нужным даже объясниться? В конце концов, я должна иметь право защититься.

— От чего защищаться-то, Майя, я ж на тебя не нападаю, в конце концов. И не мое это дело, если уж на то пошло.

— Теперь уж немного твое, разве нет? — скривилась Майя. — Раз уж мы немного обсудили это. Так в чем проблема? — Она говорила, как из пулемета строчила. Глаза сверкали, вооруженные молниями.

Я посмотрела прямо на нее. Черт с ним, не зарежет же она меня. Хотя...

— Хорошо, изволь — *обсудим* еще. У тебя украли книгу. Допустим. Украли, издали, вручили премию, теперь вот фильм хотят снимать. Видать, хорошая книга. Нет, правда, как иначе-то? Только вот почему я впервые об этой книге слышу? Не вообще, а от тебя впервые о ней слышу? Если все это — правда, как так вышло, что я ничего не знала о том, что ты *пишешь*? Такие вещи не за пять минут делаются, — ответила я, тоже почти плюясь словами. Я злилась и не могла точно сказать, на что именно.

— Не за пять минут, ты права. Такие вещи за пять лет делаются, если быть точной, — ответила Майя. — И с чего бы мне ее показывать тебе? Я почти никому не показывала свою рукопись, потому что, черт подери, не считала ее хорошей. Я же не Толстой, верно? Да и вообще сжечь хотела.

— То есть ты — Гоголь, — против воли хихикнула я. Майка с непониманием посмотрела на меня, а затем тоже улыбнулась — но зло, только кончиками губ. — Значит, ты хотела рукопись сжечь, а Иван Кукош ее у тебя украл?

— Примерно так.

— Из огня выдернул? А с чего ему вдруг у тебя ее красть? Я имею в виду — зачем знаменитому и популярному Ивану Кукоше влезать в такое дерьмо? У него что, денег не хватает? Книгопечатание — не самый логичный способ заработать. Тем более красть книгу у своего репетитора по английскому. Потому что, во-первых, книга может не принести тех денег, на которые ты рассчитываешь, во-вторых, репетитор по английскому может увидеть тебя в новостях, упасть в обморок, а потом побежать в полицию и к адвокатам. И ты немедленно окажешься в полной заднице, доказать авторство в наше время не так и сложно. Но он, конечно, так поиздержался, что пошел на все эти риски. Черт, актеры иногда такие тупые. Ладно, Майя, если ты говоришь, что это правда, — я тебе верю.

— Да пошла ты знаешь куда, — пробормотала она. Зло и горячо, как полыхающий в пожаре дом.

Я отшатнулась, а затем осторожно кивнула.

— И пойду — куда скажешь. — Я направилась к столу собирать вещи.

Майя меня не удерживала. Она смотрела на то, как я отключаю компьютер от телевизора, как резкое, даже строгое лицо Ивана исчезает с экрана, как захлопывается крышка ноутбука. Майя стояла там, в тени, в углу, злая, взбешенная, оскорбленная мной. Черт. Наблюдатель не участвует в событии, но он на него влияет. Меняет поведение элементарных частиц, трансформирует волны в линии, превращает воду в вино.

Опять я влезла в историю.

Вещи были собраны. Свет падал на меня сверху, от люстры с мягкой тряпочной обивкой. Я не знала, как реагировать на безмолвный образ оскорбленной Майки. Я не знала, что сказать. Как рыба стояла и раскрывала рот, пока мне не стало окончательно ясно, что слов мне не найти.

— Уходи, Лиза, — сказала она. — Уходя — уходи.

— Тебе нужна помощь, Майя. Профессиональная причем.

— Психиатр, да? — Она расхохоталась. — А ты просто сама проницательность. Нет, Лиза, не нужен мне психиатр, потому что я совершенно нормальная. Хотя нет, таких людей не существует, кроме Апреля, конечно. Все мы, так или иначе, немного свихнулись. Еще с детства, когда нас всех впихивали в узкие штаны этой вашей пресловутой «нормы», ломали под нее, стесывали острые края топорами. Но я достаточно адекватная, чтобы понимать, что правда, а что ложь. Что вымысел, а что реальность.

— Ты уверена? — зачем-то спросила я.

— Это не важно, Лиза. Даже если я права, ты не веришь, значит, и другие не поверят. Ты же психолог, Лиза, а не врач. Но вот у тебя уже и диагноз для меня готов. Шизофрения? Может быть, тебе позвонить нашему чертовски нормальному Игорю Апрелю, у него ведь настоящее медицинское образование. Просто чтобы проконсультироваться с ним? Вдруг ты ошиблась? Может быть, я не больна?

— Я не собираюсь в этом участвовать, — ощетинилась я.

А Майя отошла от прохода и принялась загибать пальцы на руке.

— Адвокаты — это раз. Они, кстати, недешевые. И у него они тоже будут — это два. Могу поспорить, уже есть. Нужны свидетели — это три. Все это — причины, по которым я не стала лезть в пекло и кричать на всех углах, что сделал Кукош. А знаешь, почему я не хвасталась на каждом углу, что пишу книгу? Да мне и в голову не могло прийти, что люди могут вот так взять и украсть книгу. А Иван... он, должно быть, все обстоятельно продумал. Он изучил меня слишком хорошо. Наверное, когда ты решаешь украсть у человека книгу, ты считаешь, что тебе это сойдет с рук. Верно же?

— Майя, зачем ты это делаешь? — спросила я, стоя в дверях гостиной. — Может быть, он тебя бросил и ты ему мстишь за это? Тебе нужен скандал? О, может быть, ты хочешь на этом заработать? Скандал со звездой, первые полосы газет? Сейчас так модно трясти грязным бельем на публику, но я бы никогда не подумала, что ты станешь...

— Ты смотришь на меня так, словно я у тебя на глазах обмочилась. — Майя нехорошо сощурилась и замолчала. Приложила ладонь ко рту, внимательно разглядывая мое лицо.

— А почему я его у тебя никогда не видела — этого Ивана? — спросила я запоздало. — Если он знал тебя настолько хорошо, что даже решился украсть рукопись?

— Откуда я знаю, — развела руками она. — Ты ведь даже Костика не знаешь. Ты ко мне вообще-то редко заходишь, только когда тебе что-нибудь нужно. Ты очень милый человек, Лиза Ромашина, но интересуешься в основном только собой.

— Майка, ты не права...

— Я понимаю, — кивнула она. — Я не права. Только ты права.

— Я этого не говорила. И не я затеяла этот кошмар.

— Кошмар? Ну да, я тоже не собиралась устраивать все это. Накатило что-то. Слушай, а ты можешь все это просто взять и забыть? В конце концов, в каком-то смысле я тебе даже благодарна, если хочешь знать.

— О чем ты?

— Я все это время только и делала, что думала, думала, чуть себе всю голову не сломала. Я ж блондинка, мне столько думать вредно. — И она усмехнулась еще раз. — И вот мне оказалось достаточно одного взгляда на тебя, чтоб понять — дурь это все. Не стоит даже пытаться. Все, чего я добьюсь, — все станут смотреть на меня вот так, как ты сейчас, — словно я у них на глазах обмочилась. Все это бессмысленно и беспощадно, как русский бунт, и спасибо тебе большое, что ты мне это все показала. Бессмысленно и совершенно омерзительно. А ради чего?

— Ради денег? — подсказала я.

— Не-е-ет, — протянула она, — их-то у меня хватает.

— Никому и никогда не хватает денег, — возразила я.

— Мне достаточно, — уперлась она. — Я одна, детей у меня нет, даже кот от меня сбежал. У меня есть квартира, работа. Костик, опять же, зарабатывает достаточно, чтобы вопрос денег вообще был забыт. Английский всегда прокормит. Не знаю, говорила ли я тебе, но не в деньгах счастье.

— А в чем? — Я иронично приподняла бровь, но Майка этого, кажется, даже не заметила.

— Знаешь, ведь я тоже не ребенок и не вчера родилась. Я понимаю, так, возможно, даже лучше. Ты права — пишут не для того, чтобы сжечь. Это все ерунда — и сумасшествие или какая-то жуткая форма гордости. Пишут — чтобы прочитали. Ну, отослала бы я этот свой текст издателям, и что? Даже если бы меня не засмеяли, даже если бы я умудрилась издать когда-нибудь ее — под своим именем, — уверена, ее бы вообще никто не заметил. Кто я такая, в конце концов? «Книга брошенных камней» какой-то там М. Ветровой. Тоже мне событие. А вот книга Ивана Кукоша — совсем другое дело. Это событие в мире и окрестностях. Да я радоваться должна, что он не поленился прочитать и украсть мою книгу. Теперь о ней знают люди. Она живет, ее обсуждают, критикуют, комментируют, ее даже наградили премией. Ее включили в какой-то там лист. Рекомендуют. Хотят снимать фильм. Даже переводить хотят.

— Прямо идиллия какая-то, — сказала я.

— Рай на земле, — кивнула Майя.

— Значит, ты решила отступить? — Я скосила бровь. Майка вела себя нехорошо, подозрительно мирно.

— Я никогда и не наступала, если уж на то пошло. Я только разозлилась, что ты... ладно, чего уж там, — устало покачала головой подруга, а затем отвернулась, подошла к своему большому книжному шкафу и достала оттуда — толстую, в твердом переплете, с глянцевой бумагой, с хорошей полиграфией — «Книгу брошенных камней», будь она неладна.

— Это еще зачем? — нахмурилась я.

— Не знаю. Вот, купила у нас в торговом центре, отдала пятьсот рублей. Недешево, надо сказать. Как это у Ильфа и Петрова. Огурцы по три рубля? Однако! Можешь почитать, если хочешь. — И она протянула мне книгу. Я взяла ее в руки, чисто рефлекторно.

— Тяжелая.

— Пять лет, — сказала Майя. — Пять лет — долгий срок.

— Ты хочешь сказать, что написала эту книгу и ни разу никому ее не показывала?

— Этого я не говорила, — рассеянно улыбнулась она. — К примеру, Ивану показала.

— Зачем ты продолжаешь упираться? — спросила я, запихивая ноутбук глубже под мышку, чтобы удержать тяжелый том. — Ведь ты же сказала, что судиться ни с кем не хочешь.

— Затем, что у нас с тобой, дорогая Лиза, есть одна небольшая проблема.

— Какая еще проблема?

— О, проблема, старая как мир. Быть иль не быть, верить или не верить, любить — не любить, опять же туда же.

— Майя!

— Лиза! — строго оборвала меня она. — Ну как ты не понимаешь, глупая, я же ради нас с тобой стараюсь. Если ты мне не веришь, конец нашей дружбе. Конец твоим пирогам, покеру у вас на даче, Файкиным заумным квантовым теориям. Если бы я могла забрать назад все, что сказала, я бы так и сделала, поверь, но я не могу — не выйдет. Ты либо поверишь мне, либо все, пиши пропало. Ты меня причислишь к психам. Так что иди и читай. Потом поговорим. Кстати говоря, меня и в самом деле интересует твое мнение. В конце концов, из *моих людей* эту книгу еще никто не читал.

— Что мне с тобой делать? — вздохнула я и посмотрела на книгу.

На темной обложке была сгорбленная фигура немолодого мужчины с пистолетом в руке. Мужчина опустил руки и смотрел вниз, себе под ноги, он стоял на темной земле на коленях, полный отчаяния. Снизу на обложке было написано: «Благие намерения заводят в ад». И еще «Ошеломительный писательский дебют от всенародно любимого актера». Фигура на обложке смутно напоминала Ивана Кукоша, такого, каким я помнила его — в одном из самых известных его фильмов. Интересно, такое сходство было случайным или это тоже — продуманный ход? Я ничего не могла поделать, мне было любопытно. Я положила книгу к ноутбуку — под мышку. Конечно, я собиралась прочитать книгу. Майя открыла мне входную дверь и спросила, позвоню ли я ей, если найдется Ланнистер. Я отметила про себя, что про кота-то я вообще забыла. Про того, с которого все началось. Я автоматически кивнула, все еще растерянная, какая-то взбудораженная произошедшим, как илистая вода пруда ногами дачников.

Майя закрыла за мной дверь. Я встала у лифта и раскрыла страницу. Первая фраза была на латыни. Цитирую:

«Abyssus abyssum invocate». Бездна взывает к бездне.

На следующей странице, прямо в середине, — «Книга брошенных камней». Иван Кукош. И дальше, на следующей пустой странице, — *«Посвящается моему отцу».* Я перелистнула снова.

Пролог.

Только потом заметила, как закрылись двери лифта, в который забыла войти. Я нажала кнопку, но поздно — лифт уже уехал, а я так и осталась стоять перед створками. «Abyssus abyssum invocate». Книга начиналась словами:

«Если ты невиновен, это еще не значит, что ты — хороший человек. Эти вещи живут независимо друг от друга, не помогают и не мешают друг другу, просто не смешиваются. Они — как холодное с красным, соединяются, только когда кровь капает на снег. Я аккуратно перезарядил «беретту» и только потом надел куртку, застегнув молнию до самого подбородка. Похолодало-то как...»

Лифт снова шумно закрылся. Я вздрогнула от очередной неожиданности, затем плюнула и пошла пешком. В конце концов, всего на два этажа вверх. Приду и дочитаю.

Не вышло. На подоконнике перед лифтами, в холле моего этажа, сидел Герман. Он ждал меня.

Мы с Германом были знакомы много лет, но вот парадокс — не знали друг друга совершенно. Герман Капелин был в свое время учеником моего отца, ученого-физика. Сначала он был его студентом, потом аспирантом — из самых любимых. Тех, с которыми отец занимался дополнительно, с которыми под возмущенное бормотание мамы засиживался допоздна в нашей кухне, с которыми шумно здоровался в прихожей, о которых потом много говорил. Из тех, в которых влюблялись его дочери-подростки: несильно, без сумасбродства, тихонечко, про себя мечтая о всяких невообразимых глупостях — пирогах, поцелуях и светлом будущем. В такой любви ответные чувства не имеют значения, такую любовь можно испытывать к плакату с кинозвездой на стене. Звезда в данном случае «не голосует». У меня не было плакатов с Германом Капелиным, но у меня была его фотография, сделанная на каком-то семинаре, — он стоял сбоку, рядом с большой группой ученых мужей в одинаковых серых костюмах, и смотрел прямо на меня. То есть в камеру, конечно. Я хранила фотографию в прикроватной тумбочке, а Файке говорила, что это — любимая моя фотография отца. Врала, конечно.

Капелин сидел на подоконнике, как на жердочке, и его бесконечно длинные ноги забавно были согнуты. Кузнечик. Представляю, каково ему было, когда весь этот рост обрушился на него в подростковом возрасте. Неуклюжий, угловатый, он наверняка именно тогда начал немного горбиться, словно пытаясь вернуться в уютные границы социальной нормы, даже если это приведет к сколиозу. Не помогло. Герман Капелин вырос длиннющим и прямым, словно турник.

— Привет, — сказала я, растерявшись, и невольно потянулась к карману, чуть не уронив при этом книгу и ноутбук. Я хотела проверить, что мой телефон при мне. Может быть, он звонил, а я не ответила? Возможно ли такое? Я ждала его звонка две недели. Между нами было что-то, чему я не могла подобрать названия. Оно состояло из теплого, шуршащего подарочной оберткой общего прошлого, из нескольких проведенных вместе дней и из одного-единственного вечера, который продлился почти до утра.

Ничего не было, но в ту ночь было совершенно ясно — все будет. Ночь была до краев заполнена поцелуями и смехом и ощущением, что это не кончится никогда. Наше настоящее должно было начаться сразу после тех поцелуев, но ничего не случилось. Герман не позвонил.

— Привет, — ответил он после долгой паузы, в течение которой разглядывал меня, как какую-то экзотическую птицу. Он всегда на меня смотрел именно так, словно немного удивленный самим фактом моего присутствия перед его изумленным взором. Мое сердце застучало так, словно само наличие Капелина в тамбуре перед лифтами в моем доме было инъекцией адреналина.

— Тебе удобно? — спросила я, вместо того чтобы обрушить на Германа вопрос о том, что он тут делает и какого черта не звонил.

— Мне кажется или у меня на пятой точке теперь отпечаток вашего подоконника? — спросил он со смешком, поднимаясь неловко на затекших ногах.

— Давно сидишь тут?

— Не очень, — покачал головой Герман. — Твой муж сказал, что ты скоро вернешься. Я вообще-то просто хотел кое-что оставить, поэтому и зашел.

— Оставил? — уточнила я, невольно хмурясь. Определенно, ничего не изменилось. Он здесь не для того, чтобы увидеться со мной. Он хотел что-то оставить. Герман уже оставил меня, это факт. Но я не понимала, черт, что случилось. Две недели назад мы стояли в темном теплом подъезде в доме моей сестры, я плакала — не оттого, что что-то случилось со мной, а оттого, как же все было одновременно грустно и прекрасно, и оттого, какой тяжелый разговор мне пришлось пережить буквально несколько минут назад.

В ту ночь я рассказала Игорю Апрелю, что его Анна, его первая любовь, которая в свое время так внезапно и жестоко бросила его, не объяснив причин, — что она тогда не просто ушла. Она решила защитить Игоря от чудовищной правды, от несправедливости, с которой жизнь раздала ей, Анне, карты. Она была смертельно больна, поэтому улетела, чтобы уже никогда не вернуться. Девушка не хотела, чтобы Игорь страдал, но это не помогло. Он страдал все равно — много лет поливая брошенные Анной цветы в горшках, так и не зная ответа. Я узнала правду случайно. Игорь воспринял новость тяжело. Он слушал меня молча, и потом не сказал ни слова, только вдруг встал и вышел, ушел куда-то в ночь и вернулся только под утро с красными, воспаленными глазами и разбитым в кровь кулаком. Фая нервничала как сумасшедшая, а Капелин сидел рядом со мной на диване, обнимал меня за плечи, прижимал меня к себе и иногда украдкой целовал мое заплаканное лицо. Вопреки всему нам обоим было невыносимо хорошо.

Почему ты не позвонил?

— Нет, не оставил. Я решил все-таки подождать тебя. — Гера тряхнул своими непослушными кудрявыми волосами.

Самый кудрявый мужчина из всех, кого я когда-либо знала, итальянец из старой европейской комедии. Длинный и невозможный. Так бы и двинула. Две недели не звонил!

— Ну что ж, вот она я — перед тобой. Пойдем в дом, поговорим?

— Давай лучше здесь, — ответил он.

— Почему?

— Там же... он. — Капелин понизил голос и покосился на тамбурную дверь.

— Кто — он? — сначала даже растерялась я, но потом сообразила. — Сережа? И что? Это ничего страшного.

— Ничего страшного? Ты считаешь, это ничего, что там, дома, твой муж? Может быть, позовем его с нами чай пить?

— Может быть, и позовем, — начала злиться я. — Думаю, он сам будет не против.

— Ты так думаешь? — съязвил Герман, засовывая длинные пальцы в самую гущу своих темных кудрей, словно пытаясь удержать там, на своем законном месте, взрывающуюся от возмущения и эмоций голову.

— Я так думаю, да. Я знаю своего мужа, по крайней мере, лучше, чем ты. Он любит чай!

— Да? Любит чай? Чай любит?

— Да! — Я хотела перекричать Капелина, и мне это, кажется, удалось, потому что он тут же как-то померкнул, словно на его лицо наплыла грозовая туча.

Он закрылся и замолчал. Я обернулась. У входа в коридор, у тяжелой железной двери стоял сосед из квартиры напротив, Ростислав Дмитриевич, бывший инженер на пенсии, в серых кальсонах и с жестяной банкой из-под кофе в руках. Он пришел к нам курить, ему дома запрещала жена.

— Не помешаю? — спросил сосед, замерев в нерешительности.

— Курите на здоровье, — пробормотала я, не отрывая взгляда от взбешенного Германа.

Он взгляда не отвел, но молчал. Только кивнул соседу, и тот, воровато поглядывая по сторонам, закурил и принялся блаженно затягиваться, стряхивая пепел в жестяную банку. Тамбур тут же наполнился неприятным сизым дымом, от которого защипало в глазах, и я пожалела, что разрешила соседу курить. Он всегда там это делал, и мы все знали и не возражали, лишь иногда морщась от остаточного запаха, когда ждали лифта. Я и забыла, как это неприятно, когда вокруг тебя облако. Одежду придется стирать. Зато у нас с Германом вышла передышка. Мы таращились друг на друга, и в этом немом диалоге, могла поклясться, я была обвиняемой, а он — судьей. Герман всерьез считал, что я в чем-то виновата — перед ним? Перед Сережей? Перед родом человеческим?

— Извините меня, — недовольно пробормотал сосед, — но вы, может, в квартиру бы пошли? Вам бы там удобнее было...

— Согласна, это звучит разумно. Разве нет? — ехидно посмотрела я на Капелина. — В квартире нам было бы куда удобнее.

— А разве не издали закон, по которому курить в подъездах больше нельзя? — спросил Герман холодно, не сводя с меня взгляда.

Сосед в панике посмотрел на меня, словно прося защиты. Я фыркнула:

— У нас тут никто не возражает. Ни я, ни мой муж.

— Но у тебя дети. Детям вреден дым, — возразил Герман, пытаясь пробить во мне дыру взглядом.

— Со своими детьми я уж как-нибудь разберусь, — ответила я. — Курите, Ростислав Дмитриевич. Курите. Хоть две штуки подряд.

— Я... да уж почти все, — пробормотал сосед, с опаской косясь на грозового Германа.

Тот пожал плечами и, продолжая смотреть на меня, сказал:

— Пассивное курение даже опаснее, чем активное.

— Считаешь, для моего здоровья будет лучше, если я закурю натурально, не пассивно, так сказать? — спросила я с самым невинным видом. — Ростислав Дмитриевич, сигареткой не угостите?

— Да-да, Ростислав Дмитриевич, не угостите ли сигареткой молодую мать двоих детей? — отчеканил Герман неожиданно зло, словно обвинял меня в чем-то.

Сосед покраснел, закашлялся и затушил свой бычок в недрах жестяной банки. Он с опаской посмотрел на нас и пролез за круглую вертикальную колонну мусоропровода — спрятать там свою новенькую самодельную пепельницу. Через секунду он испарился, и от него осталось только дым в воздухе и резкий звук хлопнувшей двери. Полагаю, курить он перехотел. Мы стояли молча, словно странники, только что пережившие налетевшую бурю. Как будто мы поссорились, но я так и не узнала причины ссоры.

— Я ничего не понимаю в жизни, — призналась я раздраженно. — Что я тебе сделала? Чем-то обидела?

— Не в этом дело, Лиза, — тихо протянул Герман. Вместе с соседом испарилась и вся странная бравада Германа Капелина, и его злость. Меня же, напротив, трясло.

— Не в этом дело? Слушай, а я ведь постоянно слышу эту фразу. Мне кажется, она может получить какую-нибудь награду за популярность. «Оскара» могла бы взять. Не в этом дело. Не в этом. А в чем? В чем дело, Капелин?

— Не заводись, пожалуйста, — попросил Герман, и я хотела швырнуть ему в лицо простой факт, что дело как раз в этом, что я уже заведена и готова скакать, как игрушечная курочка на заводном ключе. Скакать по тамбуру перед лифтом и клевать все вокруг, бессмысленно и истерично. «Не заводись».

Я швырнула ему в руки Майкину «Книгу камней» и ноутбук, потому что это было хоть что-то, что я могла швырнуть, и уперла руки в бока.

— Ну, и что ты пришел? Чего ты хотел оставить? Чтобы оставить меня, не нужно было припираться сюда! Ты уже все сделал, чтобы оставить меня. Слушай, я вообще-то пойду. Ты прав. У меня дети, у меня дела и муж, я занята, спешу, ни минутки свободной, вся в заботах и в печали...

— Лиза...

— Что? — рявкнула я. — Не в этом дело?

— Я хотел лично тебе отдать... показать... — Герман замялся, словно не зная, как объяснить мне что-то важное. — Ты помнишь, Лиза, что я бывал у вас на праздниках дома? Конечно, ты вряд ли помнишь, ты была совсем ребенком...

— Ты ничего про меня не знаешь. Не твое дело, что я помню. — Я качнулась, как парусная лодка на ветру, и отшатнулась к стене. Герман стоял с моей книгой и ноутбуком в больших нескладных руках. Он склонялся, словно пытался вместиться в наше земное притяжение. Моих слов он, кажется, вообще не услышал.

— У меня дома есть кладовка, она очень маленькая и тесная, но это ничего. Это всегда было мое любимое место в квартире, потому что я там пленки проявлял. Кладовки для таких целей идеально подходят, потому что там темно. У меня была красная лампа, от которой пленка не повреждается.

— Пленка? О чем ты? Какая пленка? — уточнила я.

— Ты серьезно? — вытаращился Герман. — Ты меня сейчас не шутя спрашиваешь?

— Фотопленка?

— Ну, конечно! — заметно расслабился он. — Я, конечно, понимаю, что ты из другого поколения, но не до такой же степени, Лиза, чтобы не знать, как фотографии делаются.

— Наверное, вы с Файкой из одного поколения, они с папой тоже все время запирались и чего-то там мутили в темноте. И потом странно пахло.

— Реактивы, да, они странно пахнут, — кивнул Герман. — У меня, кстати, были все реактивы на свете. А еще специальные мисочки, бутылочки, палочки для смешивания, спатулы — словом, все, о чем только можно мечтать. Я увлекся фотографией еще с детства.

— А я думала, ты спустился на нашу планету уже взрослым, — тихо прошептала я, закрыв глаза.

— О, поверь, я был ребенком, и очень дурацким. От меня были одни проблемы.

— Не верю! Ты был образцово-показательным ребенком, который бежит из школы домой, чтобы тут же сесть за уроки, — улыбнулась я. — А если он их закончит раньше времени, то сам себе дает дополнительное задание какой-нибудь повышенной сложности.

— А если уж совсем лишнее время остается, то он гладит белье, чтобы помочь маме, и переводит старушек через дорогу? Даже если они против? Таким ты меня видишь? — хмыкнул он. — Нет, я, конечно, учился неплохо. Особенно по техническим предметам. Но писал я как курица лапой. Учителя, наверное, волосы рвали, разбирая мои каракули. Мама пыталась что-то с этим делать, сажала меня за тетрадку и диктовала. Если прочесть было нельзя, она начинала заново.

— Помогло?

— Нет. Я до сих пор пишу так, что меня можно сразу без экзаменов принимать в доктора. Но, с другой стороны, я рано начал выигрывать математические олимпиады, так что мама смирилась. Почерк был не самой большой проблемой.

— Нет?

— К примеру, однажды я маме на полном серьезе чуть квартиру не сжег.

— Курил? — Я изобразила строгость. — Со спичками баловался?

— Я никогда не курил, если уж на то пошло. Но увлекался физикой, поэтому время от времени что-то подрывал или уничтожал каким-нибудь еще способом. Однажды я готовил так называемое огненное торнадо — это про атмосферное давление, закон Бернулли.

— Спасибо за пояснения, мне сразу все стало понятно. Закон Бернулли! Теперь-то у меня ни одного вопроса не осталось, — фыркнула я.

Герман вздохнул, как в свое время вздыхал папа, если ему приходилось снисходить до меня и говорить на одном языке. А теперь Файка периодически так же закатывает глаза.

— Если вкратце — берешь металлическое ведро, туда помещаешь специальную емкость с горючим, в моем случае — со спиртом, затем это все закрепляешь на крутящемся круге. Там, конечно, требуется подготовительная работа. Потом поджигаешь спирт, крутишь круг, и язык пламени закручивается в воздухе, получается красиво и авантажно. Огненное торнадо, по-другому и не опишешь.

— Думаю, твоя мама предпочла бы, чтобы ты курил.

— Я сделал торнадо для кружка юных физиков, захотел попробовать заранее свое ведро и круг кручения. В принципе, у меня все получилось. Торнадо было — что надо, буйное и гудящее. Я разволновался и от экстаза раскрутил круг чуть больше, чем надо, и мое ведро слетело. В общем, на полу оказался разлит горящий спирт. Можешь себе представить счастье моей мамы. Она на шум заходит ко мне в комнату, а у меня на полу пожар. И я скачу между языками пламени, как шаман из индейского племени. Она меня чуть не убила. После того, как потушила огонь, конечно.

— Я ее бы не винила за это, — против воли улыбнулась я.

— Никто бы ее не стал винить. Она была умной женщиной. Мама купила мне «Зенит». Дорогущий по тем временам фотоаппарат, она, конечно, его с рук взяла, подержанный. Но ты просто не можешь представить себе, насколько я был счастлив.

— И больше ничего не поджигал.

— Так далеко я бы не стал заходить, я же был физиком. Конечно, всякое бывало. Мамино условие — чтобы не дома и чтобы в живых оставался — я выполнял. А дома я занимался фотографией.

— В кладовке?

— Да. Девятнадцатый «Зенит», ты, скорее всего, вообще о таких не слышала — пленочный, очень хороший фотоаппарат. Зеркальный видоискатель. Сейчас никого особенно не удивишь фотографиями, каждый второй — фотограф. Курсы, все такое. Но когда я увлекался фотографией, пленочные фотоаппараты еще были в ходу, и мне больше всего нравилось проявлять пленки. Я и сейчас считаю, что у фотографий, сделанных таким способом, больше жизни, больше души, что ли...

— Гера, зачем ты мне все это рассказываешь? — спросила я вдруг.

Он замолчал, разом вспомнив, что он тут вовсе не для того, чтобы наслаждаться обществом друг друга, не для того, чтобы рассказывать старые истории, не для того, чтобы быть вместе со мной. А зачем? Он потер лоб и кивнул, прикусив губу. Напряжение в лице выдавало его с головой.

— Я тебе принес старые фотографии, Лиза. Я подумал — ты бы хотела их иметь.

— Фотографии? — удивилась я.

— Я много фотографировал у вас дома. Нет, не смотри на меня, как на маньяка-извращенца. Я вообще много фотографировал, везде. В институте, на улице, случайных людей, случайную красоту, машины любил фотографировать. У вас дома было много праздников, всяких посиделок. Твой отец — он любил быть среди людей.

— Его вообще было хлебом не корми, дай что-нибудь отпраздновать, — кивнула я.

— Причем это могло быть как начало работы, так и ее окончание.

— Или даже середина, — рассмеялась я.

— Я нашел пленки, когда разбирал кладовку. Достаточно много, на самом деле. Мама хранила их в безупречном порядке, в сумке в кладовке. Большая часть, честно говоря, ерунда. Даже я не помню, зачем сделал эти фотографии. Но на некоторых вы. Ты, Фая, Павел Владимирович, Маргарита Венедиктовна, мои однокурсники.

— Я хочу посмотреть, — кивнула я. — Ты прав.

— Я так и подумал, что ты захочешь. Поэтому и принес. Я думал просто оставить их... Надо было так и сделать.

— Надо было... почему? — спросила я, уже не сопротивляясь. Какая-то глупая шутка вселенной, сбой в матрице. Мы не будем вместе. Мне казалось, что будем... но нет, это мне просто почудилось. Когда кажется, креститься надо.

Вместо ответа Герман протянул мне обратно мой ноутбук, а поверх плюхнул Майкину огромную книгу. Наклонился, достал из-за колонны мусоропровода с пола сумку. Черная пухлая сумка с миллионом молний. Капелин раскрыл ее посередине и достал увесистую пачку плотных изображений, распечатанных на фотобумаге разного размера. Некоторые картинки съехали, их границы не были четкими. На некоторых виднелись следы, подтеки реактивов. Сделано вручную, handmade, его руками. Я стояла, не зная, куда деть компьютер. Фотографий было больше, чем я ожидала. Прошлое внезапно влетело в мой холл перед лифтом теплым весенним ветром. На одной из фотографий мой папа, еще живой, еще с нами, стоял посреди нашей просторной кухни и смеялся. Рядом с ним — пара студентов со стопками листов в руках. Я присела на корточки, положила компьютер и книгу на плитку пола и осторожно, как белого голубя в ладони, взяла фотографии в руки. Я чувствовала слезы на щеках, для женщин такие слезы — обычное дело.

Этих фотографий не было в нашем архиве. Я не так часто видела отца в работе, больше помнила его в парках, пинающим шишки мысками своих ботинок. Я видела его — с мученическим выражением лица — в магазинах, пока он покорно и терпеливо ждал нас с мамой и обновками. Я помнила его расслабленное лицо со сползшими на нос очками, когда он засыпал перед телевизором. В наших альбомах он был уютным и домашним, он был моим папой. Поэтому сейчас я с такой жадностью вглядывалась в одухотворенное, наполненное смыслом и идеей лицо моего отца, выступающего перед огромной аудиторией около бесконечной доски. Я находила его среди других мужчин в костюмах — на конференции. Я с удивлением замечала свое собственное юное лицо в толпе смеющихся людей — у нас дома.

— Какая я смешная, господи, с этими идиотскими косичками, — невольно хихикнула я, на секунду забыв о том, что происходило между нами — между мною и Германом, и о том, что он мне не позвонил.

Кажется, он тоже забылся, потому что протянул ко мне руку — длинную, как телевизионная штанга — и вытер своим платком слезы на моей щеке.

— Не смешная, нет, — сказал он ласково и грустно. — Какая угодно, но не смешная.

Глава 8
Человек,
который бросал камни

— Так что ты мне скажешь? — спросила я у Фаины. Она, как и я, в этот момент тоже сидела на широком подоконнике на кухне с телефоном в руках. Эта привычка была у нас обеих с детства. В нашей квартире на Ленинском проспекте были большие окна с огромными подоконниками, и мы обе любили сидеть на них и рассматривать жизнь по другую сторону стеклянного аквариума. Смотреть, как расцветали и облетали деревья, как наполнялись машинами и к ночи опорожнялись ровные полосы шоссе, как менялся цвет неба в зависимости от времени суток. Эта привычка осталась на всю жизнь. Мы обе продолжали забираться на подоконники, притаскивая с собой телефоны, и болтать обо всем на свете, разглядывая мир — она с десятого этажа, я — с пятнадцатого. Даже когда Фая перебралась жить к своему идеальному парню, она не перестала сидеть на подоконнике, хотя черт его знает, как она туда помещалась — подоконники у Апреля узкие, не всякий цветочный горшок пристроишь-то. С моей пятой точкой я бы ни за что не влезла.

— Скажу — нехорошо все это. Возмутительно. Неужели Капелин вот так просто — взял и ушел? — переспросила Фая.

— Что ты все меня пытаешь, как инквизиция. Оставь ты Капелина в покое. Ушел и ушел. Дела вчерашние. Не хочет он со мной быть, что ж поделать. А я между тем тебя о книге спрашиваю, — разозлилась я, так как битые полчаса пересказывала ей содержание треклятой книги.

— А чего — книга? Что с ней не так? — переспросила она, взбесив меня окончательно.

— Что с тобой не так! Я тебе просто так о Капелине обмолвилась, нечаянно, я вообще не хотела о нем говорить. Только чтоб тебе фотки показать. Забудь даже имя его. Нет больше Германа Капелина, закрыли тему. Теперь только книги моих странных подруг за пятьсот!

— Да хрен бы с ней, с книгой, ты мне лучше объясни, зачем тогда он приходил? Фотографии отдать? Ага, конечно! Не приходят мужчины, чтобы фотографии просто вручить! — И Фая фыркнула в свойственной ей манере.

Я прикрыла глаза и глубоко вдохнула, досчитала до десяти. Говорят, помогает от стресса. Но только не с такой сестрой, как у меня.

— Я говорю тебе, книга хорошая, — сказала я, сделав вид, что предыдущего Файкиного комментария не услышала. — Ладно бы книга была дерьмо какое-нибудь или, к примеру, тягомотина. Но нет, я эту чертову книгу читала всю ночь. И утром. Я вообще не выспалась, ужас. Обалденная книга. Жутковатая, но интересная — не оторвешься.

— Чего ты от меня-то хочешь?

— Чего я хочу, блин? Почитай ее, Фая. Почитай и скажи мне, могла наша Майка такое написать? Потому что мне все больше кажется, что могла. Хотя и странно, книга такая, знаешь, немного как триллер, никакой веры в человечество в целом, но каждый отдельный персонаж — как родной. Сереже, между прочим, пришлось Вовку завтраком кормить и в садик везти, потому что я — слышишь ты меня или нет — читала. Про этого чертова киллера, если тебе интересно, о чем эта книга. Могла Майка написать книгу про киллера?

— Может быть, она сама — киллер? Или мы чего-нибудь не знаем про нашу Маечку? — ерничала Фая. — Но больше всего меня удивляет, я просто поверить не могу, что премию дали за книгу про киллера. Уж, кажется, каждая вторая книга на магазинных полках — про киллера.

— Не про простого киллера.

— А про какого? Золотого? Раскаявшегося, как Раскольников с топором? И какого черта Сережа все еще там, у тебя? Ты же вроде сказала, после майских он уедет.

— Ага, уедет он, как же.

— И ты удивляешься, что Гера взбесился? Пришел к любимой женщине, а у той по квартире муж разгуливает. Как у себя дома, честное слово! — Фая упорно возвращала меня к разговору, который я не желала продолжать.

— А кто тебе сказал, что Капелин был взбешен? Он был спокоен как удав. Я бы даже сказала, что нежен и сентиментален. Он вел себя как старый друг семьи, сволочь такая, — сорвалась я. — Фотографии принес, понимаешь. Убить бы его. Прям с помощью Майкиного киллера. Блин, прочитай книгу, Фаина. Эйнштейном тебя молю!

— Значит, ты сама считаешь, что книжка Майкина, или нет? — Фая откашлялась. — Подожди-ка, я чайку-кофейку хоть себе заварю. — И она ушла, бросив телефон не подоконнике.

— Я ничего не считаю, — пробормотала я в опустевшую трубку. — Собственно, именно поэтому и обратилась к тебе. Независимая экспертиза ты чертова. Алло, ты вернулась? — В ответ мне была тишина. Я слышала, как вдали гремела посуда.

— Ну чего? Молчишь? — спросила она, когда вернулась.

Я уже успела отключиться от разговора и листала страницы книги, выискивая места, от которых у меня вчера ночью буквально мурашки по коже бегали.

— Слушай, Фая! «...*тяжелое, обмякшее тело врага все еще угадывалось под мостом. Он лежал, повернутый лицом к дороге, и его мертвые глаза следили, как я покидаю место преступления. Бездна вглядывалась в меня, рассматривая свою новую игрушку. Невидимые языки пламени уже начали корежить подошвы моих шнурованных ботинок, я погружался в ад. Интересно, все новорожденные убийцы чувствуют себя как я? Действительно ли жизнь больше никогда не будет прежней? Я поежился от холода и вдруг вспомнил, что забыл выключить обогреватель в спальне. Бездна поблекла и рассыпалась, как пепел от сожженного листка, и я даже подумал о том, чтобы вставить обратно батарейку в телефон и позвонить жене, спросить, все ли в порядке дома. Только после на меня обрушилась оглушительно простая мысль — я убил. Это не сон. Камень брошен. Никаких судей нет, если только я не один из них...*»

Я замолчала и некоторое время просто шелестела страницами. Фая тихо дышала на другой стороне эфира. Потом она откашлялась.

— Так пишут только мужчины, — сказала она решительно. — Это не женский стиль.

— Интересное кино, а как ты это определила? По тому, что главный герой — мужчина?

— Хотя бы даже и поэтому. Если бы это писала женщина, то и убийца была бы женщина. Или бы убийца охотился на главную героиню. Или вообще книга была бы про кота. Наша Майка — она же совсем другая, она же — как одуванчик.

— Подуешь — и все осыплется, одна лысина останется? Что именно ты имеешь в виду? И почему ты злишься?

— Я не злюсь, просто... что, если ты права и Майка написала такую вот книгу. Про маньяка-супермена, спасающего нас от совершенно обычных людей... Боюсь, это только окончательно отвратит меня от мира.

— Это ничего страшного, у тебя и так с миром не слишком хорошие отношения. Почитай, Фая.

— Если у вас паранойя, это еще не значит, что за вами не следят, — пробормотала Фая. — Нехорошее у меня предчувствие. Не знаю. И потом, я же не смогу ничего сказать, даже если прочитаю. Как я вообще могу такое определять, я же не литератор и не эксперт ни в какой области. И что там дальше? Кого он убил? Кто это — его враг?

— Прочитай, — отрезала я. — Эта жестокость — она там даже оправдана. Не то чтобы с чисто человеческой точки зрения, но она нужна для сюжета. К примеру, ты читала другую книгу, как эта... про девушку, которая все чего-то там делала... — Я запнулась, пытаясь вспомнить название книги.

Файка фыркнула:

— По такому-то описанию я сразу пойму, о чем речь. Не знаю кто, не знаю что и не знаю где. Исчерпывающе!

— Длинные такие названия. Что-то про татуировку. Там тоже, собственно, про убийства было.

— «Девушка с татуировкой дракона», что ли? — спросила Фая, и я щелкнула пальцами. — Я не читала, но смотрела фильм. Мне, кстати, фильм совершенно не понравился. А тебе?

— Я не люблю его, — сказала я, прижимая нос к стеклу. Я пыталась разглядеть «Скорую помощь», мчавшуюся с визгом по дороге к соседнему дому.

— Кого ты не любишь? Германа? — переспросила сестра, и я буквально зашипела на нее, как кошка, которой наступили на хвост.

— Крейга! Дэниела Крейга я не люблю, хотя и должна признать, что он идеально подходил для этой роли в этом фильме. Но в данном случае книга была чем-то бесспорно большим по сравнению с фильмом. Я читала все три книги, если на то пошло. И могу сказать, что фильм неплохой, но он и в сравнение не идет с книгой. Потому что фильм, знаешь, про маньяка-убийцу, которого ловили-ловили и поймали. Такой «колобок» получился, от бабушки ушел, от дедушки тоже, а от Лисбет Саландер не ушел. Правда, она его есть не стала, залепила клюшкой для гольфа по башке. И все. Как говорится, хеппи-энд. А книга — так вообще про другое.

— И про что же, интересно?

— Про насилие в целом, про то, как много его в нашем мире и что оно вот тут, под ногами, перед нами и даже нами делается. По крайней мере, с нашего молчаливого согласия. Потому что никто не хочет связываться, никто не хочет рисковать, и все осторожненько проходят мимо, перешагивая через труп так, словно это лежачий полицейский.

— Эка тебя задело! — хмыкнула Фая. — Надо почитать... про Саландер.

— Почитай Майкины «камни», Фая. А то я с ума сойду переживать, что, может, я зря подругу обидела. Такие вещи ведь пишутся, знаешь, годами. Она сказала — пять лет. Майке нет и тридцати, она слишком молода для такого, разве я не права? Послевкусие от книги такое сложное, как от сухого красного.

— Сухое сухому рознь! — строго бросила сестра.

— Не кислятина. Помнишь, твой Апрель приносил нам бутылку. Как она называлась? Прямо отличное вино было, не то что я обычно пью из этих ужасных картонных коробок.

— В вине мы разбираемся, — рассмеялась Фая.

— Меня даже не отпустило до сих пор.

— От картонного вина?

— От ощущения этих страниц и от главного героя. Человека, который не только способен на все, но и решил, что у него нет выбора. Если человек может совершить преступление, он его обязательно сделает.

— Новая версия закона Мёрфи.

— Именно! Прямо в точку. Если человек рожден убийцей, он убьет, даже если у него нет для этого повода. Возьмет пистолет, придумает какой-нибудь повод, какую-нибудь свою версию «справедливости», пойдет и выстрелит в человека, который ему лично ничего не сделал, который его даже не знал и никак не пересекался, ни одного слова, ни одного жеста. Как убийца Джона Леннона.

— Ну, тот-то стрелял ради славы, — заметила Фая. — А зачем тебе, собственно, нужно знать точно, кто написал эту книгу? Ну узнаешь ты, и что? Автограф пойдешь брать?

— Пять лет жизни, Фая. Если бы у тебя украли пятилетний труд, что бы ты сделала?

— Я просто не способна столько лет подряд реально трудиться. Иногда я прихожу в офис и даже минуты не работаю. Читаю какие-нибудь статьи с умным видом. Я бы за пять лет уже забыла, с чего начинала.

— Тебе надо посмотреть, как Кукош принимал эту премию за книгу. Ох, не знаю, может, я и не права, но я уже ненавижу его в этой дурацкой расшитой рубахе, словно прямо со сцены он планирует дальше траву косить.

— Трава траве рознь.

— Фая! Что, если это не его книга?

— Возможно. Да, ты права, это возмутительно и предосудительно, ай-ай-ай. Но мы-то с тобой тут при чем? — спросила Фая, и я даже растерялась. — Я что, главный уполномоченный по вселенской справедливости в московском регионе? Может, мне пойти и взять обрез? В конце концов, никто же не умер.

— Меньше всего я ожидала услышать такое от тебя!

— Почему это? Что бы я ни сделала — ничего хорошего не выйдет.

— А может, выйдет?

— Допустим, Майка врет. Допустим, она придумала все про свои занятия с Кукошем и вообще все придумала. Тогда она просто опасна, и с нею не стоит связываться. Я уже имела дело с одной психованной бабой, поверь мне, это не так весело, как звучит, и влезать в это по доброй воле снова я не стану. А теперь допустим, что Майка не врет. Это значит, что Кукош украл книгу, и тогда он сделает все, чтобы защитить свою репутацию. Он опасен, богат и знаменит, и с ним лучше не связываться. Так или иначе, мы пострадаем. Ты пострадаешь больше всех, Лиза.

— Я-то тут при чем?

— Вот именно! — воскликнула Фая. — Ладно бы дело шло о твоей безопасности или твоей личной проблеме. Но нет, ты хочешь, чтобы я влезла в эту историю из чистого человеколюбия. Но ты меня с кем-то путаешь, с какими-нибудь героями Чехова, которые жалеют людей и любят вишневые сады. А я больше персонаж Агаты Кристи. У нее там хороших людей нет, там никто никого не жалеет и все врут друг другу. Потому-то ее книги так популярны.

— Герои Кристи просто реалистичны, они — живые люди.

— Значит, ты хочешь помогать людям? Сидеть с их котами, биться за их авторские права?

— Ничего я не хочу, — процедила я, бросая трубку — в прямом смысле. Я размахнулась и швырнула ее на пол. Больше всего меня бесил и возмущал тот факт, что Файка была права. Ну какое мне дело? У меня что, своих проблем мало?

В комнату заглянул Сережа.

— Что упало? — спросил он со спокойным лицом человека, живущего в полной гармонии с собой.

Это меня всегда восхищало в моем муже — способность принимать себя таким, какой он есть, без сомнений, без волнений и попыток что-то поменять. Только радость, только благодарность всевышнему за то, каким тот его, Сережу, создал. Кто угодно мог иметь вопросы к создателю. Бывшая жена наверняка нашла бы что сказать. Сережина мама была недовольна. Я, как бы ни пыталась скрыть этот факт от самой себя, устала до чертиков от его выкрутасов. Но сам Сережа был безмятежен и только немного волновался за то, что у меня упало с таким грохотом.

— Телефон, — сказала я. — Только он не упал. Я его кинула. И я не понимаю, какое тебе до этого дело.

— Да нет, просто странно, — удивился мой муж, но продолжать разговор не стал, пожал плечами и развернулся.

Не так быстро.

— Скажи, Сережа, почему ты еще здесь? — спросила я тихо, вкрадчиво, подбираясь к нему бесшумно, как кот, которого мы потеряли. — Почему ты не уехал?

— А к чему такая спешка? Разве мы мешаем друг другу? — ответил он, застыв в дверях. Только чуть повернул голову.

На Сереже были домашние серые тренировочные штаны, футболка с флагом и эмблемой благотворительного марафона. Да-да, он бегал марафоны. Сережа делал зарядку, любил себя. Разве не к этому мы, психологи, призываем всех? Сережа как пример идеального представителя человеческой расы — в этом было что-то противоестественное. Я пожалела, что кинула телефон на пол. Если бы он был сейчас у меня в руке, кинула бы его в Сережу.

— Разве то, что мы не мешаем друг другу, так уж важно? Твоя жена сказала тебе, что хочет развода. Что она больше тебе не жена, что вы отныне — чужие люди. Ты считаешь, это недостаточный повод, чтобы уйти? — ответила я вопросом на вопрос.

— Какая муха тебя укусила? — спросил Сережа по-прежнему возмутительно нежным, заботливым голосом. — Плохой день? Ты с кем-то поссорилась и решила отыграться на мне?

— А почему бы и нет?

— Да на здоровье, — широко улыбнулся он. — Лишь бы ты была счастлива.

— Нет, Сережа, ты не можешь так говорить. Если бы ты хотел, чтобы я была счастлива, то не стоял тут сейчас с видом терпеливого святого. Если бы ты хотел, чтобы я была счастлива, ты бы не уезжал неизвестно куда, как только тебе становилось скучно. Ты бы волновался за детей, играл бы с ними. Ты бы иногда — для разнообразия — устраивался бы на настоящую работу. Просто чтобы иногда я могла немного выдохнуть.

— Я работал... — тут же возмущенно отозвался он, и я устало закрыла глаза, пытаясь понять, как я умудрилась влипнуть в один из миллиона разговоров, которые уже случались между нами.

— Я знаю. Работал. Ты был занят, и ты был в командировке. А у меня просто плохой день. Я все это слышала, эти и другие слова, которые ты можешь мне сказать. Такие красивые и логичные. Как ты умудряешься хранить свой чертов мир в целости, таким нетронутым и безупречным, несмотря ни на что? Я тебя бросила, почему, черт возьми, ты все еще здесь? Я просто не могу понять, Сережа, что именно тебя тут держит? Возможно, тебе просто некуда пойти. Нет, я не в претензии, просто размышляю. — От долгого сидения на подоконнике у меня занемела нога, и я осела на пол, когда попыталась спуститься на землю. В смысле, спрыгнуть с подоконника.

— Ты в порядке? — тут же спросил он заботливо, бросаясь ко мне, но я остановила его рукой в попытке помочь мне подняться на ноги.

— Не надо, я сама встану. Я всегда встаю сама. Я все делаю сама. Даже тебя сама сделала. Слепила из того, что было.

— Ну, началось! — Сережа всплеснул руками.

— Ничего и не заканчивалось. Зачем ты ушел от жены, Сережа? Почему ты меня не бросил? Я бы поплакала и зажила бы дальше — долго и счастливо. Но ты пришел, остался, позволил мне бросить к твоим ногам всю свою жизнь, родить тебе детей, ждать тебя из твоих так называемых командировок, делать вид, что у нас все хорошо. Давать тебе шанс. Сколько у нас было шансов, Сережа? Ты думаешь, и в этот раз я его тебе дам?

— А тебе не кажется, что в этот раз это ты должна просить меня дать тебе шанс? — Сережа сощурился и добавил специальный акцент на слове «тебе».

— Ты хочешь дать мне шанс? — переспросила я, а затем расхохоталась.

Он смотрел, как я смеюсь, и лицо его менялось, словно с него сползал макияж, нанесенный толстым слоем на его настоящее — бледное и злое лицо. Наконец-то. Я ждала его злости уже слишком долго.

— Тебе просто необходимо все это устроить? — спросил Сережа, сжав зубы. — Ты можешь оскорблять меня, сколько влезет.

— Серьезно? — изумилась я. — В меня много влезет. Тебя ничуть не задевают мои слова? Почему? Это же ненормально, ты же ведь живой человек, и не может быть, чтобы бесплатное спальное место значило больше, чем твоя гордость.

— Тебе не идет быть стервой, — процедил он.

— Почему это? Многим очень даже идет быть стервой! Стервы всем нравятся, они независимы и не позволяют обращаться с собой как с мусором.

— Я никогда не обращался с тобой как с мусором. Но если хочешь, изволь — поговорим. Ты всерьез хочешь, чтобы я уехал? — Его тон вдруг поменялся. — Или ты ведешь себя так борзо просто потому, что думаешь, что этот долговязый хмырь подберет тебя и потащит в светлое будущее? Подберет тебя — женщину под тридцатник, с двумя детьми...

— Мне двадцать шесть.

— А выглядишь ты на тридцать пять. — Его зрачки сократились, он глубоко дышал. Голубоглазый блондин вдруг перестал быть таким уж симпатичным, его глаза превратились в холодные змеиные.

— Это не твоя проблема.

— Нет, моя дорогая. Это моя проблема, потому что потом, когда твой этот хмырь не оправдает твоих надежд — а он не оправдает, потому что никому не нужна баба с двумя чужими детьми, — ты прибежишь ко мне. И что ты думаешь? Что ты сможешь щелкнуть пальцами и я вернусь? Скажешь мне что-нибудь про детей, расплачешься, и я все забуду и приму тебя обратно? Или ты всерьез считаешь, что потянешь жизнь матери-одиночки с двумя детьми? Да, и даже не начинай про то, что ты самостоятельная и независимая, и про то, какой ты психолог. Что ты будешь делать без меня, без своей сестры, без никого? Ты никогда не была одна.

— Я всегда была с тобой, — против воли я почувствовала, как противный липкий страх потом течет по моей спине.

— Именно так, Лиза. Ты понятия не имеешь, что такое настоящее одиночество. Что ты знаешь о своем будущем? Сейчас оно кажется тебе светлым, но жизнь все расставит по своим местам. Ты измотаешься и построшнеешь. У тебя появится этот голодный взгляд тетки в свободном поиске. Тебя станут называть «женщина», спрашивая, выходишь ли ты на следующей остановке. Никто уже не обратится к тебе — девушка. Нет, я не говорю, что не найдется на тебя охотников. Они всегда есть — почему бы не переспать с доступной женщиной в отчаянии? На что ты вообще надеешься? На любовь? На своего физика чертова? Он исчезнет, как только узнает, что ты реально разведена. Все они только рады с тобой переспать, пока ты — благополучная замужняя женщина. Потому что это безопасно, моя дорогая. Замужняя женщина — это сплошная радость и нулевая ответственность. Разведенная с двумя детьми — совсем иная история. Но не переживай, желающие все равно найдутся. Похуже, попроще, приезжие, к примеру. Постарше, женатые, с ишемией сердца. Встречаться пару раз в месяц, без обязательств. Как тебе такая психология? Ты думаешь, мне нужна твоя квартира или твоя любовь? Мужчина всегда может найти и то, и другое. Это не такая уж редкость — квартира и, уж тем более, любовь. — Сережа горел, как мусорный бак, подожженный подростками. «Вешать на любых столбах» — вот каким было его лицо.

— Тогда почему ты все еще здесь? — спросила я еле слышно.

И, как ни странно, мой вопрос словно отрезвил Сережу, привел в чувство. Он вздрогнул и огляделся вокруг, словно забыл, где находится. Затем посмотрел на мое бумажно-белое лицо и сделал шаг мне навстречу, но я отшатнулась. Так мы и шли — он наваливался на меня, как убийца на отступающую жертву, его лицо изменилось, неприятная, неестественная улыбка растянулась на его губах.

— Потому что я все еще люблю тебя, — сказал он фальшивым тоном, словно вдруг вспомнил текст своей роли.

Сережа судорожно попытался вернуться обратно в образ, но я уже вырвалась и добралась до двери. Я выбежала из квартиры, унося с собой Майкину книгу и треснувший от падения телефон.

Глава 9
Не моя головная боль

Я понятия не имею, что такое настоящее одиночество. Как психолог, я почти ежедневно сталкиваюсь с людьми, которые одиноки. Я знаю, как им помочь, и я также понимаю с профессиональной безжалостной ясностью, что помочь им до конца у меня не получится. Одиночество невозможно исцелить, как и изменить то, кто ты есть. Одиночество — норма, мы рождаемся такими и умираем, все, что мы можем, — это некоторое время жить рядом с кем-то. Рядом с Сережей, например.

Я понятия не имею, что такое настоящее одиночество, Сережа абсолютно точно ударил в цель, нашел мое слабое место. Я никогда не была по-настоящему одинока, кроме того момента, когда полированный ящик с телом моего отца исчез под землей, оставив мне вместо человека табличку с фотографией и место, куда я могу класть цветы. Я помню панический страх, ледяной космический холод настоящего одиночества в момент, когда я поняла, что отца больше нет. Настанет день, и меня тоже не станет. Именно тогда ты вдруг понимаешь это по-настоящему, именно в этот момент осознаешь, насколько одинока в этом бесконечном мире людей. Миллионы людей бесконечно одиноки до такой степени, что они начинают сходить с ума. Огромное количество людей — как разбросанные во вселенной звезды. Но стоит звездам подойти слишком близко друг к другу, и адская сила гравитации разнесет их в клочья.

Я чувствовала себя взорванной звездой, и мои осколки разлетались по двору, через который я бежала, растекались по лицу злыми слезами, обжигали взглядом «не подходи» проходящих мимо людей. Если бы я сказала, что Сережа ошибся насчет меня, то соврала бы самой себе. Он раскрыл передо мной свою душу, и пусть там оказалось грязно, холодно и неприятно пахло, я знала — он был прав. Это не делало его хорошим человеком, и я впервые за все годы вдруг осознала, насколько сильно я ненавидела — не его, а саму себя. Я назвала любовью то, что было страхом. Боязнь остаться одной. В результате я осталась с Сережей.

Я остановилась, только когда в моих легких кончился воздух. Двумя руками я оперлась на облупленную оградку, пытаясь отдышаться, потом огляделась — я была рядом с детской площадкой не так далеко от дома сестры. Чужие дети шумно резвились, и смеялись, и кричали, и требовали, и размахивали лопатками. Их родители смотрели на меня с подозрением, неодобрением, даже осуждением. Никто не хочет видеть чужие слезы, люди предпочитают делать вид, что в мире нет никакого горя, и все кругом совершенно счастливы, и никто никого не обижает, что никто не одинок. Именно поэтому, когда где-то на публике какая-нибудь пара начинает громко, страстно, исступленно ругаться, переходя на крик, размахивая руками, размазывая слезы по щекам, все отворачиваются, стыдятся и краснеют. Они словно кричат: не выдавайте нас, не показывайте миру наше истинное лицо, не открывайте им наши слабости.

Никто не хочет признаваться в том, что он уязвим, что он смертен.

Несколько детей остановили свою игру и смотрели на меня с интересом, без вежливости или брезгливости. Им было любопытно, почему это тетя оказалась тут в середине дня в тапочках, в растянутом свитере с застарелым пятном от кофе на груди, в штанах с цветастыми изогнутыми «бешеными огурцами», с телефоном и тяжеленной книгой в руке. Я забыла, что была не одета. Я забыла обо всем, когда покинула квартиру. Почему я вообще убежала? Я не боялась Сережи или того, что он, к примеру, меня ударит. Он ни разу в жизни не тронул меня и пальцем. Даже когда я, усталая и взбешенная его очередным двухнедельным отсутствием, набросилась на него с кулаками и криками, он просто стоял и ждал, когда меня, что называется, отпустит. Нет, я убегала от чего-то другого. От кого-то другого. От самой себя.

— Вы в порядке? — услышала я чей-то голос. Какая-то женщина, чья-то взволнованная мать смотрела на меня внимательно и равнодушно.

Сделав усилие, я кивнула.

— Я просто... вышла прогуляться перед обедом, подышать... этим... воздухом, — невразумительно пробормотала я. Мои слова женщину не убедили, но успокоили. По крайней мере, я вроде не была буйной сумасшедшей — уже неплохо. На всякий случай женщина отвела ребенка от меня подальше, на другой край площадки. Осмотревшись вокруг, я подошла к скамейке неподалеку. Она оказалась грязной, и я присела на ее спинку, сверху, забравшись на скамейку с ногами. Мне было холодно, особенно ногам в тапочках. Хоть солнце старательно сияло уже по-летнему, воздух и земля еще не были прогреты достаточно, чтобы гулять по ним практически босиком. Что делать дальше, я не знала. От холода меня начала бить дрожь. Когда зазвонил телефон, мне потребовалось несколько серьезных усилий, чтобы нажать на экран, так замерзли мои пальцы. Отчасти это было сложно и потому, что по экрану пробежала большая некрасивая трещина. Вот что случается, когда швыряешься телефонами.

— Лизка, ты чего молчишь? Алло! Ты там где? — конечно, это была сестра. Она перезвонила, потому что волновалась. Фая всегда делала вид, что ей все равно, но через какое-то время перезванивала, потому что переживала. Я была ненадежна в этом смысле, от меня всегда имело смысл ожидать проблем.

— Я здесь.

— Почему там у тебя орут дети? — спросила она с подозрением. — Где это твое «здесь»?

— На площадке, — ответила я. — Около твоего дома. То есть не твоего, ты же теперь живешь, как принцесса, в замке.

— Ты что, Вовку забрала пораньше? Почему? Он заболел? Чего ты молчишь, что происходит? — Файка проигнорировала мой сарказм.

— Я не молчу, просто не могу вставить и слова, потому что ты тараторишь как сорока. Никого я не забрала, в саду твой племяш, все с ним нормально.

— А с тобой? С тобой все как? — переспросила она, и неминуемо следствие и причина сплелись в цепь событий.

Я проболталась, конечно, и через некоторое время моя сестра нашла меня на моей жердочке, к которой я практически примерзла, как маленький нахохлившийся воробушек. Примерно так я себя и чувствовала.

— Ну ничего себе, прости господи! — сказала она, когда обнаружила меня на площадке, на скамейке, с ногами в тапочках с помпончиками. — И это ты называешь все нормально? Сдурела?

— Не исключено. Я уже слилась с окружающей средой, почти сравнялась с ней по температуре, — попыталась пошутить я. Зубы стучали. — Я мимикрирую как могу.

— Ты так домимикрируешься до воспаления легких, ты с ума сошла? Почему в таком виде? Что-то случилось?

— Ничего не случилось, — упрямилась я, но Фая тут же нашла корень всего и выдернула его, как морковку.

— Сережа? Он обидел тебя? Что он сделал?

— Ты опять задаешь миллион вопросов, но не даешь мне ответить, Файка. Нет, не надо мне твоей дурацкой одежды, мне нравится погода, я люблю холод, он закаляет характер, а у меня явно проблемы с ним. Он у меня дурацкий и слабый, его нужно закалять, — я попыталась воспротивиться тому, что моя сестра стягивала с себя свитер, но она и малейшего внимания мне не уделила. Сопротивляться физически я не могла, мои руки меня почти не слушались.

— Пороть тебя некому, — ответила она на мою эскападу. — Пойдем.

— Вот она, моя жизнь! Снова я причиняю тебе беспокойство, и тебе приходится обо мне заботиться, — пробормотала я с отвращением. — Разве это нормально? Лучше бы ты бросила меня, может, толку было бы больше. Может быть, я бы сбила из сливок масло.

— Или утонула бы к чертям собачьим, — зло ответила Фая, утаскивая меня за собой.

Я пожала плечами:

— Ты права, это даже более вероятно. Помнишь, как ты всегда калякала в тетрадях по русскому? С помарками и исправлениями. А я всегда писала аккуратно и красиво, и ты бесилась, говорила, что я — живое доказательство маминой правоты.

— Потому что писать так чисто невозможно, — миролюбиво пробормотала сестра.

— Да, и что я — просто какой-то биоробот.

— И что?

— Так вот, можешь радоваться, свою жизнь я написала с ошибками, все перепачкала, и ничего не прочесть. Ужас, а не жизнь, понимаешь? Я сама ничего не могу разобрать. Еще и в тапках. А куда мы идем?

— К тебе домой, — сказала Фая, и я встала на месте, как упрямый осел.

— Не пойду, — категорически отказалась я.

— Да что случилось? — Файка закатила глаза.

— Что случилось? То, что я дура. И с чего я вообще взяла, что все можно начать сначала? У меня двое детей, Фая. Разведенная женщина — кому я нужна? Я ничего уже не перепишу начисто, потому что у жизни нет черновика. И я буду ее проживать дальше, разведенная и никому не нужная. Я ведь ничего не знаю об одиночестве. Это мне Сережа сказал, между прочим. Такой урок психологии, понимаешь?

— Значит, Сережа сказал? Ага, ясно.

— Что тебе ясно? Я никогда даже не видела его по-настоящему, понимаешь! Я видела какого-то другого человека, не Сережу. Мне казалось, он такой сложный, с проблемами и которого нужно спасать. А он просто козел. Все это видели. Ты это видела и пыталась мне открыть глаза, но невозможно раскрыть глаза против воли.

— Я твоего Сережу убью, — пробормотала Фая, разворачиваясь в сторону улицы.

— И что? Думаешь, я завтра не приведу другого такого же? История показывает, что если человек — дура, то ему ничего не поможет. Вот моя история — она же зашла в тупик. И я сижу в нем, в этом тупике, в тапках и с этим пятном от кофе, а Сережа там. И ему некуда спешить, он знает точно, что одиночество возьмет меня за горло. И у нас с ним двое детей. Против этого вообще невозможно возразить. Это же полная глупость — развестись с отцом своих детей.

— Глупость — убежать вот так из собственного дома! — ответила мне Фая.

— Забавно, что миллион раз мы с ним ругались, но никогда я даже не предполагала, что Сережа может быть такой циничной скотиной. Ни разу. Хотя что мне мешало это понять? С самого начала было ясно, что придет день и он скажет мне, что не нуждается ни во мне, ни в моей квартире, ни в моей любви, ни в моих детях. Знаешь, он сказал, что разведенная женщина никому не нужна. А я вот вдруг подумала: а мне-то кто нужен?

— Ты бы лучше подумала носки надеть, — проворчала Фая. — Книгу эту проклятую ты взять не забыла.

— Сережа прав! — изрекла я, продолжая уничижительную браваду из исключительного упрямства. — Вот я скучаю по Капелину, и мне кажется, он мне так нравится, он такой хороший, но ничего хорошего в нем нет. Обычный мужчина, которому не нужны проблемы и разведенная женщина с двумя детьми. Какая такая любовь, Фая?

— Если бы ты могла сейчас саму себя приковать к позорному столбу и высечь плетьми, мне кажется, ты бы тут же так и сделала, — ухмыльнулась Фая, поднимая руку, чтобы поймать машину. До их с Игорем дома было совсем недалеко, но она не хотела идти пешком, чтобы я не замерзла окончательно и чтобы не позориться, наверное, тоже.

— С радостью, — кивнула я. — Сережа говорит, что я не готова даже в мыслях остаться одна? И что я просто отчаянно пытаюсь нарисовать себе новую сказку, а на деле я просто неминуемо качусь к очередному водовороту, из которого я буду выбираться вот такой же, как сейчас? Потрепанной и в тапочках, когда меня бросит Капелин. Фая, каково тебе знать, что твоя сестра — полнейшая идиотка?

— Во-первых, я привыкла. Во-вторых, мне казалось, Капелин тебя уже бросил, — сказала она.

Я рассмеялась и кивнула.

— Представь себе, ведь Сережа сейчас там, в моей квартире, и хрен знает, как его оттуда выкурить. Я не знаю, что с этим делать. Совершенно чужой мне мужчина, с которым меня не связывает ничего, кроме всей моей жизни и двоих детей. Любовь, мать ее. Вот ты по-настоящему любишь Игоря? Ты веришь, что вы будете счастливы? — спросила я и тут же замотала головой. — О чем я спрашиваю, ты же всегда готова к любой катастрофе. У тебя же «все плохо» и «будет хуже», да?

Фая повернула ко мне свое спокойное лицо без косметики. Она никогда не красилась и вообще не считала нужным ухаживать за собой. Напротив, словно издеваясь над миром, она нацепляла на себя бесформенные балахоны, джинсы, подранные не ради моды, а из-за дачного ржавого гвоздя в сарае, разношенные кроссовки.

— Я еще ни разу не ошиблась, не так ли? Все всегда заканчивается плохо.

— Вот поэтому Игорь тебя и любит, потому что тебе все равно. Тебе наплевать, и этот чокнутый мир в ответ подсовывает тебе одного из самых красивых мужчин, которых я когда-либо знала.

— Самый красивый? — удивилась Фая. — А как же тот парень из университета, как его звали... Дима вроде? Помнишь, ты говорила, что он — вершина мироздания. Что, кстати, было вполне правдой. Очень был красивый мальчик.

— Я сказала — «одного из»! Не придирайся к словам, Фая.

Мы вышли из такси и поднялись на лифте в квартиру. В дверях нас встретил невозмутимый, всегда готовый ко всему Игорь Апрель — не просто симпатичный или, скажем, «ничего так», а именно «остолбенеть какой». И вроде хороший человек. Большая часть женщин довольствуется мужчинами «надежными» или «зато не пьет». Игорь Апрель был всем тем, что заставляет одиноких женщин, не нашедших или потерявшихся, чувствовать себя людьми второго сорта.

— Видишь, чего, — развела руками Фая, косясь на меня, и ее домашняя версия Дэвида Духовны кивнула и улыбнулась, как Малдер в его лучшие годы.

Рядом с таким мужчиной я бы места себе не находила, только и делала бы, что мучилась от неуверенности в себе. Что делает Файка? Ничего. Она пишет свой программный код и пьет крепкий черный чай с сахаром. Даже не пытается худеть. Возможно, и не считает, что ей повезло.

— Добрый день, Лиза, — сказал Игорь, и я пробурчала что-то нелепое, без начала и конца.

— Идем, я дам тебе что-нибудь теплое, — спасла меня Фая, и я поплелась за ней.

— Я еду в торговый центр, — сказал Малдер. — Если вам что-то понадобится, дай знать.

— Ничего нам не понадобится, — хмуро ответила я, против воли замечая в своем голосе враждебность.

Малдер не ответил, только осмотрел меня долгим внимательным взглядом обеспокоенного врача, а затем накинул на плечи ветровку и пошел к выходу, где они с Файкой долго о чем-то шушукались, затем поцеловались нежно — фу! — и Игорь ушел. Я выдохнула с облегчением, что не ускользнуло от Фаи.

— Он зайдет к тебе, поговорит с Сережей. Ты же не против?

— Пусть скажет ему, чтоб ноги его в моем доме не было, — бросила я.

Фая еле заметно нахмурилась, но ничего не сказала, пошла заваривать чай. Через несколько минут, с огромной дымящейся чашкой в руке, в носках/тапках на прорезиненной подошве, завернутая в плед, я сидела в Файкиной чистой, даже стерильной кухне и предавалась самобичеванию:

— Герман просто испугался, и правильно. Это же какая ответственность! Кому нужна разведенка с двумя детьми!

— Еще раз скажешь эту фразу, я в тебя Майкиной книгой швырну, — пригрозила Фая, листая «Книгу камней».

— А она не Майкина. Ты ее не читала, так что, если что, ты в меня книгой Кукоша бросишь. Камнем Кукоша, — поправилась я и рассмеялась. — Впрочем, кидай на здоровье. Хоть прибей, все равно я никому не нужна.

— Иди ты к черту, Лиза! — гаркнула Фая. — Всем ты нужна. И не волнуйся, все образуется, одна ты не останешься.

— Да если и останусь. А чего в нем такого страшного, в одиночестве? Я понятия не имею. Я никогда, слышишь ты, Фая, НИКОГДА не была наедине с собой больше пяти минут. И все пять минут я бегала в панике по квартире в поисках обуви — чтобы бежать и искать кого-то, чтобы не быть одной. И знаешь, что самое смешное в этом? У меня полно клиентов, которым я говорю, что невозможно сделать правильный выбор, если смотреть на вещи вплотную, в упор. Нужно отойти на некоторое расстояние, нужно посмотреть вдаль, вдохнуть полной грудью, решать потом, дать себе время. Побыть одной. Это же мой случай. Это мне нужно побыть одной. Без Сережи, без Капелина, без кого угодно. Сесть на диван и послушать тишину. Пожить по-настоящему одной, а не когда Сережа просто уехал «погулять/откомандировался/устал/ушел» временно куда-то на пару недель. Одной, совсем одной с двумя маленькими детьми. Да меня от одной этой мысли трясет и лихорадит. И что-то очень громкое и властное, сильное, орет мне прямо в ухо, что это конец, как будто мой «Титаник» тонет. Паника, понимаешь? Мне впору начинать дышать в пакетик. Одна с двумя детьми. Конец света.

— Лиза...

— Что?

— Я тут подумала насчет Майкиной книги...

— Ты же не хотела говорить об этом, — поддела ее я. — Это же не твое дело, не твоя головная боль?

— Не моя, — кивнула Фая, листая книгу. — Просто глянула так, ради интереса, и чтобы ты трубки не бросала.

— И что? Чего высмотрела?

— Иван Эммануилович Кукош живет в десяти минутах пешком от вашего с Майкой дома.

— Что? Серьезно? Откуда ты... как ты узнала? — ахнула я.

— Я не волшебник, только учусь, — ответила она и таинственно улыбнулась. — А книжку ты оставь, я почитаю.

Глава 10
Фокус на том, что можно контролировать

В определенных обстоятельствах человек разумный действует быстро, безжалостно и исключительно эффективно. Если человека разумного загнать в угол, там он ощетинится и покажет клыки. В момент опасности человек разумный забывает о божественной своей природе, и остается только инстинкт. Чистая совесть, спокойная душа — непозволительная роскошь, когда стоит вопрос сохранения себя на земле. Как написано в Майкиной книжке, если человек родился с нечистой душой, его мылом не отмоешь. Вор обязательно украдет, это только вопрос места и времени. Предатель обязательно предаст.

Так уж вышло, что к теме «Книги брошенных камней» мы вернулись только через неделю. Фае книга не понравилась, но впечатлила. Так она и сказала — эта книжка впечатляет и огорчает. Нельзя так хорошо знать людей, но продолжать их любить, а это значит, что Майка никого не любит. Если, конечно, она ее действительно написала. Грустно, холодно и очень, очень интересно, что будет дальше.

— Я же говорила! — обрадовалась тогда я, еще не зная, куда нас все это заведет. — Я читала всю ночь. Но Майка... я знаю точно, кого она любит. Своего кота.

— Только лишний раз доказывает, что люди ей опротивели. Коты ведь никогда не обещали подставить другую щеку. Коты — существа цельные, без раздвоения разума и чувств, и убивают они только мышей, и только, чтобы съесть, — сказала Фая.

— Скажи это Ланнистеру. Он бы в жизни мышей есть не стал.

— Это как сказать. У нас тут, на Ленинском, может, и не стал бы, а на даче он, может, что-нибудь и похуже мышей жрет, причем прямо сейчас. Природа котов, она такая. Да и человеческая тоже.

— Мышей жрать? — хмыкнула я. — Майка почти каждый день проверяет, вернулся ли кот, а вчера спрашивала, как до нашей дачи доехать. Наверное, решила отправиться на поиски. Я ей дала адрес и сказала, где лежит ключ, так что, если тебя вдруг занесет на нашу дачу, не удивляйся, если там будет Майка.

— Я не удивлюсь, — пообещала Фая. — Как она, кстати?

— В каком смысле?

— Ну, вообще, — неопределенно пояснила сестра. Я оглядела свою пустую, заваленную барахлом и посудой кухню.

— Она неплохо, — ответила я, про себя подумав, что, если кому и нужна помощь, так это мне. Я справлялась с обстоятельствами куда хуже.

С того дня как Файка подобрала меня, как брошенного котенка, на детской площадке, вся моя жизнь полетела под откос, как поезд, сорвавшийся с рельс. Уж бог его знает, что именно Малдер сказал Сереже в тот день, но он ушел. Я не могла поверить в это, но свершилось. Взял вещи с полки, запихнул их в большой рюкзак и оставил мою квартиру. В тот день Игорь Апрель поговорил с ним, и Сережа согласился с тем, что нам лучше будет разойтись. И не просто согласился, а взаправду исчез из квартиры. Когда я вернулась домой, там был только Игорь, укачивающий на руках мою Василису. Он сказал, что это реальность. Сережа не вернется. Я сначала даже не поверила, но его не было — день за днем. Я говорила себе — это хорошо, что он ушел, ведь именно этого и хотела, чтобы он ушел и больше не возвращался. В целом я стала говорить сама с собой.

Я каждый день невольно ждала Сережу, но он не появлялся.

Сначала я боялась того, что он передумает и вернется ко мне, и снова станет убеждать меня в том, в чем я и сама сомневалась — что не стоит разбивать наше худое суденышко, и «ради детей», и «от добра добра не ищут», и, в конце концов, «при чем тут любовь, о другом надо думать». Затем я вдруг захотела этого, стала надеяться на его возвращение просто потому, что тишина в доме сводила меня с ума. Одним вечером, когда дети уснули и в квартире было именно так невыносимо тихо, несмотря на телевизионный щебет, что я вдруг почувствовала, как страх скользким спрутом проползает ко мне в сердце, как мне становится холодно и тяжело дышать. Что, если так теперь будет всегда? Тихие вечера, холодные ночи, лишенные человеческого тепла. Мне двадцать шесть, логика говорит, что этому не бывать, что у меня будет еще миллион возможностей испортить себе жизнь и все осложнить. Но страх с логикой не дружит, он просто берет за горло и заставляет сердце стучать часто и рвано.

Однажды вечером страх стал сильнее обычного, пролез холодным спрутом под дверь. В тот вечер я выпила чуть больше, чем позволено одинокой матери двоих детей. Я употребила все, что было у меня дома, а конкретно: половину початой коробки красного полусладкого вина. Кислятина. Я не уверена, что никогда до этого не пила вот так — одна, сама с собой. Но, определенно, в тот вечер я в полной мере выполнила программу самоуничтожения, пройдя все стадии от пития в одиночку на грязной кухне до звонка бывшему. Не Сереже. Даже в состоянии полного «неадеквата» и опьянения мысль позвонить Сереже меня не посетила. Бывшим стал Капелин.

Герман Капелин технически моим бывшим стать не успел, скорее несостоявшимся. Звонят ли пьяные одинокие женщины своим несостоявшимся? Я не знала, и мне было наплевать. Я набрала его номер, стоя у зеркала в прихожей, непричесанная, с фиолетовыми губами — вино попалось дешевое, с сильным красителем. Пока шел гудок, я смотрела на себя в зеркале и корчила пьяные рожи.

— Ну ты и докатилась, — сказала я самой себе.

Капелин взял трубку после неприлично долгого моего ожидания. Интересно, просто спал или не слышал звонка? Или, наоборот, сидел напротив аппарата, смотрел на экран и думал, ответить или нет.

— Лиза? Что-то случилось? Алло, Лиза? Ты там? — спросил он, а я молчала, потому что совершенно понятия не имела, что ему сказать. Так далеко я свой пьяный звонок не продумывала. Капелин обратился ко мне по имени, значит, мой номер все еще определялся у него. Видимо, он не стер номер — только меня, он вычеркнул меня лично — из своей памяти.

— Нет, — ответила я. — Я не там. Я тут.

— Ага, — озадаченно сказал он. — И я тут.

— Нет, — заупрямилась я. — Тебя тут нет.

— Лиза, ты в порядке? — спросил Герман после долгой паузы.

— Как у тебя дела, Гера? — нашла я наконец подходящие слова. Капелин молчал, словно обдумывая, как именно изложить мне ситуацию со своими делами. Я уже почти устала смотреть на мои обведенные кругами глаза в зеркале. Эдакая природная косметика от бессонных ночей. Хоть сейчас на страницы модных журналов.

— Нормально, а у тебя? — ответил он, и я сжала зубы.

— У меня? У меня-то все отлично, просто лучше всех. Скоро лето, поедем на дачу. Будем искать кота.

— Кота?

— Мы тут кота потеряли в начале мая, и не своего, а чужого. Он убежал, потому что, наверное, влюбился. С котами такое случается, они влюбляются и убегают. Как думаешь, почему так?

— Может быть, он не убежал.

— А что? Сделал правильный выбор?

— Иногда правильный выбор — самый сложный, — уклончиво ответил Герман.

Я чувствовала, что говорит о чем-то другом, о ком-то другом — о нас.

— Если бы ты видел его хозяйку, ты бы понял — такой выбор не может быть правильным.

— Я не сказал, что это был легкий выбор... для кота, — сказал Капелин.

Я расхохоталась куда громче, чем хотела.

— Знаешь, я вот даже не собиралась держать кота на привязи. Пусть будет счастлив, раз уж так!

— Счастлив? — рассмеялся Капелин. — Не будет он счастлив.

— Тогда это глупый кот, потому что самое главное в жизни — счастье.

— Главное — это не разрушить чью-нибудь еще жизнь. Нельзя думать только о себе. Как ты не понимаешь, Лиза? — спросил он, повысив голос. — Ты должна бы соображать, как мать! Иногда счастье — это вообще дело десятое.

— А что тогда первое дело? И второе? — возмутилась я в ответ.

— Ответственность. Семья.

— Семья? Какая, к черту, семья? Ты что, женат? — прошипела я в ответ, прекрасно понимая, на что намекает Капелин.

— Твоя семья, Лиза. Скажи, зачем ты звонишь? Чего ты от меня хочешь? — спросил он устало и зло.

— Я хочу правды.

— Какой правды? Я тебе никогда не врал.

— Ты прав, черт возьми, — согласилась я. — Зачем врать, когда можно просто повернуться и уйти. Исчезнуть. Скажи, что со мной не так, что ты развернулся и ушел?

— Нет, Лиза! — воскликнул он. — При чем тут это? Все с тобой так.

— Разве? Тогда, получается, дело в тебе? Сережа прав, ты просто не хочешь связываться, потому что будут сложности? Надо же, никогда бы не подумала. Мне показалось, что ты — другой. На секунду померещилось, но нет. Ты такой же, как и все остальные. Не хочешь рисковать, да? Но скажи, зачем ты приходил, зачем притащил фотографии эти? Впрочем, нет. Ничего не говори. Знать не хочу, — я стукнула кулаком по зеркалу, но промахнулась, качнулась, подалась вперед и как-то неудачно обрушилась на угол столика в прихожей. Раздался грохот, эквивалентный сносу пятиэтажки.

— Лиза, что случилось? — кричала трубка, выпавшая на пол из моих рук. — Ты там в порядке? Что происходит?

— Да пошел ты к черту, заботливый, видишь ли, — пробормотала я заплетающимся языком и потирая ушибленное место. Координация пострадала от вина куда больше, чем я думала, поэтому я решила пока — временно — с пола не вставать.

— Лиза, ты что, выпила? — догадался наконец Капелин.

— А если и выпила — тебе чего? — хмыкнула я и откинулась на пол, посмотрела на потолок. Его бы покрасить вообще-то. Лежать было не лучше, мир вокруг начал раскручиваться и неприятно качаться из стороны в сторону. Наверное, надо было закусывать. Мудрые же люди придумали закуску. Эх!

— Но почему? — донеслось до меня из лежащей рядом трубки.

Я перевернулась на бок и посмотрела на телефон. Шторм чуть поутих.

— Почему — что? Почему все так плохо или почему мир несправедлив, или почему я выпила? Даже не знаю... не нашла повода не делать этого. А вино я нашла в холодильнике.

— А где твой муж? — спросил Капелин. — Он куда смотрит?

— Муж? — спросила я, и ярость мгновенно заставила меня подняться. Мысленно я представила, как разбиваю зеркало об голову Капелина. Осколки моего собственного отражения распадались на неровные куски, и кровь капала на пол. — Муж??? Где он? Это тебя интересует, да? Тебе телефон его дать?

— Елизавета Павловна!

— Мой муж лежит рядом со мной, — расхохоталась я. — А как ты думал! Прямо тут, со мной, на полу. Привет, дорогой. Скажи что-нибудь нашему другу семьи Герману Капелину. — Я закрыла рот рукой и пробормотала что-то несвязное низким голосом.

— Сколько ты выпила? — процедил Гера.

— Сколько? Сережа, сколько я выпила? — Я сделала паузу. — Сережа говорит, что половину того, что было.

— Передай Сереже, что я за вас обоих очень рад, — процедил Капелин холодно. От этих слов я даже почти протрезвела. После долгой паузы я кивнула.

— Он сказал, что тоже очень рад за тебя.

— Это хорошо, что ты передумала разводиться, — сказал Капелин. — Это правильный выбор, даже если он не самый легкий.

— Считаешь? — уточнила я язвительно.

— Конечно. Нельзя разводиться с мужем, от которого у тебя двое детей, понимаешь?

— Даже с таким, с которым я никогда не буду счастлива? Считаешь, я должна с ним жить? — спросила я самым спокойным голосом, на который только была способна.

— Конечно, Лиза. Детям нужен отец. Семья...

— Откуда ты знаешь, что нужно моим детям? — слова поддавались с трудом, но Капелин расслышал меня.

— Я знаю. Я рос без отца, и говорю тебе, ты просто обязана сделать все, чтобы ваш брак не развалился. Если это все из-за того вечера, то это... давай считать, что этого просто не было. Нужно это все просто забыть.

— Забыть? — Я рассмеялась, но смех получился нехороший, как у истерички. Я смеялась довольно долго, а потом как-то разом замолчала, словно меня отключили.

Тот вечер, и наши поцелуи. Забыть. Первый поцелуй — он волшебный, он имеет эффект предсказания, он — как код к зашифрованному посланию из будущего. Будете ли вы вместе, будете ли счастливы? Нечасто, не со всеми, может быть, раз или два в жизни, но случается такой поцелуй, после которого все сразу становится ясно, и ты буквально можешь видеть *будущее*. Я помнила наш первый поцелуй и мой странный вопрос про котов. И чувство правильности происходящего. Я просто не знала, что было слишком поздно.

Герман Капелин, ученик моего отца, моя первая, глупая, далекая от реальности любовь, он появился в моей жизни снова, но когда все большие ошибки уже были совершены. И все же, когда Капелин склонился ко мне и поцеловал, все вдруг стало на свои места. Я отчетливо увидела наше возможное будущее, счастливое — долгие разговоры по вечерам, наши поездки на речку летом, споры из-за того, наказывать ли Вовку за двойку, и миллион других маленьких кусочков этого самого будущего. Альтернативная реальность, параллельный мир. Файкин кот Шредингера, который и жив, и мертв сразу в своей коробке. Ланнистер, который и пропал, и остался на месте, сидел на крыльце и облизывал лапки. Отражение несостоявшегося будущего в осколках разбитого зеркала.

— Забыть, Лиза, — повторил Герман.

— Тогда — за твое здоровье, — хмыкнула я. — А ты думаешь, я зачем пью. Анестезия, плавно переходящая в амнезию.

— Лиза, перестань, пожалуйста?

— Пьяная мать — горе в семье, — хмыкнула я. — Да брось, Капелин. Все, забыли! Как и не было. — Я была так зла, что была готова сказать все что угодно, чтобы только разозлить этого сукина сына, который решил все за меня. Забыть обо всем. Я закрыла глаза и откинула телефон в сторону.

— Лиза, — продолжал говорить Капелин тихо. — Пожалуйста, пойми, ты можешь думать сейчас, что у тебя есть какие-то реальные, здравые аргументы на развод, но с годами ты поймешь, что это не выход. Семья — это всегда нелегко, но за нее стоит бороться. Я не знаю, какая собака пробежала между тобой и твоим мужем. Он — нормальный вроде... — начал было Капелин, но это было уже слишком. Я закрыла уши руками, поднялась и ушла в кухню, бросив Германа говорить свои пустые слова в пустоте моей прихожей.

— Да пошел ты, Герман, в преисподнюю. Прямо к чертям собачьим иди. И мужа моего захвати, — пробормотала я себе под нос и захлопнула кухонную дверь.

Я огляделась вокруг, и вдруг с неимоверной силой мне захотелось помыть посуду — впервые за очень долгое время. Я мыла ее, кажется, пару часов. Я перетерла все стеклянные бокалы, разложила вилки и ложки так, чтобы они лежали не только в правильных отделах, но и по размерам и узорам. Затем я перестирала вручную занавески на кухне, а скатерти и белые в клеточку тряпочные салфетки из ИКЕА — в машинке и пропылесосила ковер в прихожей. Последнее было нехорошей идейкой, так как от звуков пылесоса проснулась Вася. С другой стороны, ночь была такой длинной и такой одинокой, что я была даже не против ее криков — они заглушили мои собственные. Я взяла ее на руки, утешила, покормила, и мы продолжили убираться уже вдвоем. И с каждой выброшенной бумажкой, с каждой уложенной вещью я словно чувствовала, как наполняюсь силой. К утру я устала, но каким-то неведомым образом чувствовала, что, по крайней мере, была в состоянии прожить следующий день. Что у меня хватит сил на целый день. На двадцать четыре часа.

Еще через пару дней, когда моя квартира засияла, как хорошо начищенная серебряная монета, я вдруг поняла, что одиночество не так страшно, как его малюют. Одиночество сейчас — мой защитный экран, зонт, защищающий от дождя, или большой, уютный плюшевый плед с совами, в который можно завернуться в три оборота и ни о чем не думать. Дом стал чистым и родным, в нем снова пахло блинчиками с мясом — Вовкиными любимыми. Я оставила несколько штук для Фаи и Игоря. Я собиралась еще испечь пирог.

А потом Сережа вернулся. Сережа вернулся — торжествуй, Герман Капелин, ведь ты же этого для меня хотел. Для меня и моих детей. Сережа всегда возвращается.

Это знаменательное событие случилось на выходных. Теплая погода в конце мая выгнала большую часть жителей нашего дома, включая и нас, на дачи. Игорь забрал нас с утра в субботу пораньше, чтобы не стоять в пробке. На даче было чисто и уютно, за день до нас там явно побывала Майка, потому что посуда была расставлена по полочкам, а дров в печке не осталось, она их все сожгла. Не беда, с моим этим новым деятельным настроением — я дров уж как-нибудь нарублю. Над печкой, на кирпичной кладке валялась какая-то книжка по морфологии английского языка. Кот не нашелся, я знала, потому что Майка прислала мне грустную эсэмэску. В конце концов, Ланнистер — не Сережа. По Ланнистеру мы с ней скучали.

О том, что Сережа возвратился, мы узнали только поздно вечером в воскресенье, когда соответственно вернулись с дачи, проведя в пробке больше трех часов. Мы устали как черти, были голодны и измотаны, Васю дважды вырвало в машине, причем один раз — прямо мне на джинсы. Слишком уж долго мы тряслись. Пробки.

— Что за фигня? — с исключительной точностью сформулировала проблему Фая, когда зашла в мой дом. Игорь загораживал мне вход, стоя там с корзинкой, в которой спала уставшая от путешествия моя дочь. Я подпрыгивала, но увидеть ничего не могла, а устраняться с моего пути Игорь почему-то не спешил.

— Может, так и было? Просто беспорядок? — спросил он, и в его голосе, к моему ужасу, не чувствовалось его обычной уверенности в себе.

— Какой беспорядок? Я уезжала — все в порядке было. Да отойди ты, Игорь, что ж ты в проходе стоишь, а? Ведь не стеклянный! — И я буквально вытолкала его. И застыла, лучше бы не заходила. Некоторое время мы стояли молча. Так сказать, абсорбировали новую реальность. А потом мы с Фаей хором сказали:

— Сережа! — Малдер не стал возражать. Это мог быть только мой муж. Квартира была перевернута вверх дном, словно тут у меня снова провели отпуск. В свое время следователи, которые вели Сережино дело о краснодарской машине[1], вот так же все разрушили и осквернили. Что это, они вернулись и решили пересмотреть все еще разок? Нет, следователи были тут ни при чем. Фая сделала пару аккуратных шагов по коридору, стараясь не задеть разбросанные по полу вещи. Сережа явно спешил и заметать следы не стал.

— Если кто-то рожден, чтобы предать, он предаст. Вопрос только в месте и времени, — сказала Фая, цитируя Майкину книгу. — Вызывай полицию, Игорь!

Результат был неутешительным. Сережа перевернул мой дом сверху донизу, вывез все ценные вещи, включая всю имеющуюся в доме наличность, все драгоценности, которые остались мне от мамы и отца. Также он забрал все картины, ценность которых подвергалась сомнению, но которые я очень любила, так как их покупал наш отец. Сережа не погнушался и моими двумя плоскими телевизорами, на сорок два дюйма из спальни и маленьким, на тридцать два, из кухни, ни моим ноутбуком, ни парой старых телефонов. На месте посудомойки в кухне зияла дыра, как от вырванного переднего зуба, стиральная машина отсутствовала. Сережа забрал все хорошие книги, все флешки и технику — кофеварку, миксер, комбайн, электрический чайник из стекла, даже автоматический консервный нож. Он забрал все, что могло иметь хоть какую-то ценность. Как выяснилось позже, в тот же день он снял все деньги с моего счета, уведя его в минус на триста тысяч рублей — мой максимальный кредитный лимит карты, который банк вот уже который год отказывался повышать, мотивируя моей низкой зарплатой. Я десять раз перекрестилась, что не смогла получить большего кредита доверия. Сережа увез пушистый плед

---

[1] Подробнее об этом в книге «О рыцарях и лжецах».

с совами, на котором обычно играла на полу Василиса. Прихватил хрустальный сервиз. Как потом рассказали соседи, он работал не покладая рук почти всю субботу, говоря, что действует исключительно с неохотой и из любви ко мне — помогает перевезти ненужный хлам на дачу. Его видели, да он и не скрывался.

— Как он узнал, что ты будешь на даче? — спросил Игорь. Это был, кажется, единственный его вопрос перед тем, как мы отправились в полицию.

— Выходные, солнце, у меня двое детей. Думаю, он приехал, понаблюдал за квартирой, чтобы выяснить, поедем ли мы на дачу. Затем зашел в квартиру и сделал правильные выводы.

— А затем подогнал «Газель», — хмуро продолжила Фая. В полиции у нас принимали заявление с выражениями святых, потревоженных за молитвой. Полицейские аккуратно намекали, что никакого дела о краже и быть не может, ибо человек, о котором идет речь, прописан по месту кражи, проживает там и является мужем и отцом, а значит, полноправным владельцем всего, что есть в доме. И все это кроме как семейным недоразумением и не назовешь.

— А кредитка? Это же моя кредитка! — пропажа трехсот тысяч рублей травмировала меня больше всего.

— Допустим, — соглашались в полиции. — Допустим, мы найдем вашего мужа и призовем к ответу. А он нам скажет, что вы все придумали и оговариваете его, невинного человека. И что деньги он снял с карточки по вашей же просьбе. А деньги вам отдал. Иначе откуда у него пароль на нее? И сама она — кредитка — как к нему попала?

— Она дома лежала, с деньгами. И с пинкодом, — разочарованно пробормотала я. А затем встала и пошла домой.

Полицейские были правы, и в участке мне было совершенно нечего делать, к тому же я уже давно относилась к полиции с неприязнью. Они ничего не сделают. Карма или судьба, но Сережа обналичил наши отношения и вышел из игры. Отомстил мне, считая, видимо, что я вполне это заслужила. Это не было кражей, не было преступлением. Так сказали в отделении. Так сказали адвокаты, которых откуда-то достал Игорь.

Странно, что я не пришла в отчаяние, а напротив, я даже будто успокоилась, мне словно полегчало. Я лежала на своей кровати, смотрела какую-то программу про путешествия по телефону с трещиной на экране, пила чай, заваренный кипятком из кастрюльки, и улыбалась. Какие-то невидимые связи, еще остававшиеся между мною и моим мужем, оборвались в одночасье, и образовавшаяся вокруг меня пустота оказалась самым близким, что было, к свободе. Я ведь никогда не была сама по себе. Файка — да, но не я. Сестра всегда была больше в себе, чем снаружи, в реальном мире, я же привязывалась к людям, как собака — буквально за кусок колбасы. Еще в детстве я смертельно хотела обязательно со всеми дружить, и непременно чтобы всерьез и на всю жизнь. Только к окончанию школы я кое-как научилась искусству делать вид, что мне безразличны другие люди и то, что они обо мне думают.

И вдруг — впервые в жизни — я жила как по учебнику психологии, здесь и сейчас, и знать не знала, что будет завтра. Я не жалела, не звала и почти не плакала. Я не переживала о долгах или пропавшем хрустале, но скучала по папиным книгам и картинам, и особенно — по плюшевому пледу с совами, черт его знает почему. Адвокаты сказали, что теоретически можно попробовать что-нибудь найти, что-нибудь вернуть или отсудить, пока Сережа не продал все по объявлениям на Авито и не растратил деньги. Игорь предлагал поехать к матери Сережи в Воронеж и бросить ей в лицо наши обвинения и наше презрение, попытаться призвать к совести. Пристыдить внуками, в конце концов. Но у людей всегда есть своя правда, и, раз уж Сережа пошел на такое дело, вряд ли его можно убедить хоть в чем-то, показывая на брошенных им детей. Файка — странное дело — была того же мнения.

— Пусть подавится, — сказала она. — Это только вещи.

— Еще — деньги, — возразил Малдер.

— Это только деньги, пусть подавится. К тому же Сережина мать всегда найдет причину, почему ее сыночек поступил правильно, — добавила я, и мы с сестрой, не сговариваясь, передернули плечами. Да, деньги пропали, но они были не такими уж и большими. Игорь молча вздохнул и закатил глаза. Он знал, о чем мы обе недоговаривали. «Лишь бы не вернулся», — вот о чем мы обе думали в тот момент.

— Поменяй замок, — сказала сестра.

Я кивнула. Конечно, две вещи были исключительно в моей власти. Поменять замок и фамилию. Теперь я была совершенно готова к разводу. Одиночество больше меня не пугало.

Глава 11
Парочка из медной трубы

В тот день было пасмурно и лил такой противный, мелкий дождь, что, если бы проводился конкурс на идеальный день для самоубийства, тот день, возможно, выиграл бы главный приз. Был июнь, но такой день придется впору концу ноября. Ветер и дождь, и посеревший от неизвестного горя мир. Все самые ужасные идеи рождаются именно в такие дни. На этот раз ужасную идею родила Фаина.

Возможно, ничего бы и не случилось, если бы не Файкин бадминтон. Кто бы мог подумать, что стучать ракеткой по воланчику может быть опасно и даже травматично. Фая играла в бадминтон два раза в неделю, ездила на Юго-Западную, где в обществе таких же сумасшедших, как и она сама, по три часа бегала по корту, дубасила по несчастным птичьим перьям и орала как сумасшедшая. Как результат — вывихнутая нога, замотанная в черную штуку с липучками под названием «ортез», и палочка-костыль, еще папина, которую я раскопала для Фаи в нашей старой пустой квартире, куда мы заходили, чтобы полить мамины цветы. В травмпункте врачи совершенно не удивились, услышав, что такой серьезный вывих был причинен таким несерьезным спортом, сделали рентген — перелома, слава богу, не оказалось, и запретили Фае играть целый месяц. И это как минимум, а там смотреть по состоянию будут. Фая хромала,

скакала на одной ножке и бесилась от безысходности.
Я никогда не думала, что моя диванно-картофельная
сестра, за всю жизнь не пробежавшая на своих двоих
дальше, чем от офиса до такси, девушка, прогулявшая
больше уроков физкультуры, чем их было в расписании,
будет так страдать в разлуке с бадминтоном. Но вот она,
скучающая, грустила на моем подоконнике с ногою, за-
кованной в ортез. И рождала идеи.

Пока за окном лил суицидальный дождь, я вела семинар под оптимистичным названием «Верь в себя». Файка
сидела с Вовкой и Василисой, мой баланс ушел в глубокий суицидальный минус, так что я бралась за любые
семинары, работала в выходные, а по вечерам брала до-
полнительных клиентов, в общем, в любой момент, когда Майка или Файка — кто-то из них был свободен и мог
посидеть с моей дочерью. Я даже подумала о яслях, но
меня останавливала мысль о том, что моя нежная, улыб-
чивая Василиса столкнется с суровой реальностью еще
до того, как ей исполнится год. Жизнь не должна быть
такой жестокой. Я что-нибудь придумаю. Мы, женщины, всегда что-нибудь придумывали вместе.

Деньги от семинаров были небольшими, но важ-
ными, однако в тот вечер дождь залил мне всю сумку,
проник под все зонты и кофты и довел меня до того,
что я плакала, пока ждала автобус. Это было совершенно уместно — плакать, когда ты промокла до трусов
в начале июня, и меня никто не трогал, никто не смотрел. Слезы просто текли по лицу, и я думала — лучше бы была зима. По крайней мере, зима — это честно, от нее никто ничего хорошего и не ждет. До дома
я практически доплыла. Файка встретила меня, сонная
и теплая, завернутая в мой клетчатый плед, который я
купила на распродаже, чтобы заменить утраченный,
с совами.

— Господи, Лиза, ты похожа на этого лысого Голлума из «Властелина колец». С этими прилипшими волосами и разводами вокруг глаз. И одежда обтянула, просто совершенно законченный образ! — радостно сообщила мне Фая, прихромав в прихожую.

— И на том спасибо.

— Моя прелесть, — прошипела Файка, и я еле сдержалась, чтобы не швырнуть в сестру каким-нибудь тупым предметом. Ботинком на квадратном каблуке, например. Или сумкой с печеньем и молоком. Печенье тоже, кстати, размокло.

— Дом, милый дом, — едко улыбнулась я.

— Скажи, дорогая моя сестра, каково это — «верить в себя» в таком виде и в такую погоду? — хмыкнула она, разглядывая меня с подозрительной внимательностью.

— У меня половина группы не пришла, — пожаловалась я. — Никто не хочет «верить в себя» под дождем и по пробкам, но мне плевать, я же им деньги не отдам все равно. У нас семинар по сертификату, так что они у меня «будут верить», так сказать, по умолчанию. В соответствии с условиями купона.

— А ты когда заканчиваешь уже «верить в себя»? — уточнила она, я еще не знала зачем. И ответила, не подозревая подвоха:

— На выходных. Хотя, если такая погода продержится хотя бы еще один день, я отказываюсь «верить в себя», и плевать на долги. Оно того не стоит. Пусть приходят судебные приставы. Я им отдам Ваську. Дети — это же золото, так?

— Я всегда знала, что ты — мать года, — хмыкнула Фая.

— Я — да, — хмуро кивнула я. — Я — мать. С большой буквы «М», как наш метрополитен. Ну а вы чем занимались? Чем развлекались?

— Да так... — уклончиво процедила она. — Значит, на той неделе ты свободна. Вот и отлично, тогда я могу на тебя рассчитывать.

— Ты всегда можешь на меня рассчитывать, хотя до свободы мне очень далеко. Но в чем ты хочешь на меня рассчитывать? — с подозрением уточнила я.

Фая посмотрела на меня, мокрую и склизкую, и отправила в душ, говоря, что воспаление легких в июне месяце — это плевок в душу природе и что время терпит. Послать меня под горячие струи воды было умно, потому что гораздо проще сладить с чисто вымытым, завернутым в халат человеком с полотенцем на голове. Потому что, как потом выяснилось, она собиралась затеять... черт-те что, иначе и не назовешь. Вот до чего может довести скука и сидение с детьми. Фаина решила разобраться, и не с кем иным, как с Иваном Кукошем. И я должна была ей в этом помочь.

— Какого черта? — зашипела я на нее и так тряхнула головой, что полотенце чуть не упало на пол. — Даже не собираюсь. Я уже и думать забыла об этой истории.

— А я вот тут на досуге прикинула, перечитала, проанализировала кое-что и поняла — не знаю насчет Майки, но Кукош — нет, не мог он этой книги написать. У него для этого биография не подходит. Не тот он человек.

— Серьезно? — таращилась я, буквально сочась сарказмом. Я бы стукнула ее, если бы руки не были заняты — я держала ими сползающее с головы полотенце. — Ты не шутишь? Ты так хорошо знаешь его биографию?

— А чего там знать? В нашем мире плохо защищенной метадаты жизненный путь любого человека можно отследить буквально от роддома до гроба. Ну то есть ты поняла... До гроба ему пока еще далеко.

— Это ты меня в гроб вгонишь. Зачем тебе это?

— Почему — мне? — невозмутимо ответила сестра. — Нам. Ты же первая просила меня подумать об этом. Вот я и подумала.

— Подумала она. Лучше бы ты не делала этого.

— Мне было скучно. И я слишком часто стала видеться с твоей Майкой. И знаешь, ее книжка — она же как слон. Мы все делаем вид, что его нет, отворачиваемся, а он все хоботом шевелит и на нас смотрит и сопит. В общем, я устала уже отводить глаза в сторону.

— И принялась рубить правду-матку? — горько переспросила я.

— Иди поешь, — вздохнула Фая. — Я тебе пельменей наварила, оцени. Вот этими вот руками. Понимаешь, на что я ради тебя пошла.

— А Майка что сказала? Она в курсе, что ты тут задумываешь? Я к тому, что у нее вроде обострение давно кончилось, а ты лезешь!

— Да в том-то и проблема, что Майка твоя, как какая-то овца, сама на жертвенный стол лезет, и голову кладет, и топор протягивает. Нет, она ничего не хочет трогать. Она «просто рада, что книга живет». Что это значит? Книга живет? И вообще, «она ее писала, чтобы избавиться от тяжелых воспоминаний», и «даже рада, что никто никогда эту книгу с ее именем не свяжет». А денег ей не надо, понимаешь?! И авторство ее не интересует. И слава, и фимиамы. Глупая она, твоя Майка. Как только умудрилась написать такую книгу, непонятно. И бороться она не хочет и нам запрещает.

— Ну, так зачем тогда лезть... — протянула я неуверенно и затухла, как сырая ветошь. Фая замолчала и посмотрела на меня пристально, и сталь в ее глазах потемнела, остывая.

— Кстати, по книге реально будут делать не только фильм, но и целый сериал.

— Серьезно? Ничего себе.

— Уже объявили о начале съемок, Лиза.

— Так быстро?

— Нечего удивляться! Убийца-одиночка, борец с несправедливостью, да на русской почве, да на тему прогнивших насквозь спецслужб, да с философским подтекстом, да с мистикой?! Ты шутишь? Там сезонов пять как минимум можно натянуть. Там только «камней накидать». И ты хочешь просто так это оставить?

— Я просто хотела сказать, что если самой Майе это не нужно, то...

— Не нужно? Как ты думаешь, мой дорогой психолог, зачем тогда она все-таки тебе все рассказала? Ведь можно же было просто жить. Забыть — и как будто ничего не случилось. А обморок? Такие книги пишутся один раз в жизни. И ты готова это так оставить?

— Ну, допустим, нет. Но без нее все это бессмысленно, разве нет?

— А кто сказал, что без нее? Она согласится, Майя просто... мечется. Понимаешь, писать — это одно, а действовать — совершенно другое. Некоторые писатели своими книгами могут ввергнуть страны в революции, а в жизни будут бояться сказать грубое слово своей консьержке. Подсознательно Майка наверняка хочет прижать этого засранца, только одна она не справится.

— Одну ее мы и не оставим.

— То-то. И я о том же. Ешь давай пельмени свои.

— Господи! — Я аккуратно покосилась на мутное варево, которое Фаина, без всякого сомнения, считала вареными пельменями. — Ты их когда варила, позавчера?

— В обед, а что? — удивилась она и посмотрела на меня незамутненным взглядом своих серо-зеленых глаз. Глаза — зеркало души, и никаких подозрений. Фая не сомневалась в том, что бросить две пачки пельменей в одну большую кастрюлю и оставить их там навсегда — единственный правильный путь.

— Ничего. Очень вкусненько, — быстро бросила я, пытаясь выловить мясо среди густого белесого бульона с распавшимся на молекулы тестом. Насыщенный раствор. — Но как ты собираешься добиться правды? Иван Кукош — это тебе не Сережа. Он так просто не сдастся.

— А с Сережей, ты считаешь, у нас был большой успех по части правды? Или то, как он тебя грабанул, ты называешь словом «сдаться»? — хмыкнула сестра.

— Ну, он же ушел, его же нет больше, чем не победа? — возразила я, и Фая, склонив голову, подумала и кивнула. Избавиться от Сережи — большая Фаинина мечта, ставшая реальностью. А сбывшиеся мечты недооценивать нельзя.

— Майка сказала, что не хочет шума, но мы шуметь и не собираемся. Я уже сгенерировала кое-какой крючок, посмотрим, клюнет или нет наш герой.

— Крючок? — покосилась на нее я. — Не будем шуметь? Что ты затеяла, ты меня пугаешь. Между прочим, я думаю, что Кукош вполне может начать шуметь, когда ты обвинишь его в плагиате и краже.

— А я, между прочим, никого ни в чем обвинять и не собираюсь.

— Нет? А что тогда?

— Я даже говорить с ним не буду, — радостно заверила меня Фая.

— Ты теряешь меня как собеседника, — пригрозила я.

— Я с ним говорить не буду, — повторила Фая. — Ты будешь.

— Что?

— Да, ты будешь с ним говорить. Причем не обвинять, а наоборот — деятельно восхищаться его литературным даром и прочими талантами этого великого человека. Задавать вопросы, интересоваться его жизнью — искренне и неподдельно. Потому что искренность — это очень важно, если ты ожидаешь такую же искренность в ответ. А мы ожидаем его искренность и доброе расположение. И откровенность.

— Ты сейчас словно процитировала пособие о том, как продавать пылесосы по миллиону рублей. Я не собираюсь ничего этого делать, я не буду с ним говорить. И вообще, почему это я? Почему не ты?

— Потому что ты из нас двоих — самая коммуника-
бельная.

— Ерунда!

— Подумай сама. Ты — психолог.

— Горе-психолог, так ты всегда говорила?

— Нет-нет, ты прекрасный психолог, я была не права, — льстиво улыбалась коварная Файка.

— Слишком поздно, слишком мало, — кривилась я.

— Ты — хороша собой, блондинка, голубые глаза,
и потом, выглядишь прилично, как журналист вполне
пойдешь. А на меня посмотри? Я же типичный отщепе-
нец. К тому же хромой.

— Творческий человек имеет право выглядеть... ну,
вот как ты, немного подранным. Это даже придает тебе
некоторый шарм! — возразила я.

— А ты «веришь в себя» на профессиональном уровне, и язык у тебя подвешен. И люди тебя любят, а меня
терпеть не могут.

— То есть правильно я понимаю, что ты придумала план — отправить меня в стан врага одну? Отлично!
Просто идеально. Я уже чувствую подъем сил, энтузиаз-
ма и оптимизма. А где же твое традиционное «все очень
плохо»? Значит, ты веришь, что книжка Майкина. И что
именно в таком случае ты от этой моей миссии ожидаешь? Какого прорыва? Что я найду психологический
ключ и Иван Кукош, заливаясь слезами, даст чистосер-
дечное признание мне? А потом пойдет и сам на себя
заявление в полицию напишет? Или, может быть, передумает и, как герой Майкиной книги, возьмет и швыр-
нет в меня камень. Только не в переносном смысле,
а в прямом. У-Кукошит, закопает, а на камне напишет,
что «у попа была собака»... А ты мне будешь на могилку
цветы носить?

— Я пойду с тобой, — сказала Фая. — Кто говорил
о том, что ты одна отправишься на встречу? Об этом
и речи не было.

— Ты будешь со мной?

— Да. Я буду твой фотограф. Он вполне может быть молчаливым, обшарпанным и хромым. Я буду таскать треногу и зонтик с фольгой. У меня у Сашки с работы есть такая, он мне даст. Мы с тобой вместе будем — рабочая группа из журнала «Рассвет», я уже все сделала. У нас будет почти настоящая аккредитация. Мы будем делать большую биографическую статью о нем. Знаешь, как в этих толстых журналах с дорогим глянцем, где семейные фотографии, где много текста на тему «звезды тоже люди» и «не в деньгах счастье».

— Почти настоящая? Да ты меня просто успокоила, как будто я три таблетки транквилизатора выпила. Почти настоящая аккредитация, да я теперь вообще беспокоиться не буду. А кстати, что твой Малдер об этом плане думает? Он-то всегда был здравомыслящим человеком.

— Ты просто плохо его знаешь, — хмуро ответила Фая, и я поняла, что об этом хитром плане ее гражданский муж не в курсе. Я так и думала.

— Слушай, ну что может с нами случиться? Документы я сделала, даже твою фотографию на сайт журнала повесила. Не прикопаешься!

— Что? — Я не уставала удивляться противозаконным цифровым способностям моей сестры. Она могла влезть в любой якобы неприкосновенный ресурс в Интернете, взломав его за три секунды. Может, конечно, не за три и не любой, но в большинстве случаев, если речь идет об обычном сайте... Главное, чтобы он был в Сети. В реальной жизни она не откроет дверь, которую сама же захлопнула, потому что забудет, в какую сторону у двери крутится ручка. Но в Сети... — Ты хоть понимаешь, что это преступление?

— Какое, к лешему, преступление?

— Такое! Подделка информации.

— И что? Во-первых, «Рассвет» — это реальный литературный журнал, никакой подделки.

— Я в нем не работаю.

— Работаешь, просто они об этом не знают. Журнал маленький, конечно, что нам даже на руку. Альтернативный взгляд на литературу. Публикуются они всего раз в месяц и никогда не проверяют свой сайт, Лиза. Никогда. В последний раз этот журнал обновлял свой сайт год назад. Год, Лиза! У них, скорее всего, даже никогда не было системного администратора. Половина людей, что указана на сайте, вообще уже в журнале не работает. Мне кажется, если даже они увидят тебя на сайте, могут вполне решить, что ты там работаешь на самом деле. Могут тебе даже редакционное задание дать.

— Тебя заносит, — сказала я, и Фая замолчала. Затем кивнула — чуть спокойнее.

— А во-вторых, мы же не собираемся реально о Кукоше статью писать. Мы просто собираем информацию. Готовим материалы для большого интервью. Я сразу после нашего интервью все назад поправлю, удалю малейшие следы тебя. И даже не тебя, а Анастасии Михайловой.

— Кого? Ну-ка, покажи хоть, — сказала я.

Фая помедлила немного, а затем достала планшет. И еще немного потянула время, но потом все же стала загружать страницу, параллельно оправдываясь.

— Мне было скучно, понимаешь? Я же даже поиграть не могу поехать. Врач сказал, что вообще нужно ноги беречь, и лодыжки, и колени в особенности. А я хочу играть, а потом, дома делать нечего. Игорь пишет и пишет материалы, хочет диссертацию защищать. Мне вообще кажется, я ему дома только мешаю, — пожаловалась Фая впервые за год, наверное.

Но осознать всю серьезность этого я не успела, она выложила передо мной страницу сайта литературного журнала «Рассвет», где среди прочих журналистов, редакторов и авторов действительно висела моя фотография, сделанная еще до рождения Вовки, то есть семь с лишним лет назад. Под ней была подпись — Анастасия Михайлова. Телефон и адрес электронной почты.

— Черт, как ты это сделала? У них что, вообще нет защиты? И чьи это данные?

— Данные фальшивые, но контакты действующие, я их сгенерировала для дела. Потом сразу удалю.

— А защита сайта?

— Какая там защита, я тебя умоляю. Публичный сервер, смех один, а не защита. Логин совпадает с названием сайта. С другой стороны, чего им защищать-то? Они на сайт почти не заходят. Ну, что скажешь?

— Что я скажу? Возмутительно! — ответила я, но моя фотография в ряду других разномастных лиц смотрелась вполне естественно. Я улыбалась. Еще бы, я тогда еще не была погружена в бесконечную вереницу бед и осложнений, сопровождавших все мои годы жизни с Сережей. Неудивительно, что именно эту фотографию Фая выбрала для своей махинации. Меня было почти невозможно узнать.

— А почему Анастасия Михайлова?

— Знаешь, сколько Анастасий Михайловых в России? Практически половина населения страны. А вторая половина — Александры Михайловы, включая нашего этого актера... из «Любовь и голуби» и еще какого-то рок-певца.

— Певец — он вообще-то Стас Михайлов, и не рок, а «для тебя рассветы и туманы, тру-ля-ля».

— Не в этом суть, но поешь ты хреново. В общем, даже если Кукош потом захочет тебя найти, это будет весьма сложно. Такое имя — преимущество.

— А документы? Ты и их собираешься подделать? По-моему, у тебя не нога вывихнулась, а мозги.

— Да никто никогда у журналистов документы не проверяет, только если не в «Останкино», знаешь ли.

— Ну, допустим, — горячилась я. — Даже если предположить, что это все пройдет и этот Кукош поверит тебе. То есть мне. А какую информацию мы соберем, даже если предположить, что мы доберемся до него? Чего именно ты хочешь узнать? Если случится чудо и Кукош решит с нами встретиться и поговорить, — развела руками я. Полотенце упало с моей уже высохшей головы. Я согрелась, и мне было почти хорошо.

— А ты, конечно, считаешь, что этого не произойдет, — кивнула Фая и протянула мне свой телефон. — Вот тут ты глобально ошибаешься, хоть и психолог. Медные трубы — это их самое любимое место. Да, звезды бьются насмерть за неприкосновенность своей частной жизни — в полном соответствии с Конституцией, — но только до тех пор, пока речь не идет о том, чтобы прославиться еще немного больше. Твой Иван Кукош оказался так же легко достижим, как, скажем, моя консьержка. Его агент мне уже написал, что Иван готов дать нам интервью на следующей неделе. Ему удобно в понедельник вечером. — И Фая торжествующе поводила телефоном перед моим носом.

— Ты спятила. И он тоже. Мне кажется, среди нас вообще не осталось нормальных людей, — сказала я, улыбаясь.

— Это да, — кивнула она, старательно отписывая что-то в ответ. — Но факт в том, что в понедельник вечером в своей квартире на Ленинском проспекте нас ожидает прославленный актер и литератор Иван Кукош. А сейчас, если ты меня простишь, у меня есть несколько весьма важных дел, нужно отправить наши вопросы и наши координаты агенту этого засранца.

— Нет, ты посмотри, ведь даже не стесняется, — изумилась я. — Вот скажи, почему он совершенно не боится того, что Майка смешает его с дерьмом?

Глава 12
Стара как мир

В понедельник вечером мы с сестрой стояли в просторной прихожей и ждали, когда домработница позовет «барина». По крайней мере, ощущалось это именно так. Домработница — пышногрудая женщина в цветастых лосинах, смотрелась в темно-дубовой прихожей странно и нелепо, как «понаехавшая» из глубинки родня, которую никто не звал. На ее негостеприимном лице читалось сомнение относительно нас — мол, много вас, журналистов, бродит тут со своими микрофонами, а потом ложки пропадают. Агента, с которым общалась по телефону Файка, тут не было, он оказался вполне удовлетворен Файкиным «фейковым» письмом, полным телефонов и адресов «нашего» журнала, поэтому согласовал приезд и откланялся, сославшись на какие-то более важные дела.

Все оказалось настолько просто, что было страшно. Какие мы все беззащитные. Мне даже стало жаль Кукоша — на секундочку.

Домработница закрыла входную дверь, проворчала что-то да и ушла в глубь этой большой квартиры, пахнущей лавандой. Мы стояли одни и переглядывались. Люди удивительно доверчивы, куда более, чем думают. Если бы встреча происходила где-нибудь в кафе или офисе, тогда еще ничего. Но вот так, прости господи, пустить с улицы двух незнакомых женщин, получив от них только пару поддельных писем и один телефонный звонок? Я вдруг почувствовала себя фальшивой работницей собеса, задумавшей ограбить какую-нибудь старушку на всю ее пенсию. Все эти истории, я уверена, начинаются примерно так же, с беспечно открытой двери. Иными словами, были бы мы злоумышленники — уже давно выносили бы из дома столовое серебро. «Ну что ж, проходите, коли пришли», — услышали мы недовольный мужской голос и обернулись хором, как пловчихи-синхронистки. Свет из открытой двери лился в коридор золотой теплой рекой. Иван Кукош собственной персоной стоял перед нами в просторной рубахе в полоску, слишком большой ему по размеру, что наверняка было сделано сознательно. Такой уж был его стиль «жнеца в страду», не хватало только лаптей, косы и стога сена за его спиной. Образ был вполне цельным, хоть и до нелепости контрастировал с помещением, куда он нас пригласил. Мы оказались в бескрайней итальянской кухне-гостиной, в которой и зимой и летом — море, солнце и песок, и металлические ножки у высоких стульев за барной стойкой. Тут можно пить пина коладу и играть морскими камешками на теплом терракотовом полу, тут можно проводить часы или месяцы за бесполезной и от этого такой приятной жизнью, тут можно носить белоснежные шорты и тапки-шлепанцы на резиновой подошве, ходить с мокрыми волосами и солнцезащитными очками, поднятыми на лоб. Ни малейшего намека на все то «исконное» и «русское», что составляло сердцевину имиджа знаменитого актера.

Этому контрасту имелось отличное объяснение. Мы, собственно, поэтому и оказались именно в квартире, потому что Фая «хотела ее поснимать для интервью». Итальянскую кухню-гостиную для Ивана год назад переделывали под заказ программы Первого канала. Такой подарок заслуженному актеру от благодарного шоу-бизнеса. Вот только с дизайнером промахнулись, и тот, вместо «хором белокаменных» сотворил в доме Ивана кусочек солнечного Палермо. Лично мне Палермо очень понравился. Хоть я и знала, чего ожидать — видела фотографии, — я, можно сказать, была ошеломлена тем, что вообще можно жить вот так.

— Спасибо, что согласились дать интервью, — улыбнулась я самой широкой из своих теплых улыбок, которые я хранила исключительно и специально для клиентов. Для «темного журналистского дела» мы выбрали темно-синюю юбку, белую кофточку, поверх которой был надет светло-синий жакет. Деловой и серьезный, этот наряд должен был прежде всего успокоить саму меня, придав уверенности в себе, но на деле я чувствовала себя словно голой. Все-таки к джинсам привыкаешь, как ко второй коже. Нужно заставлять себя носить платья и юбки.

— Что ж с вами поделать, пришлось, — развел руками Иван.

— Надеюсь, выйдет интересно.

— Я даже не надеюсь, — неожиданно отбрил меня актер, усаживаясь в глубокое кресло насыщенного бирюзового цвета, которым дизайнер как бы продолжал морскую тему.

Эх, на море-то я теперь не скоро попаду, с моими-то долгами. Сколько людей должно «поверить в себя», чтоб я с двумя детьми оказалась на море. Нет, сидеть мне на даче, ловить Ланнистера.

— Постараюсь вас не разочаровать, — пробормотала я, запретив себе даже думать об отдыхе. Покой нам только снится.

— Не имел удовольствия читать ваших материалов, к сожалению, — процедила звезда, акцентировав на слове «удовольствие». — Впрочем, в большинстве своем, журналисты отвратительно предсказуемы, задают одни и те же вопросы, а затем пишут одни и те же статьи. Можно даже подумать, что вы их копируете и просто перепечатываете заново. Ваши творческие планы, как вы решили стать актером, поддерживают ли вас ваши близкие... Предупреждаю, если вы спросите меня, в чем я черпаю вдохновение, я вас просто прогоню.

— Договорились, ни о чем таком я вас спрашивать не буду, — заверила его я, паникуя.

Что это с ним? Болит что-то или он от природы такой, словно у него непрекращающийся приступ изжоги? Я заставила себя улыбнуться, Иван же даже не стал пытаться, только закинул ногу на ногу и посмотрел на меня со спокойным интересом посетителя зоопарка. Я попыталась «подержать» удар, но не справилась, отвернулась, уцепилась взглядом за Фаину.

— Будем начинать? — спросила я ее, чувствуя себя героем одного из видеомемов. «Это фиаско, братан».

Фаина занималась «своими делами» или, вернее, искусно их имитировала. Сосредоточенная и серьезная — до комизма — с этим своим костылем, на который Фая опиралась, она то и дело подкручивала винт на треноге, устанавливала свет и «пристреливалась», делая пробные фото, а затем внимательно рассматривая их в объективе профессиональной камеры, после снова продолжала что-то крутить. Бог знает, где она раздобыла все это оборудование и откуда взяла все эти движения и жесты, но даже я сама, зная ее, оказалась почти убеждена, что Фая занимается профессиональной фотографией — втайне от меня, может быть, даже вместе с Капелиным. Или с Катюшей Юрки Молчанова.

Я повернулась снова к нашему литератору:

— Скажите, пожалуйста, Иван Эммануилович, вам будет комфортно, если мы сегодня больше поговорим о вашей книге, чем о вашей актерской карьере? — Эта фраза была заготовлена Фаей и отрепетирована мной. Несмотря на это, мой голос дрожал. Что может сделать даже хорошая одежда и макияж, если «успешная прогрессивная журналистка» сейчас развалится на части, завизжит и убежит?!

— Да пожалуйста, — фыркнул он без тени радости или готовности к позитивному диалогу. — Заменим «как вы решили стать актером» на «как вы решили написать книгу»! Всего делов-то.

Может, у него зуб болит? Или простата? Я терялась в догадках, а Кукош крутился в своем кресле, словно принцесса на горошине.

— Вы не слишком любите давать интервью, — улыбнулась я, поглядывая на Фаю. Интересно, она понимает, что я в панике? Среди наших вопросов — как раз «как вы решили написать книгу». Черт, если так пойдет, Кукош выгонит-таки нас из своей курортной гостиной поганой метлой. Выметет вместе с декоративным пляжным песком.

— Тут нечего любить, это перевод времени.

— Но читателям интересно узнать подробнее о вас и о том... как вы... как книга... — Я запнулась, а Иван Кукош расхохотался.

— Называйте меня Иваном. Не нужно использовать отчество. Я думал, мой агент вам скажет. Расслабьтесь, я не кусаюсь. Просто по возможности задавайте вопросы, которые имеют смысл.

— Имеют смысл... — закивала я, лихорадочно перебирая в памяти заготовленные вопросы. «Откуда вы берете персонажей?», «Что вас вдохновляет?», «Бывает ли у вас страх чистого листа?». Все эти вопросы мы надергали из опубликованных в Сети интервью, и я отчетливо понимала теперь, что все они ужасны, просто невозможны — эти интервью, все похожи одно на другое, и их действительно можно печатать под копирку, только меняя имена. Я не могу задать ни одного из имеющихся у меня вопросов. Я тону. «Титаник» стремительно засасывает в пучину. SOS, мать его. Я хватала воздух ртом и молчала, и наконец Фая посмотрела на меня с подозрением, а затем вмешалась.

— Мы можем положить на столик к креслу несколько экземпляров книги? Будет хорошо в кадре. — Она была краткой, но Кукош тут же, без возражений и раздражений, кивнул и пошел за книгой.

Ничего себе? Как так? Он вышел из гостиной, а Фая бросилась ко мне.

— Ты чего не дышишь? — спросила она. — Ты скоро лопнешь, у тебя вены вздулись, ну-ка выдохни. Синьор Помидор. Приди в себя. Теперь вдохни.

— Легко тебе говорить. Что мне у него спрашивать? Он меня раскусил!

— Никого он не кусал, — бросила Фая тихо.

Иван вернулся и принялся раскладывать книги — он принес их целых пять штук — на столике. Файка завлекла его к себе, они принялись раскладывать книги — и так, и сяк, и наперекосяк, и еще стопочкой. Иван с Фаей сделали несколько пробных кадров, и Кукош даже посмотрел на результат ее работы, отметил, что он согласен с Фаей, и кадр с рассеянным светом пойдет лучше. Файка на полном серьезе ответила, что не сомневалась. Я злилась, не понимая, как Фае удается так лихо дурить людей. Рассеянный свет? Это-то она откуда взяла?

— Вы не возражаете, если я включу диктофон в телефоне? — спросила я.

— Господи, ну что ж такое? — рассмеялся Иван. — У вас у всех один сценарий, что ли? Я вас умоляю, нет, нельзя. Я же пещерный человек, так что запрещаю, записывайте за мной в блокнот. Стенографируйте! — И он посмотрел на Файку так, словно она была его друг и единомышленник.

Я заставила себя сжать зубы. Терпение, терпение, Лиза.

— Я была обязана спросить, — пробормотала я враждебно. Черт, надо держаться. Достала телефон? Молодец, теперь включи диктофон, осторожнее, не задень трещину на экране. Циферки на экране должны побежать вперед. Что такого для тебя поговорить еще с одним говнюком, который тебя не уважает и считает, что ты занимаешься полной ерундой? Да ты с такими дело имеешь каждый божий день, разве нет? Какие только поганцы не попадаются среди клиентов психолога, и ничего, справляемся. Находим подход. Может быть, и тут...

— Итак, что вы хотите знать о моей книге? — спросил он и посмотрел на меня своими темными, отечными глазами.

Ведь некрасив же, совершенно некрасив, но харизма есть. Впечатляет. Я подумала — взять вот так и спросить, что, мол, хочу знать, как и зачем вы украли свою книгу у моей подруги. И посмотреть, что будет.

— Как вы думаете, Иван, вы бы смогли убить человека? — спросила я вдруг и буквально почувствовала обжигающий Фаин взгляд.

— Что? Почему вы спрашиваете о таком? — нахмурился Кукош.

— Смогли бы вы, так же, как герой вашей книги, — убить кого-то? Не в воображении, а в реальной жизни — того, кто, по вашему мнению, не заслуживает жить?

— Хм, — опешил Иван, а затем кивнул. — Должен признать, этого вопроса я не ожидал. Так вы читали книгу?

— Да, конечно.

— Вовсе и не конечно. В большинстве случаев журналисты ничего не читают. Они все — непризнанные гении, думают, что видят всех насквозь, а сами только ищут, где бесплатно кормят ватрушками.

— Так как насчет убийства? — напомнила я.

— Ну, тут уж вы должны понимать — это только вымысел. Философское рассуждение о том, что не так с нашей планетой.

— Я понимаю, и все же... преступление остается преступлением. И труп под мостом смотрит вслед. Способны вы лично на преступление? — спросила я и краем глаза заметила, как из-за Кукошевой спины Файка строит рожи и таращится на меня, словно хочет меня заткнуть или убить, или и то и другое вместе.

— Преступление — и наказание, — улыбнулся Кукош. — А сами вы как считаете?

— Я уверена, что при определенных обстоятельствах любой из нас способен совершить преступление.

— Даже вы?

— Да. Впрочем, чтобы заставить меня перейти черту, потребуется серьезное давление. А вы? Как вы оцениваете важность законов человеческих? В вашей книге главный герой отрицает их, вполне по-раскольниковски. Эта ваша личная авторская позиция?

— Я глубоко порицаю насилие, — сказал он.

— Это странно, — задумчиво пробормотала я. — Потому что ваша книга противоречит этому. Особенно финал.

— В этой контрверсии и есть весь фокус, и я удивлен, что вы не поняли этого. Иногда, чтобы заявить о своей позиции, необходимо что-то разбить. Швырнуть вазу в кирпичную стену.

— Или кого-то убить, — улыбнулась я. — Скажите, что вы чувствовали, когда писали сцену первого убийства? Как вам удалось пройти по такой тонкой грани между сумасшествием и поисками справедливости? Для большинства людей убийство — это табу, грех, нечто противоестественное, но вы в какой-то степени даете своему герою карт-бланш. Чувствуете ли вы персональную ответственность за возможных последователей вашей философии.

— Ничего себе вопрос, — улыбнулся Иван. — Прямо накладываете на меня печать создателя.

— Хотите сказать, я бросаю в вас камень? С чего началась идея «брошенных камней»? — спросила я, но теперь вопрос не показался Ивану — и мне — таким уж скучным и банальным. — Что стоит за этой идеей? Ваш способ бороться с насилием, призывая к нему?

— Не стоит воспринимать все буквально. Я не зову на баррикады, не собираюсь никого «вешать на столбах». Но, если вдуматься, почти невозможно сказать, что идет первым, курица или яйцо. Кто управляет чем — я идеей или она мной? Книга — это прежде всего история, и, работая над ней, ты отдаешься незримому потоку, ты подчиняешь себя этой истории, ее логике, атмосфере, какой бы неприглядной она ни казалась.

— А вам самому нравится эта книга? Вы читали ее? Я имею в виду, перечитывали ее после того, как она была завершена?

Кукош не ответил и долго, неприятно долго смотрел на меня. На этот раз я выдержала его удар. Я пыталась понять, мне стало всерьез интересно, что такого он нашел там, в книге, что решил ее присвоить. Оставить ее в веках под своим именем.

— Я? Лично мне? Как может нравиться или не нравиться собственное творение создателю, ведь это же — как говорить о детях. — Иван явно снова уходил в обобщения, скрывался от меня за красивыми словами, возможно, позаимствованными из каких-нибудь своих ролей. — Разве можно судить своих детей?

— Но их можно любить! А что ваши дети сказали о книге? Что сказала ваша жена?

Иван шумно выдохнул, затем встал, прошел через всю комнату к темной кухне, налил себе воды из-под крана, выпил, но нам ничего предлагать не стал. Он как будто взял паузу, используя воду как повод повернуться к нам спиной. Затем он обернулся и посмотрел на меня взглядом строгого, но справедливого судьи. Я бы не удивилась, если бы в его руке прямо сейчас оказался камень.

— Мои дети с недавних пор не живут со мной. Вы знали об этом? Может быть, вы таким образом хотели выбить меня из равновесия? Вы специально хотите превратить ваше интервью в аутодафе?

— Интересный выбор слов. — Я встала со своего стула на металлических ножках. — Ваш герой, к примеру, считает аутодафе вполне оправданными. Вот только еретики у него — те, кто идет против справедливости, причем не абы какой, а его личной версии гармонии мира.

Иван с грохотом поставил стакан на кухонный стол и пошевелил губами, словно собираясь плюнуть. Фая щурилась на меня, пытаясь что-то сказать — мысленно. Черт, как так вышло, что я взбесила Ивана Кукоша? С другой стороны, мне почему-то вдруг стало совершенно все равно. Не хочешь быть побит камнями — не укради... Фая вмешалась. Она подошла с фотоаппаратом к нему.

— Вы не могли бы взять стакан и чуть склонить голову, как бы... размышляя... — проборомотала она, и Иван замер, словно сбился с роли, но затем принялся привычно позировать, дав мне несколько секунд передышки. Ему она тоже помогла, под щелканье фотокамеры он явно успокоился и снова стал самим собой. Актеров вспышки фотоаппаратов расслабляют, вселяют веру в будущее.

— Скажите, Иван, как вы сами считаете, награда, которую получила книга, — заслуженная? — спросила я.

— Меня не волнуют награды, — гордо ответил он. — Материальный мир мне неинтересен.

— Я понимаю, — кинула я, оглядев украдкой роскошную кухню с темным гранитом столешницы и стальными змеями дорогих кранов на раковине. — И все же. Заслужила ли книга того внимания... поймите меня правильно, я лично от книги просто в восторге, мне она показалась просто потрясающей. Хоть и довольно мрачной.

— Вы самый необычный журналист, которого я встречал за последние годы. Нет, я не спорю, — неожиданно смягчился он. — Книга удалась. В ней есть своя правда. Сейчас ее ведь днем с огнем не сыщешь. Не книги — правды. Книгу как раз можно купить в любом магазине. А вы знаете, что по ней планируют снимать большой фильм?

Я кивала и думала: а ведь ты, как и я, тоже восторженный ее поклонник, этой тяжелой книги. Она тебе нравится, больше чем нравится, ты настолько в нее влюбился, что украл ее, как невесту из отцовского дома.

— Скажите, ваш убийца, который «право имеет», — он способен на что-то, кроме ненависти? Способен он... любить?

— Любить? — И взгляд его затуманился, словно этим вопросом задела его, словно вызвала какое-то нежелательное, но неотступное воспоминание. — Ну, конечно, он способен любить. Только любовь дает великим идеям настоящую силу, понимаете? Даже ужасным идеям нужна любовь.

Иван смотрел куда-то вдаль, то ли на меня, то ли на Фаю, то ли сквозь нас на свое большое окно. Он держал паузу по-театральному долго, а затем прошептал:

— Для меня тоже все началось с любви. Я чувствовал приближение, знаете, как парад планет. Моря сходят с ума, и ты чувствуешь перемены...

— Интуиция? — влезла я, но Иван посмотрел на меня с неодобрением, словно я была невоспитанным зрителем в театре и забыла отключить телефон. Еще немного — и меня выведут из зала.

— Информация осязаема, мысль осязаема, идея материальна. Все, что случается, на самом деле уже случилось. Информация безгранична, а пространство всегда неизменно, время — константа, — Кукош говорил как проповедник, и руки были подняты в воздух. Я не могла стряхнуть с себя ощущения, что он читает роль из какой-то другой пьесы, но молчала. Время — это константа, ага. Фая сейчас выпрыгнет из окна.

— Кхе-кхе-кхе. — Фая закашлялась так, словно подавилась сразу целым ежиком, и теперь кашляла как сумасшедшая. — Кхе-кхе.

Да, фраза про время — константа не могла оставить ее в стороне. Все ее образование, весь физтех в ее лице был готов в этот момент бросить дуэльную перчатку в лицо Ивана Кукоша, но он, хвала небесам, ничего не заметил. Он ушел в роль, поднял руку еще выше и драматично заломил голову. Если у меня еще оставались сомнения, теперь я была совершенно убеждена, что он ничего не писал.

— Я создал эту книгу из любви. Да, из любви и сострадания к боли человеческой. Нет, не так. Из любви к Женщине — именно с большой буквы. Любовь всегда была моей ахиллесовой пятой. Вы ведь знаете, я был женат дважды, и оба раза на актрисах, — сказал он.

Я не знала, на ком именно он был женат, но кивнула.

— Что же случилось?

— Что случилось? — грустно добавил он. — Меня предали. Мир сошел с ума, и все крутится вокруг денег. Я не такой, не подхожу этому миру, что поделать. Женщины пользуются мною, они, возможно, чувствуют мою беззащитность перед их чарами. Да, меня предавали не раз. С моей женой — теперь уже бывшей — мы жили плохо, в ней не было того подлинного огня, что необходим женщине — хранительнице очага.

— Поясните, пожалуйста, — вмешалась я, пока разговор не превратился в нагромождение бессмысленных слов. Иван Кукош строил стену из околесицы быстро и умело, и я не сомневалась, что делал он это сознательно.

— В нашем мире так мало искренности, так не хватает чего-то подлинного. Пусть даже пугающего, пусть даже смертельно опасного. Нас с женой ничего не держало вместе, кроме моих детей. Ради детей я терпел все. О, сколько я был вынужден вытерпеть. — Он закатил глаза, и я подумала: «Все, мне его не достать».

— Сочувствую, — пробормотала Фая.

— Не стоит, мне не нужно сочувствия. Я всегда нахожу отдушину в искусстве. Я занимался театром, я много писал, думал о жизни, бродил по московским улицам совершенно потерянный. Я так изменился, что меня перестали узнавать. Я решил уехать — далеко, оставить все жене...

— Когда это было?

— Когда? В прошлом. Какая разница? — возмутился он с раздражением. — Я был совершенно уверен, что больше никогда не потеряю головы... пока не встретил ее...

— Ее? — Я замерла. Информация осязаема.

— Да, ее. Женщину, которая поняла меня и приняла безо всяких условий. Вы спрашивали о любви, но это было нечто большее. Это было единение. Я никогда не забуду ее серые глаза... — Он замолчал, а я боялась пошевелиться. Нет, этого не может быть, это было бы слишком легко. Он не станет говорить о Майе. Это было бы глупостью даже упоминать о ней. Мало ли у кого серые глаза.

— Она стала моей Маргаритой.

— Ее так звали? — спросила Фая.

— Что? При чем тут то, как ее звали? — Иван раздраженно поморщился. — Это же Булгаков.

— Булгаков, ну, конечно! — пробормотала я, шикнув на Фаю. Иван не удостоил меня даже кивком. Это подразумевалось. Разве есть на свете другая Маргарита, кроме той, что летала нагой по ночной Москве, исполненная любви и мести.

— Она стала моей Маргаритой, и все обрело смысл, — продолжил он, и тон его поменялся, стал тревожным, беспокойным. — Она была рядом со мной в самый сложный период моей жизни. Я ведь остался совершенно один, но у меня был замысел, и она была со мной, она держала мне кисти...

— Мастер не был художником, — пробормотала я.

— Вы же понимаете, я говорю фигурально! — вскричал он. Вскричал — именно так, будто он на сцене. У меня начала болеть голова от его криков и метания по кухне. — А потом она... она ушла. Наша любовь была обречена с самого начала, два таких одиноких человека, как мы, никогда не смогли бы быть вместе.

— Она оставила вас или вы ее?

— И что это изменит? Зачем вешать на все таблички с названиями. Мы больше не вместе. Я не держу зла, желаю ей счастья.

— И у вас осталась книга. Вы написали книгу для нее, для этой женщины? — сказала я, и Иван Кукош замер, его лицо — пластилин — отразило сразу миллион эмоций, они перемешивались, перетекали вдруг в друга, словно он увлекся и позабыл их контролировать. Миллион масок, наслоившихся одна на другую.

— Это очень странное интервью, — признался он, а затем кивнул. — Я написал эту книгу, потому что хотел облегчить ее страдания. У нее была очень сложная судьба, ее семья... большая трагедия. Ее отец покончил с собой, причем на ее глазах.

— Да вы что! — против воли изумилась я. Вот же врет.

— Да, представьте себе, и это, конечно, навсегда изменило ее. Это так несправедливо, но несправедливость — часть этого мира. Так она говорила. Я помню ее смех, светлые волосы, как колосья пшеницы после дождя...

— Ей понравилась ваша книга?

— Понравилась? Нет, эта книга нас сломала. Она хотела, чтобы я ее сжег. Вы понимаете меня? Но рукописи не горят... У вас есть еще вопросы? У меня нет больше времени на эту ерунду. Пришлите мне интервью на согласование. Ни слова, ни единой фотографии без моего одобрения.

— Конечно, — с готовностью пообещала я.

Рукописи не горели, но нас с Файкой «бомбило», если выражаться откровенно. Обе мы еле досидели до конца этой встречи.

— Ну и тип, — выдохнула я, влетая в лифт. — Какой-то вампир, меня словно высосали.

— Ну-ка, дай посмотреть? Может, я найду следы укуса? — рассмеялась Файка, а я демонстративно подставила ей шею.

— Был дождливый день, смеркалось... Вот придурок же. Господи, сколько слов наговорил, чемодан. Спектакль одного актера, — возмущалась я.

— Но говорил он о ней. Ты заметила, Лиза, что он говорил о Майке? Серые глаза, волосы?

— Ты тоже все поняла? Мне не померещилось? — спросила я, отчего-то сильно волнуясь. — Даже не в глазах дело, я ведь слышала уже эту историю, Кукош не стал даже ничего придумывать, он только все чуть-чуть переделал. Майя писала о своем соседе. Он придумал про отца. И про ненависть она говорила. Этот сукин сын просто меняет детали и усиливает эффект.

— Много слов — это нам только на руку. Больше доказательств. Главное, чтоб все эти слова в твоем диктофоне остались. Ты уверена, что все правильно включила и ничего не перепутала? Все-таки приложение новое...

— Почему ты спрашиваешь? Почему ты вообще во мне все время сомневаешься? — обиделась было я.

— Потому что, дорогая моя сестра, я хорошо знаю, насколько ты не дружишь с техникой, — развела руками Фая. Тут уже и я забеспокоилась и бросилась проверять телефон. Но переживали мы напрасно, все слова оказались на месте.

— Хвала изготовителю, Лиза Ромашина сумела нажать правильную кнопку, — суммировала Фая. — Просто событие века!

Глава 13
Уставший бродяга, держись

— Вы сделали — что? Я не ослышалась? Вы пошли к нему? Черт, черт, черт! Что же вы, вашу мать, сделали, а? Почему? Зачем? Я не понимаю, вы что, хором спятили? Вы окончательно потеряли мозги? Елизавета! Посмотри на меня! Посмотри мне в глаза! Ты же считала, что я все это придумала? Что я не писала эту книгу! Что поменялось?

Я впервые в жизни видела, что Майка орала. Оказывается, она умеет орать, надо же.

— Да все поменялось, в том-то и дело, — пробормотала я.

— Ничего не поменялось. Вы не имели никакого права. Решать такое — без меня, за меня? А меня вы спросили, мне это все вообще нужно? Какого черта? Какого лешего?

— Майя, послушай... — попыталась влезть Фая.

Но Майка повернула к ней свое грозное, красное от возмущения лицо и разразилась автоматной очередью из слов и оскорблений в Фаину сторону. Майя Ветрова кричала и кричала, и чем громче она кричала, тем, кажется, сильнее ее трясло, словно ее били электричеством. В какой-то момент слова у нее кончились, и она просто визгнула на непереносимой ультразвуковой частоте, как зашкалившая музыкальная колонка. А когда и этот звук кончился, она перевела взгляд с меня на Фаю и обратно, заметила книжку в Фаиной руке, выхватила ее и швырнула в меня, залепив куда-то между плечом и щекой.

— Ай! — вскрикнула я, честно говоря, не ожидая такого от хрупкой, нежной Майи. — Больно же.

— Больно тебе? Больно ей! Ей больно! — Майка воздела руки к небу.

— Книжка-то немаленькая, ты посмотри, сколько ты написала! — Я протянула к ней томик, поднятый мною с пола, как жест примирения.

Майка несколько мгновений смотрела на меня, как на неразгаданный ребус, целиком состоящий из матерных слов. Затем она выдохнула — кажется, первый раз за последние пять минут.

— Значит, я написала? — переспросила она. — А что же случилось с «не может быть, чтобы это была ты» и «я бы знала, если бы ты писала»? С чего бы ты поменяла мнение?

— С того, что ведь это ты написала, — ответила я просто.

Майя хотела что-то сказать, но не нашла слов — уже растратила весь запас. Она просто прошла в глубь моей квартиры, в кухню, раскрыла шкафчик, буквально вырвала оттуда стеклянный икеевский стакан, яростно захлопнула створку, рванула кран с водой. Она пила быстро, жадно, словно ее кто-то гнал и поторапливал. Напившись, Майя буквально швырнула стакан в мойку, как если бы хотела его разбить, но звук от удара был глухой. Стакан уцелел. Затем Майка сжала губы, посмотрела на меня рентгеновским взглядом, но махнула на меня рукой.

— Давай делай мне кофе, — велела она, и я побежала, достала с полки оставшийся кофе в раскрытой пачке, затем огляделась и беспомощно развела руками.

— Кофеварки-то нет. Ее же Сережа спер.

— Господи, ну вот скажи, чего вы от него хотели? — спросила она.

— От Сережи? — вытаращились мы.

— От Ивана! — Майка вырвала у меня пачку и принялась вываливать перемолотый кофе в кастрюлю для молока. — Чего вы хотели от Ивана?

— Как чего? Правду! — сказала Фая хмуро.

— Правду? — Майка уставилась на Фаину. — Какую правду? Что он эту книгу не писал, что он ее украл у меня? Если вы всерьез ожидали такого от Ивана Кукоша, то вы, мои дорогие, больны, вам лечиться надо. У Файкиного же бойфренда, ибо у него есть право выписывать препараты. А вам обеим они не помешают, это уж точно. Да чего там, мне тоже нужно после такого... пропить какой-нибудь курс успокоительных. Фая, сможешь устроить? А то меня так и тянет этой вот кастрюлей в тебя запустить. Черт, идиотизм какой-то. Ты что, всерьез думала, он падет на колени и примется каяться?

— Зря ты так, Майка. Мы, конечно, не ожидали ничего такого, — возразила Фая. — Напротив, хотели получить полную версию событий так, как он ее преподносит, пока он ни о чем не догадывается и ничего не боится.

— О чем не догадывается? Чего не боится? — ехидно переспросила Майка. — Чего вообще ему бояться?

— Нас, — ответила я. — Суда. Скандала. Позора. Того, что он получит по заслугам.

— Что? По каким, к черту, заслугам?

— Ты чертыхаешься так, словно призываешь сатану, — хмыкнула Фая.

— Может быть, может быть. Не исключено. Но вот скажите мне, и кто ж воздаст-то Кукошу по заслугам, а? Неужели, мы?

— Обидно как-то, что ты нас вот так просто сбрасываешь со счетов, — нахмурилась я. — Почему нет?

— Во-первых, хотя бы потому, что ничего у нас не получится. У нас нет ни денег, ни связей, ни даже юристов.

А у него есть все. У него — флеш-рояль, а я сижу с парой двоек. И ты хочешь, чтобы я поставила на эту пару? Ты просто начиталась моей книжки, Лиза, и решила, что в нашем мире справедливость можно выбить с оружием в руках? Ты путаешь меня с героем моего собственного творения, я — не убийца-одиночка, я даже стрелять не умею, никогда не пробовала. Я все это придумала, понимаешь? Это была такая... своеобразная психотерапия, если тебе будет угодно. Я не умею прыгать по крышам, я не смогу хранить молчание, если меня будут пытать, я дорожу своим телом, вернее, его целостностью. Я — не герой. Я — автор. Мне просто захотелось создать другой мир, и я сделала это, и этого мне достаточно. В реальности я ничего изменить не смогу.

— Ты не можешь знать.

— Справедливость — это сказка, которую мы читаем детям на ночь, чтобы им было не так страшно жить в нашем мире. Никто никогда не получает то, чего заслуживает, и если ты этого не видишь, значит, либо ты слепая с рождения, либо сознательно держишь в фокусе только то, что тебя устраивает, что не мешает твоему миру держаться на его черепахах. Ты стоишь в кухне, где нет кофеварки, потому что ее спер твой муж, отец твоих детей, которого ты тянула почти семь лет, которого ты спасала от суда, от наркодилеров, в невиновность которого ты верила, когда никто не хотел. Ты получила то, что заслужила? Нет, ты просто не успела вовремя сменить замок.

— Я не говорила, что верю в справедливость, — вмешалась Фая. — Никогда не верила и сейчас не собираюсь. Дело разве в том, что он заслужил? Дело в том, что он эту книгу не писал, а ты писала. И стоит побороться, мне кажется, потому что это ж беспредел какой-то. Как он осмелился вот так просто взять и украсть книгу? На что он надеялся?

— Значит, на что-то надеялся, — пробормотала Майка.

— Это-то и странно. На что? — переспросила Фая.

С минуту они смотрели друг на друга, и их взгляды были полны смысла, скрытого от меня, от всех остальных, что я была готова поклясться, что они разговаривают друг с другом мыслями. Ругаются — телепатически. Молчание длилось дольше минуты. Затем из кастрюли для молока убежал кофе. Я бросилась вытирать образовавшуюся густую лужу вокруг конфорки. Первой заговорила Фая.

— Ты не станешь с ним судиться, — сказала она. Не спросила, сказала так, словно была на сто процентов уверена в этом.

— Не стану, нет, — покачала головой Майка.

— Но зачем тогда... зачем ты рассказала Лизе, мне?

— Технически я тебе ничего не рассказывала, — возразила Майка. — Но ты права, не должна была. Я была просто несколько... как бы это сказать... шокирована тем, что он сделал. Просто не сдержалась.

— Но почему — нет? — спросила Фая, словно обвиняя Майю в чем-то. — Почему не прихватить его за хвост, черт возьми.

— Теперь ты чертыхаешься, — улыбнулась Майя. А затем посмотрела на меня в нерешительности. — Что он сказал?

— Значит, это тебе интересно? Биться за свои права нет, а что он сказал — да? — возмутилась Фая. — А вот мы не скажем тебе. И запись не дадим послушать.

— Ну... как хотите, — ледяным голосом ответила Майя. — Погодите, у вас есть запись?!

— Конечно, есть! — возмутилась я. — Та, которую мы тебе не дадим.

Майка вытаращилась на меня в недоверии. Я кивнула. Через несколько минут мы сидели на кухне — я с Васькой на коленках, Фая — перекидываясь маленьким мячиком с Вовкой. Майя — в шоке, с моим телефоном напротив чашки с кофе, который она не пила, забыла. Она слушала запись, не останавливая, не прерываясь на вопросы, не делая комментариев, только иногда чуть больше бледнела, а иногда начинала яростнее дышать. Интервью длилось почти два часа, и через какое-то время мы с Файкой устали сидеть. В конце концов, мы-то все это уже слышали. Это было наше интервью. Сначала робко, а затем смелее мы принялись заниматься своими делами. Я разморозила курицу, почистила лук и чеснок. Файка нашла и загрузила Вовке какой-то новый мультик. Вася ушла гулять на балкон — в коляске, конечно. Майка ушла в мою спальню — шипящая на сковородке курица заглушала запись в диктофоне. Фая позвонила по Скайпу маме, узнала, как дела у них там в Йемене. Мама рассказала, что в городе, где она живет, всегда светит солнце, что погодка — чудо и что в магазин она ездит в сопровождении вооруженной охраны с автоматами. Что очень удобно, потому что они всегда могут помочь с сумками.

— Ты сейчас серьезно говоришь? — переспросила Фая.

— Ты считаешь, дочка, что я бы стала с тобой так шутить? — рассмеялась мама. — Пугать тебя до смерти? Нет, ты не подумай, в этом нет ничего такого.

— ТАКОГО? — повысила голос Фаина. — Действительно, чего такого, всего-навсего автоматчики. А если нужно будет, пришлют и гранатометы. Сплошное спокойствие и безопасность, да?

— Да я за территорию посольства почти никогда не выхожу, успокойся ты. Тут у нас и бассейн есть, и спортивный зал, и библиотека. Я с одной немкой познакомилась, не понимаю ни слова, но я ее учу вязать. Она очень была впечатлена. Никогда не видела ручной вязки, представляешь? А еще мы с ней посадили помидоры около нашего дома. И они уже цветут. Тут же солнца...

— Про солнце я уже слышала, — процедила Фая. — Лучше бы ты вернулась. Лиза вот без тебя страдает.

— Эй! — возмутилась я, но мама этот откровенный шантаж пропустила мимо ушей. Выйдя замуж второй раз и, надо признать, снова удачно, мама справедливо полагала, что мы с Фаей достаточно взрослые, чтобы справиться самим. А ее, мамино, место — рядом с мужем. Мамино место всегда, всю жизнь было рядом с мужем. Она — наша мама — просто прирожденная жена какого-нибудь великого человека. Не зря даже Гера Капелин вспоминал ее с такой нежностью. Будь он проклят, зачем только я о нем вспомнила. Жгучий колючий шар снова закрутился где-то в области солнечного сплетения. Я осторожно выдохнула. Забыть, забыть.

— Ладно, Фаечка, хватит обо мне, лучше расскажи, как у вас там дела? Как Васенька?

— Без бабушки растет ребенок, — не сдержалась Фая. Мама только расхохоталась.

Я обернулась, улыбаясь, на шум. В двери кухни стояла Майка, в руках она держала мой телефон, руки ее дрожали, по щекам текли слезы. Она дослушала запись.

Что-что, но утешать мы умели профессионально. С мамой мы попрощались, подхватили Майку, затащили, усадили к окну, тут же дали стакан с водой, затем стопку водки, которую она махнула не глядя, не закусывая, не рассуждая и не капризничая — как лекарство. Я держала наполовину пустую бутылку водки для дезинфекции и экстренных случаев, один из которых, определенно, наступил. Водка была дешевой и старой — почему, видимо, Сережа побрезговал ею, хотя пару бутылок с вином и коньяком забрал, Сережа был человеком последовательным и систематичным. Выпив, Майка разрыдалась, извергая вперемешку проклятия и жалобы, и просьбы пристрелить ее, как хромую лошадь. Дальше соответственно пошли подробности.

— Я говорила ему, что хочу рукопись сжечь, — прохлюпала она, шмыгая носом. — Я говорила ему, что эта книга мне нелегко далась. Такое чувство, что он, сука, записывал за мной.

— А почему нет? Украл книгу — укради и комментарий к ней, — пожала плечами Фая.

— Ты всерьез хотела сжечь книгу? — удивленно переспросила я. Когда я первый раз об этом услышала, то подумала, что она пошутила, да и не верила я тогда еще в то, что моя подруга вообще что-то могла написать.

Майя, не глядя на меня, только тряхнула головой.

— Ты не представляешь, как она меня измучила, эта книга. Сколько я передумала, сколько пережила, пока ее писала и переписывала. Сколько раз мне казалось, что это — какая-то ерунда и чернуха, что-то нечитаемое, не стоящее и минуты чьего-то внимания.

— Я могу тебе официально заявить, книга у тебя получилась обалденная. Интересная и какая-то... не знаю даже, как объяснить, непредсказуемая, что ли? Я читала всю ночь, я тебе не говорила? Потом перечитывала какие-то куски.

— И загибала страницы, и пятна от варенья оставляла, всю книгу попортила, — добавила Фая.

— Это ничего, ничего, — кивала Майя. — Я просто не могу понять его. Он повторяет мои слова, зачем?

— Как — зачем? Чтобы выглядеть достоверно, как же иначе ему всех убедить, кроме как взять обрывки твоих живых эмоций, которые, как я понимаю, он имел возможность наблюдать, и рассказать обо всем твоими словами, которые, как я понимаю, он имел возможность слышать. Так? — спросила Фая, вглядываясь со всем вниманием в Майкино заплаканное, некрасивое лицо. Да, если и есть на земле женщины, которым идут слезы, то только не нам. Даже Майка с ее кукольным фарфоровым личиком и большими серыми глазами принцессы из «аниме», даже она превратилась в кикимору болотную, хлюпающую и в пятнах.

— Он говорил о тебе, не так ли? — сказала я, и Майка вздрогнула, словно я ее иголкой в бок уколола.

— Что ты имеешь в виду? — прошептала она так тихо, будто кто-то закрутил регулятор громкости.

— Ты прекрасно понимаешь, что мы имеем в виду, — вмешалась Фая. — И не делай вид, что ты глупенькая дурочка, мы тебе все равно не поверим. Он говорил о тебе, когда говорил о Женщине. Ты, по его словам, разбила ему сердце. Интересное получается кино? Может быть, ты просто не заметила, как это сделала? Ну, как-то так, между занятий английским, улыбалась, что-нибудь там делала, кофе или бутерброды, а он решил, что между вами любовь?

— Может быть, он все придумал, — предположила я, пытаясь защитить Майку от безжалостной Фаи. — Может быть, он просто врет.

— Может быть, — согласилась Фая. — Но посмотри на Майю, она же сейчас, кажется, попробует выпрыгнуть в окно, только бы не продолжать разговор?

— С чего ты взяла? — фальшиво отозвалась Майя. — Я вообще хочу пойти домой. Я устала от этого.

— Устала? Или просто не хочешь говорить о том, что ты сделала? — Фая склонила голову к плечу и демонстративно посмотрела в Майкины глаза. Та держалась, сколько могла, но потом отвела взгляд. Я налила ей еще, и она хлопнула рюмашку.

— Ну и что? Да! — воскликнула Майя, глядя не на Фаю, на меня. — Я с ним переспала. Довольна?

— Что и требовалось доказать, — кивнула Фая. — Это месть.

— Никакая это не месть. Если хочешь знать, это он меня бросил.

— А Костик знает? — спросила я. Майя не ответила.

— Я не собираюсь об этом говорить, — сухо пробормотала Майя и встала из-за стола так резко, что чуть не упала. Закружилась голова.

— Ты из-за этого не хочешь трогать этого засранца? Из-за Костика? — надавила на нее Фая. — Из-за того, что ты ему изменила? Но ведь это же глупость какая-то? Ну, изменила, и что? Терять книгу?

— Что же ты молчишь, Лиза? — Майка снова повернулась ко мне. — Ты персонально ответственна за то, что сейчас тут со мной происходит. Я доверилась тебе не для того, чтобы ты разрушила все, что я с таким трудом создавала. Я не просила тебя к нему идти. Я не хотела ничего этого. Мне наплевать на книгу. — Майя направилась к выходу.

— Серьезно? А вот мне почему-то кажется, что ты врешь, — заявила Фая, перегораживая Майе проход. — Я читала эту книгу и уверена, что тебе не наплевать на нее. Ты не хочешь трогать все это не потому, что тебе наплевать. Просто боишься, что все всплывет.

— Да! — крикнула Майка, остановившись и упершись руками о дверной косяк, словно пытаясь раздвинуть стены коридора. — Да, я боюсь. Я знаю, как будет лучше для меня. Вы обе тут ни при чем.

— Вот тут ты в точку попала. Мы обе тут ни при чем, — возмущенно добавила Фая. — Раз тебе ничего не надо, я тоже лезть не буду. Мне вообще наплевать. Можешь хоть еще одну книгу ему написать. Впрочем, ему и так хватит. Слава, деньги, кино. Он там еще и главную роль сыграет. А ты знала, кстати, что ты — не первая и, скорее всего, не последняя, кого Иван Кукош немножко пощипал?

— Что? — ахнули мы с Майкой обе, хором. — О чем ты?

— О том! — зло кивнула Фая. — Что, будучи еще студентом театрального училища, Иван Кукош обвинялся в краже. Знали вы это? По вашим невинным и глупым лицам вижу, что нет. И тем не менее, когда он был студентиком, он работал в одном крупном московском театре и там украл и, видимо, продал костюмы.

— Не может такого быть, — тихо прошептала Майя. — Какие, к чертям, костюмы? Зачем ему? Откуда ты вообще все знаешь в таких подробностях?

— Еще скажи, он не такой, он бы никогда так не поступил. Между прочим, время тогда было смутное, моральные нормы колебались от минус сорока до плюс сорока по Цельсию, а он был молод, хотел красиво тусоваться. Почему нет? Может, он их на барахолку снес. Бальные платья, фальшивые жемчуга тогда были в цене.

— И что? Поймали его?

— Нет, не поймали. И вещи не нашли, и Иван как-то вывернулся, потому что он всегда выворачивается — такой уж человек. Отделался он тогда увольнением из театра. Но оттуда его вышибли с треском и потом долго никуда не брали, помнили «добрые рекомендации». В театре том, кстати, Ивана сегодня добрым словом поминают, за костюмы дирекция потом все выплачивала. И эта история, между прочим, не тайна. Можете убедиться сами, стоит только переговорить со старожилами. Но если вам и этого мало, то могу добавить.

— Что еще? — спросила Майка. — Добавляй.

— Ты уверена, что хочешь знать? Потому что, может быть, я тебе сейчас сердце разобью, кто его знает? Нет? Ничего? Тогда имей в виду, что первая жена Ивана Кукоша, та самая, что дала ему возможность вернуться на сцену, которая его пропихнула в кино и которая, на минуточку, ему родила сына-первенца, ей он отплатил тем, что продал квартиру ее отца. Продал прямо перед разводом, явно сознательно. Там даже уголовное дело возбуждалось, но потом тоже как-то ничем не кончилось, замялось. Вероятно, Иван смог договориться со следователем, что никакого подлога не было. В конце концов, если сильно куда-нибудь не копать, то и докопаться не получится. В общем, увернулся он, но с тех пор болезненно реагирует на любые вопросы о первой жене, кричит о вероломстве женщин и, на всякий случай, что это его тогда обманули и обобрали. Но квартиру на Ленинском он купил уже сильно после развода и вторую жену туда даже прописывать отказался. Она в передаче об этом рассказывала у Малахова. Тоже интересный момент, не считаешь? Ни вторую жену, ни детей. Такого человека ты, Майя, жалеешь.

— Кто сказал, что я жалею его? — ответила Майя, чьи глаза внезапно совершенно просохли.

— Нет? — удивилась я. — Тогда почему же ты не хочешь...

— Я никого не жалею, Лиза. Но ведь вы с Фаей хотите, чтобы я выстрелила по Ивану из всех моих орудий. Тогда и ты, Фая, должна понимать, то, что было между мной и Иваном, — это же не просто какой-то несчастный случай, который, будем честными, может случиться с любой из нас. Я не просто переспала с ним по пьяни или в момент слабости. Это был роман, понимаешь? Роман, о котором Костик понятия не имеет.

— Я не понимаю, как так вышло, — смутилась я, так как сама идея того, что Майка вот так изменяла мужчине своей мечты и скрывала это, не укладывалась у меня в голове.

— Как — так?

— Что никто не узнал. Это ведь странно, разве нет? Такие вещи не скроешь, они всегда вылезают наружу, — сказала Фая.

— Только если люди позволяют им вылезти наружу, — пробормотала Майя. — Я была весьма осторожна.

— Ты что, хочешь сказать, что любила его? — спросила я после некоторой паузы.

— А что, это так удивительно и странно звучит? Почему бы мне не влюбиться?

— Не знаю, — покачала головой я. — Если ты так говоришь, значит, так и было, просто... я не знаю, мне он показался... не тем человеком, который бы произвел впечатление на тебя, Майя.

Она внимательно посмотрела мне в глаза и вдохнула, словно собиралась ответить что-то, может быть, защитить свой выбор, но потом покачала головой и отвернулась в сторону. Подошла к раковине, наклонилась и принялась пить воду прямо из-под крана.

— Только не подумай, что я тебя хоть в чем-то осуждаю, — пробормотала я.

— Я и сама себя осуждаю, — ответила она, вытирая губы. — Пойми меня правильно, Лиза, я не горжусь тем, что сделала. Я даже не могу сказать, что любила его. Я никогда не имела дела со звездами, но даже не в этом суть. Иван... он ведь обладает своеобразным шармом. С первого взгляда этого не видно, но, если с ним пообщаться, попадаешь под его влияние. Впрочем, это не делает его хорошим человеком.

— Поэтому ты меня тогда все спрашивала...

— Считаешь ли ты его хорошим человеком? В каком-то смысле, да. Я... тогда просто помешалась, не знаю, что нашло на меня. Гормоны, что ли... Я признаю это, и Костя такого не заслужил, конечно. Но он все время откладывал переезд, я злилась, ты же помнишь то время. Хотела отомстить, что ли. Дурь, чистая дурь. Но это теперь в прошлом, понимаешь. И что в этом странного, что я не хочу огласки? После того, как я скажу «А», Иван ведь даже секунды не промедлит, чтобы сказать «Б». Он разрушит мою жизнь любым доступным ему способом. А он про Костика прекрасно знает, и про то, как сильно я переживала из-за этой измены. Я уже потеряла книгу, а ты хочешь, чтобы я еще потеряла человека, с которым хочу жить. Для меня это самый страшный ночной кошмар. Я хочу оставить все как есть. Это — мое право. Да, и не смотрите вы обе на меня так. Я не стану ничего делать.

Глава 14
Преступление и наказание

Это случилось на третий день после интервью, был удивительно теплый вечер — такой, когда закат за окном мягок, как бархат старых маминых занавесок, и просто невозможно ожидать чего-то плохого. Отчего все по-настоящему ужасные вещи случаются именно в такие вечера? Василиса спала в соседней комнате, я прислушивалась к равномерной тишине и двигалась с особенной осторожностью, которую знают только матери маленьких детей. Не дай бог разбудить спящее дитя. Мир и покой зависят от того, сумею ли я попить чай в абсолютной тишине.

Мир затих перед бурей. Фая с Вовкой гуляли во дворе. Я сидела на кухне, забравшись на стул с ногами, тапка с правой ступни слетела на пол, а я этого даже не заметила — так хорошо мне было. Еще раньше из стопки прочитанных журналов, что оставляли соседи на столике на первом этаже, я вытащила журнал «Психология» — в основном из-за обложки с Хью Лори. Я наткнулась на статью о «Докторе Хаусе» и зачиталась. Чтение увлекает особенно сильно, когда бывший муж вынес из дома все телевизоры и ноутбук. Ничто меня не тревожило, не зазвонил бы даже мой телефон, избежавший участи кофеварки только по причине отсутствия дома в момент Сережиного на-

шествия. Телефон унесла Фая, свой она забыла дома на
подзарядке. Наедине с собой всегда есть риск наткнуться
на саму себя. Я улыбалась и смотрела на Хью Лори. Наплевать на то, что денег почти не осталось, наплевать на
задержанную квартплату — я рассчитаюсь за все в следу-
ющем месяце, выйду на дополнительный семинар, найду
новых клиентов, поговорю с Игорем, может быть, тоже
что-нибудь проклюнется. Что-нибудь всегда находится,
такой закон жизни. В тот вечер я верила в себя и любила себя, я даже нравилась себе — небывалый случай. «Все
врут», — говорил мне Хью Лори, но смотрел на меня с одо-
брением. Улыбался мне своими бесподобными, цинич-
ными, усталыми глазами. Его не портили морщины, его
украшала клокастая седая щетина. Иногда, чтобы достичь
своего пика, нужно пройти большую часть жизненного
пути. Хью Лори был фантастически хорош и как актер,
и как персонаж. Особенно персонаж. Эта непобедимая
смесь таланта и саморазрушения, перед которой просто
невозможно устоять, — доктор Хаус. Психология гения
отличается тем, что он не ищет легких путей, гений никогда не бывает конформистом. Я не гений хотя бы потому,
что хотела новую кофеварку. И компьютер еще. И тут...

...в дверь позвонили. Тишину разорвала механиче-
ская трель фальшивого соловья.

Я подскочила, опрокинула от неожиданности стул,
добавив грохота, хотя Василисе хватило бы и соловья.
Я удивилась и разозлилась, Фая бы звонить не стала,
у нее были ключи, и она знала, что Вася спит. И все же —
кто еще это мог быть? Я рванула к двери, как спортсмен,
как бегун на короткие дистанции. Ускорение — это наше
все. Может быть, еще есть шанс, может быть, она не про-
снется? Сколько времени вообще? Часов у меня не оказалось, часы Сережа тоже украл, я их никогда не носила,
предпочитая следить за временем в телефоне.

Позже я все пыталась понять, какого лешего я открыла дверь, почему я не спросила пресловутое «кто там»?! Простой же вопрос, и я вроде — взрослая женщина. Больше того, у меня в жизни уже были моменты, когда я жалела об открытых мною дверях. Но в тот момент я не подумала ни о чем. С другой стороны, ну спросила бы я — и что? Чем бы мне это помогло? Люди преувеличивают эффективность вопроса «кто там?». Вряд ли он остановит людей, в чьи полномочия входит, к примеру, вынос двери автогеном.

Я не спросила — «кто», и через секунду из холла на меня обрушились вихри враждебные. Топот ног, черные лица-маски с прорезями для глаз, крики и приказы прижаться к стене. Я застыла, парализованная происходящим, — мой единственный вариант был, что Сережа решил вернуться и забрать мебель. Но, даже стоя, прижавшись лицом к бледно-зеленой тамбурной стене, я понимала, что это НЕ СЕРЕЖА.

— Елизавета Павловна Ромашина? — непроницаемо спросил меня кто-то из-за спины. Я похолодела. Это не было ошибкой, не было дурацким розыгрышем каких-нибудь соседей. Мужчина знал меня, он пришел ко мне. — Кто-то еще есть в квартире?

— Да, есть. — Я попробовала обернуться, посмотреть на говорящего, но мне тут же надавили на затылок.

— Не шевелиться. Кто?

— Дочь. В комнате спит дочь. Ей скоро будет годик. — Голос не слушался, дрожал. С чего и как я навлекла на себя эту «бурю в пустыне».

— Проверяйте, — скомандовал голос.

Топот ног, металлическая дверь с грохотом стукнула по двери соседей. Когда все в нашем доме принялись устанавливать металлические двери, никто не следил за углами и направлением открывания дверей. Как результат, наши с соседями двери наплывали друг на друга и никак не могли быть открыты одновременно, что, конечно, было нехорошо и наверняка против каких-нибудь пожарных инструкций. Зато сейчас, даже если бы соседи захотели посмотреть, что происходит и что за грохот в прихожей, они бы не смогли. И хорошо. Шершавая стена неприятно холодила щеку, и я с трудом справлялась с желанием послать все к черту и попытаться вырваться. Ну не застрелят же меня. Хотя кто их знает. Я ведь понятия не имею, что происходит, чего они ищут. Быть застреленной при попытке сопротивления неизвестно чему, вот это будет театр абсурда. Кто я — самозваный террорист Юнабомбер, взрывающий людей, чтобы сделать мир чище? Бэтмен, черный мститель в дурацком костюме? Герой Майкиной книги, убийца, попавший в руки таких же убийц? Я всего лишь Лиза Ромашина, я за мир во всем мире, я конформист, я хочу новую кофеварку и на дачу. У меня двое детей. Разве таких, как я, могут застрелить при задержании?

— Медленно, без резких движений отойдите от стены. Пройдите в квартиру, в кухню, — услышала я. — Не опускайте руки.

— Почему? — не поняла я.

— Не задавайте вопросов. — Меня дернули за плечи, ткань халата хрустнула. Меня отодрали от стены и бросили в квартиру, как нашкодившего кота. — Делайте что говорят.

— Хорошо, да, — прошептала я осевшим голосом. Пока меня усаживали на кухонном стуле, пока на моих запястьях сзади сцепляли наручники, одна и та же мысль крутилась в моей голове: «Все очень плохо». «Все очень-очень плохо, а будет хуже», — как любит говорить моя сестра. Мужчина в камуфляже и с автоматом остановился в кухонном проеме. На меня сквозь прорези смотрело два карих, спокойных глаза. Затем мужчина скрутил шапочку наверх, прошел в кухню и аккуратно положил автомат на стол.

— А где вторая? — спросил он.

Я не знала его, он был молодым, моих лет, ему не было еще тридцати. Чернявый, спокойный, он смотрел, как слезы текли по моим щекам, по губам, капали с подбородка. Соленый вкус отчего-то напомнил мне об отпуске, но не о море, а о даче, о маминой даче.

— Вторая — что? — уточнила я, откашлявшись.

— Где ваша сообщница, — спросил он, внимательно разглядывая мое лицо. — Вы были вдвоем с сообщницей. Фотограф. Нет? Не помните? Странно, ведь прошло всего три дня. Может быть, я просто не так к вам обращаюсь? Анастасия Михайлова? Так лучше?

Он считывал реакцию. Я подумала — все-таки доигрались. Все-таки Кукош. И что, если меня сейчас отправят в тюрьму? Я не хочу в тюрьму. Вася проснулась и начала кряхтеть, я слышала ее, у матерей более острый слух, чем у других людей. Меня начала бить дрожь. Чужие руки копались в и без того уже оскверненных Сережей шкафчиках, и Хью Лори серьезно и с пониманием смотрел на меня с кафельного пола. Его — Хью — тоже уронили, на него тоже наступили грязным тяжелым армейским ботинком, след прошел по красивому усталому лицу. Мы с ним оба были размазаны и низведены до возможного минимума.

— Мне можно взять дочку на руки? — спросила я. — Она сейчас расплачется.

— Ничего, это вас сейчас не должно волновать, — ответил офицер.

Я попыталась вдохнуть поглубже и выдохнуть помедленнее — чтобы перестать плакать.

— Меня это не может не волновать, как вы не понимаете. Она же грудная еще. Если она разорется, ее никто не успокоит, кроме меня.

— Ответьте на мой вопрос и сможете спокойно покормить дочку, — продолжал офицер. Василиса, словно в ответ на мое предупреждение, издала звук, который мы именовали в быту «третьим предупреждением».

— Вам же хуже будет, если она разорется. Я-то еще как-то привыкла, а вам придется тяжеловато. Она орет на частотах, на которых самолеты летают. Я за вашу безопасность не собираюсь отвечать.

— Даже так? — ухмыльнулся офицер. — Мы крепкие ребята, выдержим.

— Вы серьезно? Значит, вы как из гестапо — приметесь пытать ребенка, чтобы добиться признания от русской радистки? — спросила я, и с некоторым разочарованием отметила полнейшее непонимание в глазах молодого офицера. — Не смотрели «Штирлица»? Это вы зря, это же классика, на все времена. Сцена допроса радистки Кэт, очень рекомендую. Кстати, они все плохо кончили — нацисты. Имейте в виду.

— Вы что, всерьез сравнили меня с нацистами? — уточнил офицер и прищурился.

— Я просто провожу параллель между методами ведения допроса. — Я пожала плечами и невольно облизнула соленый край губы. Губа была разбита и начинала болеть. Как я не заметила? Вася начала рыдать, громко, заливисто, захлебываясь руладами и выводя их на новую высоту. Офицерское лицо отразило сомнения. Он нахмурился.

— Где ваша подруга? Фотографии где? — спросил он громче, агрессивнее. — Говорите, где материалы вашего так называемого интервью.

— Разрешите покормить ребенка, пока не смогу покормить ребенка, говорить не буду, — ответила я тихо.

— Ничего-ничего, вы мне все скажете, — процедил офицер.

Я отвернулась и закрыла глаза. Василиса переходила на ультразвук. Когда плачет ребенок, мать страдает так, словно ее режут ножами. Это не сравнение, не преувеличение, это — простая биология, которую неумолимый и безжалостный естественный отбор поставил на службу человечеству. Мать реагирует на плач так, словно их с ребенком нервная система соединена в единую, и наплевать на то, что ребенок уже рожден. Эта пуповина остается еще много лет, она не рвется, даже когда ребенок идет в институт. В какой-то мере эта связь между мною и моей матерью сохранялась все эти годы, и даже сейчас я бы не удивилась, если бы мама почувствовала мою боль и позвонила из Йемена. Василиса кричала так, словно ее режут. У меня по щекам текли слезы, я изрыгала проклятия. Я поверить не могла, что в наше время, в Москве, в столице нашей родины, со мной обращаются так, словно это Средневековье, а я ведьма.

— Как вас зовут? Должно же у вас быть какое-то имя? Даже чертям в аду имена дают! — крикнула я, и мужчина вскочил, принялся чертить шагами мою кухню. Он переговаривался о чем-то со своими подчиненными, я не могла разобрать слов, но услышала что-то вроде «а если сбежит».

— Куда я сбегу? С ребенком на руках? — крикнула я. Два человека в камуфляже обернулись ко мне.

— Скажите, где ваша соучастница, где материалы интервью, с какой целью вы проникли в дом к Ивану Эммануиловичу — и мы дадим вам ребенка, — ответил чернявый после паузы. Значит, вот чего они хотят — отнять у нас интервью, подозревают черт-те в чем. Да фиг с ним, только бы кончилась эта пытка. Мы ведь никого не убили, мы ничего не украли. В конце концов, какого черта они не дают мне ребенка. Крик затих, а затем набежал новой волной. Вася была на грани истерики. Я уже за гранью.

— Хорошо! Хорошо! Я все скажу! — крикнула я, даже не сдерживая слез. — Мы были там. Да, мы были у этого вашего Кукоша. Дайте мне дочку успокоить.

— Давайте дадим ей дочку, — пробормотал один из группы, судя по голосу, постарше.

— Пусть скажет, зачем они к нему приходили, тогда дадим. Закройте дверь в кухню, идите в комнату. Вы поняли приказ?

— Понял, — пробормотал тот, что постарше, и развернулся.

Чернявый повернулся ко мне:

— Говорите, Елизавета Павловна. Кто ваша сообщница? Чего вы хотели от Ивана Эммануиловича? Что вы хотели узнать? Вы же приходили не интервью брать, верно? Кто вас послал? Что там такое? — Последняя фраза была обращена вовсе не ко мне.

В коридоре началась какая-то заваруха, что-то упало, кто-то закричал, и к Василисиным крикам добавились другие. Я различила Фаин голос.

— Да что вы тут себе позволяете! — кричала она. — Пропустите. Да пропустите же, это моя сестра. Лиза!

— Фая, это из-за Кукоша! Мне Васю не дают! — крикнула я, и мой чернявый садист подскочил, чтобы закрыть дверь в кухню. Не успел. Фая влетела в кухню, увидела меня, успела оценить масштабы катастрофы — мои заведенные за спину руки, автомат на столе, разбитую в кровь губу — за секунду до того, как ее саму скрутили и вдавили в стену.

— Ничего не говори, нам нужен адвокат. Слышишь? — ответила Фая и крикнула от боли, кажется, ей вывернули руку.

Василиса заходилась пуще прежнего, к ней присоединился Вовка, он, кажется, плакал в коридоре, но теперь я знала точно — этот чернявый садист ни за что мне не даст подойти к детям. Просто из мести оставит их тут кричать, пока за ними не приедет какой-нибудь ужасный человек из какой-нибудь ужасной социальной службы. Я даже не представляла, как это все бывает в реальной жизни. Что происходит с детьми, если их матерей арестовывают и увозят в тюрьму? От ужаса я вдруг словно протрезвела, хоть и не была пьяна. Слезы высохли, я похолодела, перестала рыдать и принялась лихорадочно думать. Адвокат. Нам нужен адвокат. Это — самое важное. Решить вопрос с детьми. Нужно найти способ связаться с кем-то. Кто может нам помочь? Игорь, да, Файкин Игорь. Майка тоже поймет. Она так близко, всего в двух этажах от нас, но я никак не смогу до нее докричаться. Позвонить мне не дадут. Что еще? Что еще я могу сделать?

— Покажите мне свое удостоверение и ордер, — сказала Фая.

— Удостоверение и ордер? Может быть, вам еще мою трудовую книжку привезти? — переспросил чернявый. — Уведите ее.

— Имейте в виду, вы пожалеете. Вы действуете незаконно, — говорила Фая, пока полицейские или кто там были эти люди в камуфляже отдирали Фаю от стены. После того как Фаю увели в другую комнату и закрыли двери, крики моей дочери стали чуть тише. Но мне от этого не стало легче. Только тише. Я повернула заплаканные глаза к чернявому:

— Вы должны совершать все эти действия на основании чего-то, разве нет? Вы не можете врываться ко мне в дом, выламывать двери вот так, без законных оснований. Даже не представляясь.

— Вы сами открыли мне дверь. Мы ничего не выламывали.

— Но наручники я не сама на себя надела, — ответила я. — Раз вы их на меня надели, значит, считаете меня опасной. Я хочу знать почему.

— Почему? Ну... возможно, вы оказали нам сопротивление. Возможно, вы пытались захватить оружие и нанести вред следователям, — ответил мне чернявый невозмутимо.

Чего нельзя у него было отнять, так это умения держать себя в руках. Я закрыла глаза, сделала глубокий вдох и досчитала до пяти. Затем открыла глаза.

— Я не стану говорить с вами. Можете хоть застрелить меня, но, пока у меня не будет адвоката, пока мне не объяснят, на каком основании меня задержали, я ничего никому не скажу. Я же имею право знать, почему вы меня... вот так... Имею же я права, черт возьми?

— Права — они у всех есть, это да, — согласился он задумчиво, хмурясь. Ему явно не нравилось то, что я говорила. Не нравилось то, что ему приходится иметь дело с двумя детьми.

— Мне нужно сделать звонок.

— Вы насмотрелись голливудских блокбастеров, да? Какие-такие звонки? Не будет никаких звонков. Никому вы не дозвонитесь, вы же воровка, домушница — это как минимум.

— Хорошие же у вас методы.

— Вы нарушили чужие права на частную жизнь, на неприкосновенность, к примеру. Если захотите обсудить свои права, у вас еще будет такая возможность. И время будет. В тюрьме.

— Возможно. Но это все еще доказать надо. А то, что вы действуете незаконно, — это прямо бросается в глаза. Фая права.

— Фая права? Кому бросается в глаза? Кто смотрит? — зло ответил чернявый. — Никого нет же, понимаете? Вы бессильны, мы увезем вас, а потом напишем отчет, и в отчете все будет так, как надо нам.

— Это тогда делает вас еще большим преступником, чем нас, — прошептала я.

— Злоупотребление властью? Конечно, почему нет. Но это вам тоже нужно будет доказать. И поверьте, на практике это будет доказать просто невозможно. Вы считаете меня своим врагом, я это могу понять, в конце концов, я к вам не дружить пришел сюда. Но на самом деле я вам не враг. И я мог бы пойти вам навстречу, мог бы войти в ваши обстоятельства, но только если бы вы стали активно помогать следствию. Понимаете, о чем я?

— Я не могу вам верить, — покачала головой я.

— Вы так считаете? Что ж, справедливо. Давайте мы с вами взаимно пойдем друг другу навстречу. Я буду больше верить вам, а вы мне. Вы передадите нам материалы вашего так называемого интервью и объясните, что именно вы пытались разнюхать в доме артиста.

— А вы мне что?

— А я вам дам возможность вынырнуть из этой навозной ямы. Я сделаю так, что это уголовное дело не дойдет до суда.

— Вы можете такое сделать, серьезно? — ахнула я. — То есть вы не только не даете мне покормить младенца, не только пугаете моего сына, отказываете мне в законных правах на звонок, на адвоката, на юридическую помощь — вы гарантируете фальсификацию документов в моем уголовном деле. Заманчиво, конечно. М-м-м, но я, пожалуй, пас. Адвокат. Я выбираю адвоката. Адвоката — в студию.

— Вы пришли к Кукошу по поручению бывшей жены? Вы искали документы?

— Да. По поручению жен, у них целый клуб, они ищут справедливости! — выпалила я.

— С какими целями вы проникли в квартиру известного артиста Ивана Эммануиловича Кукоша под предлогом интервью? Как вы разместили свою фотографию на сайте журнала «Рассвет»? Где материалы интервью, где видеосъемка квартиры? Вы хоть понимаете, что отпираться незачем? Нет смысла, понимаете? Вы же виновны. У нас есть ваши фотографии на входе и на выходе из подъезда, есть показания домработницы, есть архив сайта. Да-да, вы думали, что сотрете данные, и все, никто не узнает? Не выйдет, у нас осталась копия. Вы не так аккуратно работали. Так что лучше вам начать сотрудничать со следствием. Впрочем, можем отложить разговор до приезда в отделение. Вы когда-нибудь были в СИЗО? Не думаю, что вам там понравится. Впрочем, можно найти и другие варианты. Можно попробовать договориться, чтобы вас оставили дома под подписку о невыезде. Но это — только при условии, что вы станете помогать нам. Я, к примеру, думаю, что вы не были инициатором этого преступления. У вас дети, у вас хорошая репутация, вы никогда даже в полиции не были. Чего не сказать о вашей сестре. Я видел материалы, она уже привлекалась однажды по делу о покушении на убийство. Я не знаю, как ей удалось увернуться от ответственности, но также мне известно, что она по образованию программист, не так ли? Кто, как не она, поместил фальшивую информацию о вас на сайте журнала. Зачем вам идти на дно вместе с ней? Возможно, она втянула вас. Может быть, вы ничего не знали. Вы должны позаботиться о себе, понимаете?

— Это не так! — услышала я голос из моего коридора. Голос, который я никак не ожидала услышать не то что сегодня — никогда.

Капелин стоял в коридоре, огромный, бледный, с полыхающим от ярости взглядом. Я дернулась и захотела крикнуть, чтобы он бежал, чтобы спасался от этого чудовищного чернявого. Но Капелин, как выяснилось, никого не боялся. Да и пришел он не один.

Глава 15
Хозяин своего слова

Как же так вышло, что это он, и он здесь, и стоит передо мной — Герман Капелин, предатель, оставивший меня одну. Я еще не забыла его, но уже могла ненавидеть. Ненавидеть его было легко, гораздо проще, чем любить. Я ненавидела его за то, с какой легкостью он развернулся и ушел — жить своей жизнью, без меня. За то, что не сожалел, не сомневался, не потерял сон, за то, что смог справиться с собой. Ненавидела его — но вот он, стоит в кухонном проеме, и пришел сюда, чтобы меня спасти.

— Кто вы такой? — спросил чернявый, подскочив со стула. — По какому праву? Кто вас пустил, какого черта?

— Интересно, что у меня к вам ровно такой же вопрос. По какому праву? — спросил кто-то еще, не Герман. Голос из коридора. — Гера, посторонись, тебя не объедешь. Камеру впусти.

Ну конечно! Юрка Молчанов, бывший несостоявшийся муж моей сестры, журналист. Понятия не имею, откуда он взялся, но как же я ему рада!

— Да-да, — Герман кивнул, повернулся и прижался спиной к стене.

Он по-прежнему смотрел на меня — огромный, двухметровый пришелец, тело которого не подогнано под эту планету. Он не сводил с меня глаз, а я смотрела на него, и холодное бешенство овладевало мной вопреки голосу разума. Каким бы чудом Герман Капелин сейчас ни оказался тут, он пришел, чтобы меня спасти. Я должна быть благодарна, но я сейчас испытывала другие чувства. Мои руки были скованы за спиной, а то я бы швырнула в него чем-нибудь. Да хоть бы и доктором Хаусом. Я злилась, что мое лицо разбито. Я не хотела, чтобы он меня жалел. Но не могла ничего поделать. Видеть его было — как полить лимоном на пекарский порошок. Я шипела и пузырилась.

— Не смейте! Не снимать. Сейчас без камеры останетесь! — громко грозил чернявый кому-то в коридоре.

— Мы переживем. Ребята, крупно его берите. И этих тоже! — кричал Юрка.

Гера смотрел на меня, словно впал от моего вида в ступор. Могу себе представить — наручники, кровь в уголке губы, разбитое лицо. Ничего со мной не выходит по-хорошему. Я холодно улыбнулась — одними губами.

— А ты что тут делаешь? — спросила я Капелина. Мимо Германа в кухню вынырнул Юрка Молчанов.

— Лизка, держись. А Гера со мной, — бросил он не столько мне, сколько чернявому. — Мы будем снимать, сколько посчитаем нужным! — И снова поле боя перенеслось в коридор.

— Я пришел, чтобы помочь, — тихо сказал Гера.

— Мне не нужна твоя помощь, — пробормотала я еще тише.

— Я вижу. Да, — кивнул он, тоже сощурившись, с сарказмом. — Ты в полном порядке, да?!

— У меня все хорошо. Это просто у нас... вечеринка. БДСМ, слышал про такое. Наручники, все такое.

— Господи, Лиза, кто тебя научил словам-то таким! — хмыкнул Юра, заглянув к нам. — Так, тут есть розетка, Гоша, заходи.

— Вам никто не позволял заходить, — хмуро сказал чернявый, влетая за Юркой. Но Гоша уже зашел. Чернявый сделал шаг вперед, к камере, и Юра бросился ему наперерез.

— Даже не думайте, товарищ безымянный сотрудник полиции. Пока что вы не показали съемочной группе никаких документов, согласно которым ваши действия являются законными. С нами адвокат, с нами народ! — Юрка плясал между чернявым и оператором с большим микрофоном и камерой на плече. На поролоновом набалдашнике микрофона сияло и говорило само за себя название одного из центральных федеральных каналов. Я знала, именно поэтому Юрка и был звездой своего дела. Если ему сказать, чтобы он куда-то не лез, это только раззадорит его. — Так, что ж, начнем? — Этот вопрос был адресован непосредственно чернявому. — По какому праву, на каком основании вы заковали в наручники мою помощницу, журналистку Елизавету Тушакову.

— Что? — ахнул чернявый. — Журналистку?

— Что? — ахнула я. Юрка посмотрел на меня, как лазером обжег, и я заткнулась. Помощница и журналистка? Не вопрос. Юрка продолжил: — Снимите наручники — и немедленно.

— Я не собираюсь выполнять ничьи команды, тем более — ваши, уж как вас там звать, господин якобы журналист. И если вы немедленно не прекратите съемку, я и вас арестую, — бросил чернявый, но как-то менее уверенно. — Материалы съемки будут изъяты.

— Черта с два. Имейте в виду, что все, что сейчас здесь происходит, так сказать, в режиме реального времени передается в Интернет, аккумулируется на независимых серверах. Вы можете сломать камеру, но это будет потом только лишним доказательством ваших противозаконных действий.

— Даже так? — Чернявый подался вперед всей грудью, но Юрка тоже ответил тем же. Они были — как два киношных Кинг-Конга, бьющих себя кулаками в грудь, чтобы напугать противника.

— Именно так! Вы можете разбить камеру, но это вас не спасет, не увернетесь. Потом придется отвечать и компенсировать ущерб. Для того чтобы я снимал здесь, в квартире моей помощницы, мне ничьего разрешения не требуется, кроме ее. Это — частная собственность. Я подозреваю, что разрешение от собственника у меня есть, — хищно улыбнулся Юра Молчанов. Я яростно закивала, глядя на Юрку с восхищением случайного свидетеля. Работал мастер.

— А вы не боитесь...

— Я ничего не боюсь, — сразу оборвал его Юра. — Значит, наручники не снимете? В таком случае представьтесь и озвучьте, пожалуйста, ваш чин, отделение полиции или иного формирования, а также правовые основания вашего нахождения здесь. И в отдельности обоснуйте основания применения физической силы по отношению к вот этой женщине. Елизавета, ты как себя чувствуешь? Голова не кружится? Мне кажется, у тебя все кружится и все болит и тебе нужен врач. Причем срочно. Думаю, будет совершенно нелишним вызвать «Скорую». Гоша, ты вызвал «Скорую»?

— Какую, к черту, «Скорую», — скривился чернявый.

— Такую, которая людей лечит. Гоша?

— Да, вызвал сразу, как только мы вошли, — кивнул Гоша, продолжая тыкать в чернявого микрофоном.

— Вы не имеете права... — заявил чернявый, уворачиваясь от камеры. Он поднял руку, пытаясь закрыться от объектива.

— Какого права? «Скорую» вызвать? О, вы ошибаетесь.

— Уберите эту чертову штуку и немедленно прекратите съемку! — взвизгнул чернявый. Истерика — это хорошо. Он отмахивался от микрофона, как от змеи.

— Мы тут в рамках журналистского расследования, которому вы препятствуете. Мы получили сигнал, что наши сотрудники, а именно Тушакова Е. П. и Ромашина Ф. П., подвергаются полицейскому произволу. Мы расцениваем это как попытку давления на свободу слова.

— Да что вы говорите. Свободу слова, значит! — язвительно хмыкнул чернявый. Юра и бровью не повел.

— Подтверждение чему я нахожу прямо перед собой. Оснований применения силы вы нам так и не представили. У вас хоть какой-то ордер есть? Постановление? Что именно тут происходит?

— Ваши сотрудники? Никакие они не ваши сотрудники! Еще неизвестно, кто вы сам такой, — скривился чернявый, проигнорировав вопросы, которые ему явно не понравились. — И предъявите-ка мне ваше журналистское удостоверение.

— Не надо делать вид, что вы меня не узнаете, — покачал головой Юра Молчанов так, словно он был воспитателем в детском саду, где детишки разыгрались и плохо себя вели. Сплошное разочарование.

— Мало ли кого я узнаю! Документы, пожалуйста.

— А то что? Вы и меня в кандалы закуете? Перед вами Юрий Молчанов, журналист, автор цикла документальных программ о мировом голоде, за что, кстати, я был официально награжден. Участвовал в помощи при пожарах в Шатуре. Тоже не смотрели? Еще мы выезжали на Саяно-Шушинскую в 2009-м. Тоже нет? Ну что ж, вот мое удостоверение. — Юра достал из кармана карточку, но не раскрыл. Так и держал в руке. — Я его, конечно, вам покажу. Только уж вы первый. Потому что я уточнял через свои источники и имею достоверную информацию, что операция, которую вы тут устроили, незаконна. Более того, что вы тут пытаетесь прикрыть интересы Ивана Эммануиловича Кукоша, защищаете его нечестное имя, так сказать.

— Откуда вы знаете... в смысле, что вам известно? Вы знали о... — Чернявый осекся, замолчал и вытаращился на Юрку Молчанова так, словно тот говорил на иностранном языке.

— Конечно же, я знал о том, что мои помощницы собирают материалы относительно так называемого писателя Ивана Кукоша. Почему это вас так удивляет? Получается, вы просто не в курсе? Вас вслепую используют? Начальство послало? Помочь известному человеку? Защитить его? Давайте-ка я вас введу в курс дела. Иван Кукош в настоящее время находится в центре грандиозного скандала, он обвиняется в плагиате.

— Плагиат? — переспросил чернявый, на этот раз гораздо тише. Уверенность слетела с него, как пух с одуванчика, на который со всей силы подули.

— Господин Кукош присвоил себе книгу под названием «Книга брошенных камней». Вы ведь читали, конечно? Нет? Зря, хорошая книжка, за нее и премию дали, и фильм снимать будут, и даже сериал. На иностранные языки переводить будут, представляете! Такой талантливый Иван Кукош, куда деваться. Почитайте, вам обязательно понравится. Язык тяжеловат для восприятия, но зато про убийцу-мстителя, который пытается восстановить справедливость. А его ловят. Ну а дальше там вообще интересно, потому что судить его никто не собирается. Ой, простите, спойлер. Не буду вам всех секретов открывать, а то читать неинтересно станет. Открою только один большой секрет. Иван Эммануилович книгу эту не писал, он ее присвоил незаконно, и в настоящее время ему предстоит давать объяснения в суде перед настоящим автором.

— Это вы настоящий автор, что ли? — переспросил чернявый.

— Нет-нет, что вы. Я только журналист, — поднял руки Молчанов. — Что важно, Елизавета Тушакова — тоже только журналист. И действовала она в рамках журналистского расследования. Официального, хочу заметить.

— Черта с два! — фыркнул чернявый. — Поддельная ваша журналистка. У нас есть неопровержимые доказательства.

— Забавно, что вы не понимаете. Журналистка она была поддельная, а журналистское расследование самое что ни на есть настоящее, — заявил Юра. — Вы если бы нас по повестке вызвали, мы бы вам все и так рассказали — и показали. Впрочем, что вышло — то вышло. О, кажется, «Скорая» приехала. — И Юра, услышав дверной звонок, кивнул оператору. Чернявый стоял в такой глубокой задумчивости, чуть ли не в ступоре. Юра вышел, и, пока его не было, с моих запястий слетели наручники. Чернявый стал вдруг значительно сговорчивее и добрее. Я потерла покрасневшие поцарапанные запястья. Руки онемели и плохо слушались. Герман подошел ко мне, хотел помочь встать.

— Уйди, — прошипела я. — Я сама.

— Мне позвонила Фая... — пробормотал он. — Почему ты злишься?

— Файку убью.

— Я пришел, чтобы помочь. Я же ничего не знал! — кажется, моя позиция задевала Германа за живое. Хорошо. Еще бы его ногой пнуть.

— Ты и сейчас ничего не знаешь, — пробормотала я зло, отвернувшись к чернявому. — Вы слышали моего босса. Либо вы прямо сейчас покидаете мою квартиру, либо предъявляйте все ваши бумаги, чтобы мы потом могли вас засудить.

— Мы проводили дознание, сбор данных, — теперь чернявый оправдывался. — Был сигнал, что готовится преступление. Мы были обязаны произвести проверку. — Я вдруг поняла, что нет у них никаких бумаг. Юрка прав. Скорее всего, их сюда прислали по приказу, отданному каким-нибудь «хорошим другом» артиста, чтобы напугать нас и, так сказать, пробить.

— Что именно Иван Кукош там вам насигналил, интересно, что вы прислали целую группу захвата? — хмыкнула я.

— Это не группа захвата, это... группа быстрого реагирования. Мы... реагировали... — бормотал чернявый.

— Ага, ага, — кивнула я. — Имя свое скажете? Нет?

Имени своего чернявый говорить не стал, что было не так уж и умно, так как лицо чернявого все равно попало в камеру. Приехала «Скорая». Врачи были усталыми и спокойными и ничему не удивлялись. Ни квартире, полной журналистов и полиции, ни соседям, выглядывающим из дверей с опаской и любопытством. На врачах были синие робы и безразмерные куртки, на шеях висели стетоскопы. В руках врачи несли оранжевые чемоданчики.

— Я в порядке, серьезно, — шипела я на Юрку Молчанова, который «делал глаза» и требовал позаботиться о нас в лучшем виде.

— Молчи и лечись, — сказала Фая, подставляя свою грудь под прослушивание.

Я покорно дала осмотреть себя, показала разбитую губу, дала обработать антисептиком следы от наручников. Я устала от этого многочасового безумия, которое я так и не смогла ни понять, ни объяснить. Врачи проверили состояние детей, потом долго писали что-то под диктовку Юрки Молчанова. Когда они наконец ушли, чернявый еще долго разговаривал с кем-то по телефону на каком-то птичьем языке. Вроде и по-русски, но понять его было невозможно. Ясно было только то, что он был страшно зол и что передавал историю, рассказанную ему Юркой Молчановым. История, которая удивила не только его, но и меня. Юра сказал, не моргнув и глазом, что мы с Фаиной, действуя исключительно по поручению его редакции, расследовали одно весьма щекотливое дело, уже озвученное выше.

— Кража книги, — сообщил чернявый кому-то.

— Кража имени, кража авторства, — кивнул Юра Молчанов. — И материалы, отснятые в квартире Ивана Кукоша, являются частью расследования, и мы вам их не отдадим, если вы только не придете с постановлением суда об изъятии. Но подумайте сами, чем мы тут с вами занимаемся? Вы расследуете пшик, ну честно! Домушницы? Я говорю вам, Иван Кукош просто боится этого дела. Ну, какие домушницы. Какое нарушение частной жизни? Иван впустил журналисток в дом добровольно, понимая то, что ему будут задавать вопросы, в том числе про книгу. Никакого обмана в этом не было. То, что имена были ненастоящие, не мешает интервью быть настоящим. Может быть, это был псевдоним, а? Он дал интервью добровольно, а теперь натравливает на нас вас, потому что боится огласки. Говорю вам, официальный ход этому делу не придать, потому что тут и дела никакого нет. По крайней мере, уголовного.

— А это не вам решать, — возмутился напоследок чернявый, но потом как-то очень быстро ушел, забрав вместе с собой всех своих бравых бронированных ребят.

Я смотрела на этот «исход» и думала — вот он, ресурс власти. Не могли эти полицейские сюда попасть на законных основаниях. Ну не сделали мы с Файкой ничего такого, что могло потребовать столько парней в бронежилетах. Мы не прятались, не уклонялись от следствия, мы ничего не украли, даже ничего не опубликовали. Группа реагирования тут была совершенно ни к чему.

— Ну, ты как? — спросил Юра Фаину. — Дети не пострадали, слава богу. Вот же уроды. Амбалы чертовы. Нет, как подумаю, что было бы, если бы вы меня не нашли!

— Я до сих пор не понимаю, как мы тебя нашли, — сказала я, покосившись на Фаю. Та отвела глаза. Я знала, она поняла меня. — Особенно — при чем тут Герман Капелин? Он же нам совершенно чужой человек.

— Лиза! — попыталась остановить меня Фая.

Наивная. Я была слишком усталой и слишком злой, чтобы останавливаться.

— Просто старый друг нашего покойного отца, — продолжала настаивать я.

— Может быть, и так, но в твоем телефоне, Лиза, практически космический вакуум — в смысле номеров и людей. Нет даже телефона моего Игоря. Вот как так? — спросила Фая. — Почему у тебя даже телефона Игоря нет? Куча каких-то непонятных личностей.

— Моих клиентов! Кстати, раз уж ты решила позвонить первому попавшемуся человеку, из всех совершенно чужих мне людей, ты могла бы позвонить и какому-нибудь еще совершенно чужому человеку. И вообще, почему ты свой телефон не заряжаешь, скажи мне? — спросила я, с сосредоточенным видом поднимая с пола Хью Лори.

— Случайных, значит? Совершенно чужих? — переспросил Герман.

Фая переводила взгляд с меня на Геру и обратно. Затем она набрала полную грудь воздуха и очень четко сказала:

— Да заткнитесь вы оба. Лиза! Я позвонила Капелину, потому что он хорошо знает, где ты живешь. Гера! Ты нашел то, что я просила? Забрал?

— Что нашел? — переспросила я. Гера повернулся ко мне и демонстративно поднял брови, давая понять, что есть что-то, что он знает, а я нет.

— Какая разница? Я же — совершенно чужой человек!

— Сейчас я кого-нибудь убью, — поклялась Фая.

Герман вздохнул и кивнул:

— Я нашел и телефон, и камеру. Я забрал их и отдал Молчанову, хотя, признаться, это было непросто — понять, что от меня требуется.

— Но ты меня понял, этого достаточно. Честно говоря, я боялась, что ты не поймешь, о чем я вообще. Хорошо, что ты математик, в конце концов.

— Во-первых, я физик, а не математик, но это не важно, — заметил Гера. — Во-вторых, при чем тут математика. Когда тебе звонят и говорят: «Идти туда, где ты фотографии Лизке отдал», вариантов немного. Меня смутило только «отними два». Это звучит, как ребус для умалишенных.

— Что? — вытаращилась я.

— Лиза, не дури. «Отними два этажа», конечно! Я позвонила Гере, потому что времени у меня почти не было. Я была в лифте, когда соседи рассказали, что в доме полиция, автоматчики. Я сразу поняла, что это — по нашу душу. Хорошо еще, что я еле успела выйти на тринадцатом этаже и сунуть все за мусоропровод. Твой телефон, в котором интервью, и мой фотоаппарат с видео. Ты забыла, что он у меня был с собой? — И Фая состроила страшную рожу.

— Черт, точно, ты же Вовку хотела поснимать. Я только думала, что ты все материалы скопировала давно, — пробормотала я.

— Я... собиралась, — отвела взгляд Фая. — Согласна, это было глупо, но все хорошо, что хорошо кончается. Герман взял трубку и не послал меня подальше. Я представляю, как все это звучало. Мог бы и пройти мимо, не влезать.

— Вот да, мог бы, — кивнула я и зло посмотрела на Германа. — Не влезать — это же его любимая тактика. Он никогда ни во что не хочет влезать. А ты могла позвонить Майке.

— Майка — это подружка твоя с тринадцатого? Которая кота потеряла? Кота-то, кстати, нашли? — спросил Герман у меня. Я отвернулась и посмотрела в другую сторону.

— Майке я, конечно, позвонить могла. Но она ведь не хочет... публиковать все это. Нет, ей я бы звонить не стала, — покачала головой Фая. — Она была бы против.

— Против чего? — не сговариваясь, хором спросили мы с Герой.

— Ты же понимаешь, что я теперь просто не смогу оставаться в стороне, — спросил меня Юрка Молчанов, появившись в коридоре.

До меня дошло.

— Нет, нет, нет, — зачастила я. — Ты просто обязан остаться в стороне. Майка просила, она умоляла же нас ничего не делать, она хотела оставить все, как есть. Майка имеет право решать. Хватит с нее и кота!

— Да что такое с этой Майкой вашей и с этим котом? — громче переспросил Гера. Фая и Юра повернули к нему одинаково терпеливые лица.

— Майка Ветрова, подружка Лизы, — пояснила Фая. — Несчастная хозяйка пропавшего кота и по совместительству реальный автор книги с уже запомнившимся всем названием «Книга брошенных котов». Тьфу, то есть камней, конечно. «Книга брошенных камней».

— История, о которой я планирую писать статью, — добавил Юра.

— Не планируешь, — влезла я.

— Планирую. И статью, и сюжет, и интервью, — развел руками Юра. — Ты не можешь ничего изменить в этом, Лиза, но ты можешь мне помочь. Ты можешь поговорить с Майей, объяснить ей все, как есть. В конце концов, это ты начала эту историю.

— Я? — растерялась я.

— Ты пришла ко мне с книгой, — пожала плечами Фая. — На себя и пеняй теперь.

— Я лучше буду пинать тебя, — процедила я злобно.

Герман растерянно смотрел на нас, потом еще внимательнее — в окно.

— Вы хотите сказать, что это — правда? — спросил он.

— Что именно? — спросила я агрессивно. — Мы — люди честные, у нас все — правда. Почти все, по крайней мере.

— Я просто подумал... эта история про книгу...

— Ты решил, что мы все придумали? — улыбнулась Фая. — А зачем, по-твоему, мы к Кукошу ходили? Ложки серебряные воровать?

— Да я не об этом говорю, — принялся горячиться Герман, осторожно поглядывая на меня. Я демонстративно отчищала от грязи фотографию Хью Лори. — Просто странная эта вся история, не считаете?

История действительно выходила странная.

Глава 16
Все уйдут, а я останусь

Я пыталась игнорировать тот факт, что Герман здесь, в моем доме, — после всего, что мне пришлось пережить, чтобы его забыть. Сделать вид, что ничего не было. Что нечего и вспоминать. Совершенно чужие люди, но вот он, напротив меня, — Герман Капелин, и мое сердце забилось сильнее и чаще. Я не хотела этого, но и как сопротивляться, не знала. Меня раздирало буквально на части, может быть, это вообще все сведет меня с ума, черт знает. Человеческая природа. Это просто гормоны. Я повернулась к нему и сказала:

— Спасибо, что помог нам. А теперь я прошу тебя уйти.

Мой голос был сухой и ломкий, как ветки на земле в лесу. Мое тело — оголенный провод, любой взгляд Капелина, любое слово вызывало реакцию, и электрические импульсы били по моим нервам. Я не могла справиться со своими чувствами. Герман лишь ответил:

— Да, конечно, — но не ушел, он стоял посреди кухни в нерешительности.

Мне так хотелось его поцеловать. Потянуться и обнять его двумя руками за шею, заставить наклониться ко мне, прикоснуться губами к его губам, вдохнуть его запах. Я скучала по нему, невыносимо скучала. Я видела его во сне. Я часто вижу его в своих снах, иногда это только обрывки чувств, поцелуи, о которых я вроде как помню, от которых мне становится так жарко, что я сбрасываю с себя одеяло. Иногда это кошмары, и тогда Герман сидит в стареньком, продавленном кресле напротив моей квартиры и внимательно смотрит на меня, и я знаю, что только что, за секунду до этого, он сказал мне, что нам придется расстаться. Во сне я сижу на кровати, поджав под себя ноги, растрепанная, заспанная, медленная и теплая, и пытаюсь осознать эту простую, но недоступную для меня мысль, что Герман больше не хочет меня. Что я ему не нужна. Какая-то невообразимая глупость. Ощущение абсурда обычно не покидало меня и после того, как я просыпалась. Фая прервала мои размышления:

— Я пойду провожу ребят. Лиза, веди себя хорошо.

— Что ты имеешь в виду? — переспросила я. — Я всегда веду себя хорошо. Не уходи, останься. — Я выразительно таращилась на сестру, давая понять, чтобы она не оставляла меня с Капелиным.

Герман, кажется, все это видел. Его лицо — полная чаша сомнений. Он делал вид, что смотрит по сторонам, изучает мою кухню, мою гору грязной посуды, пустую столешницу, след от рамки на крашеной стене, дыру, где раньше была посудомойка. Он нахмурился.

— Что тут произошло? — спросил он.

— Лизу обокрали, — ответила Фаина, но я тут же влезла, добавляя громко и четко, чтобы Фая расслышала.

— Нас с Сережей обокрали! Так ведь, Фая? Мы были на даче, и нас с мужем обокрали. Так ведь?

— Да? — переспросила Фая и наморщила лоб.

Я смотрела на нее так интенсивно, так яростно, чтобы до нее дошла моя мысль. Заткнись. Заткнись, не смей ничего ему рассказывать. Это не твое дело, сестра.

— Да, Фая, да!

— А, ну да, конечно, — согласилась она с неохотой.

— Обокрали? Ничего себе, как это вышло? — продолжил Герман.

Я уже нащупала твердую почву и стояла на земле двумя ногами, устойчиво, как врытый забетонированный столб.

— Представляешь, наверное, знали, что нас не будет дома. Мы хотели провести выходные чисто семьей, как говорится, оживить чувства, все такое.

— А что, ваши чувства помирали? — ехидно уточнила Фая.

— Что ты, наши чувства — живее всех живых, у нас как будто второй медовый месяц. С тех пор, как Сережа получил эту работу по... по... на...

— По реорганизации имущества, — подсказала Фая, и я кивнула, только потом заметив сарказм. Наплевать.

Герман все еще стоял, теряясь в сомнениях, а мне надо было обязательно сделать так, чтобы он ушел. Само его присутствие мучило меня, он сам был орудием пытки. Его темные глаза, в которые я не насмотрелась, сейчас прожигали меня, и я плавилась и теряла волю. Его большие ладони, которыми он недообнимал меня, он провел рукой по стене, по тому месту, где раньше висел маленький плоский телевизор. Я вспомнила, как мы с ним обнимались в моей кухне. Он тогда в шутку держал меня, не выпускал, в своих объятиях, а я хохотала и вырывалась, только чтобы почувствовать полную бессмысленность этих усилий. Он крутил меня, прижимал к себе, целовал в шею, обещал со мной разобраться.

Мне просто необходимо было сделать так, чтобы он ушел.

— Значит, ты помирилась с мужем? — спросил он.

Я вздрогнула и посмотрела за него, в коридор, в котором исчезла Фаина. Она все-таки ушла, предательница, провожать своего Юрку Молчанова. Теперь между мной и какой-нибудь глупостью, о которой я потом пожалею, оставался только бегающий по квартире Вовка. Но и он меня подвел.

— Можно, я посмотрю мультик? Ма-ам, мультик, мультик. МуууульТик. — Сын тянул меня за рукав халата. Я вдруг поняла, что выгляжу ужасно, что я так и осталась в том халате, в котором меня чуть не захватили и не арестовали, что волосы мои растрепаны, а губы разбиты. Ну и хорошо, так даже лучше.

— Я не знаю, где мой телефон, — ответила я, и Вовкино лицо скривила гримаса сурового разочарования.

Он шмыгнул, подошел ближе и сунул руку мне в карман халата. Вовка не доверял мне. Мой побитый жизнью телефон — единственное оставшееся у нас средство коммуникации — теперь постоянно становился камнем преткновения.

— У вас что, и телевизоры украли? — нахмурился Герман. — Что же вы новый не купите? Без телевизора сегодня же не жизнь, верно, Вовка?

— Да, не жизнь, — одобрительно кивнул сын и посмотрел на меня. — Не жизнь. Где телефончик, мама?

— Наверное, тетка твоя забрала. Файл драгоценный скачивать про Кукоша, — ответила я.

— Какой файл? Драгоценный? Как алмазы? — тут же заинтересовался Вовка, но Герман вмешался, достал из кармана свой смартфон и протянул ребенку.

— Ты не боишься? Я ничего не гарантирую, когда вещь попадает в руки этого мальчика! Лучше забери, не рискуй.

— Я Вовке доверяю, — рассмеялся Герман, и даже сам Вовка посмотрел на него с забавной смесью жалости и разочарования. Сам бы себе Вовка ни за что телефон не доверил.

— А вообще, какой-такой телефон, ты же собирался уходить! — против воли в моем голосе зазвучало обвинение.

— Нет, дядя Герман, нет, не уходите, останьтесь, — тут же взмолился Вовка, явно не желая расставаться с телефоном.

— Я побуду еще чуть-чуть, — ответил Герман ласково, но взгляд у него был тяжелый, холодный. — Пока папа не придет.

— Вовка, ну быстро, иди-ка в комнату! — тут же завелась я. — Что ты тут торчишь, мне дела делать надо!

— Эй, Лиза, чего ты цепляешься... к парню-то? — Герман ждал объяснений, которых у меня не было. Моя легенда была шита гнилыми нитками и расползлась по швам, но я держалась за нее как могла.

— Не нужно лезть в воспитание наших с Сережей детей.

— Ваших с Сережей? А где он, кстати. Сережа твой? Где он, когда тебе так нужен? Почему Фаина должна звонить мне, а не ему? Уж его-то номер у тебя в аппарате должен был быть.

— Он на работе. Сережа теперь постоянно работает, ты же сам видишь, сколько нам всего нужно восстанавливать. Уж извини, что мы тебя потревожили! — ехидно добавила я.

— Значит, Сережа в командировке? Да ладно, это я так. — Гера демонстративно улыбнулся, продолжая наблюдать за мной, как кошка за мышью. Его взгляд мне не нравился. — А что говорит полиция? У них есть хоть какие-то зацепки?

— Зацепки? Ты смеешься? Да они даже не могут видео с камеры в подъезде раздобыть, о чем ты.

Пока я говорила, Вовка убежал из кухни от греха подальше, захлопнув за собой для надежности дверь. Мы с Капелиным остались совершенно одни. Нехорошо. Опасно. Красный уровень. Бежать. Но бежать было некуда, поэтому я повернулась к Герману спиной и принялась мыть посуду. Это было даже хорошо, насколько много я накопила посуды, можно было намыливать губку, смывать пену, споласкивать, ставить на полки. Мешало то, что у меня дрожали руки, но я решила, что в прилагаемых обстоятельствах это вполне можно списать на стресс.

Кому какое дело, что для меня стресс — сам Герман Капелин.

— Я рад, что вы с мужем помирились, — сказал он.

— Ты так рад, что считаешь нужным повторять это снова и снова? Или это ты так сам себе говоришь, чтобы не забыть? Склероз? — сказала я.

— Я просто рад.

— Я тоже. Больше, чем ты можешь себе представить.

Я вдруг захотела любой ценой убедить этого самоуверенного мужчину, что мне ВСЕ РАВНО. Он рад за меня? Отлично, тем лучше! Герман должен выйти из моего дома, уверенный в том, что я совершенно счастлива или хотя бы принимаю свою судьбу с радостью. Я с яростью оттирала остатки засохшей картошки с детской пластмассовой тарелочки. Герман стоял за моей спиной.

— Почему я дал тебе уйти? — спросил вдруг он, и я охнула, и тарелка выпала из моих рук.

Я повернулась, мои щеки горели, я яростно дышала. Я не знала, что сказать, и растеряла все мысли и все намерения. Герман вздохнул и поднял ладонь, почти прикоснулся к моим волосам. Я отстранилась, он замер на месте.

— Ты у меня спрашиваешь, почему ты дал мне уйти? Ты считаешь, самое время задать мне этот вопрос? Ты — мне? И чего ты хочешь услышать? Что я должна ответить тебе на это? Потому что ты — самоуверенный болван, который считает себя умнее всех и за других решает, что им делать? Может, ты дал мне уйти, потому что просто трус?

— Что ты имеешь в виду? — нахмурился он. — Я не трус.

— Нет? Или, может, ты дал мне уйти, потому что ты прав, и я не должна была так быстро решать судьбу своего брака. Я просто обязана была дать Сереже второй шанс. Или что в нашем с ним случае — триста тридцать второй шанс. Зато теперь мы помирились, снова счастливы, у нас любовь и все такое. Я его по вечерам жду с ужином, и мы все счастливо смотрим телевизор.

— Какой же телевизор, у вас его украли.

— Ах да, счастливо смотрим телефон. Один на всех. В тесноте — да не в обиде. Всегда можно пойти и заняться сексом.

— Я тебе не верю, Лиза. Ты меня не убедила, — покачал головой он.

— Черт, какой же ты... ужасный человек, Капелин. И вообще, ты не должен был приходить сюда. Что тебе нужно? Чего ты хочешь?

— Фая сказала, что ты в опасности. Она сказала...

— Да наплевать мне, что она сказала тебе и какой повод она тебе дала, потому что — знаешь что? Ты не хотел этого, ты ушел, и... я теперь тоже ничего этого не хочу. Я очень рада, что ты дал мне уйти, Капелин! Так что спасибо тебе, Гера, что все так вышло. Большое человеческое спасибо. Можешь проваливать к себе в преисподнюю.

— Всегда рад помочь, — процедил он, не сдвигаясь с места.

— Помочь? Ну, молодец. Ты — как Тимур и его команда. Помогаешь людям. Ну а чего ты тут торчишь-то? Кино-то уже кончилось, и маски-шоу тоже.

— Я уйду — не волнуйся, — обозлился он. — Уйду, и ты больше не вспомнишь обо мне.

— Да, именно так! Ты уйдешь, и я тебя больше и не вспомню. С чего ты вообще взял, что я о тебе вспоминала? Ни разу. В конце концов, ну что между нами было? Так, ерунда, пара поцелуев.

— Ерунда, действительно! — почти прорычал он.

— А что, не так? Ну, попутал меня черт, но так — на секундочку. А если разобраться, так я с тобой даже мужу не изменила, мне вообще не о чем переживать. Как честной женщине. Между нами ничегошеньки не было. Иногда, знаешь, в метро с кем-нибудь взглядом встретишься, и что-то такое мелькнет — на секундочку, просто случайная мысль, эдакое общечеловеческое «интересно, что могло бы выйти, если бы...». Но потом ты выходишь на своей станции и выкидываешь все из головы. Идешь и живешь дальше своей настоящей жизнью. Жены и матери.

— Да? Я очень рад твоему благоразумию! — сказал Герман с таким ядом в голосе, что я на секунду даже остолбенела. Но только на секунду.

— Это прекрасно. Радовать — наша цель, Герман. И потом, я же психолог. Уж я знаю, мало ли какие конфликты, нужно уметь прощать, нужно уметь... уметь принимать правильные решения. Правда, я всю жизнь была в этом профан, никогда не умела делать разумный выбор, но ты — ты другой, ты все понимаешь, у тебя холодный ум, математический, да? Самый умный из нас всех, да? Гад такой!

— Эй, Лиза, ты чего? — крикнул он, когда вместо ответа я вдруг достала из кучи посуды первую попавшуюся тарелку и... швырнула в него. От изумления Капелин даже не успел увернуться, так и стоял — высокий, длиннющий, худющий, с резко очерченным, необъяснимо притягательным лицом, — когда тарелка врезалась в его грудную клетку и отскочила в сторону, оставив на его темной рубашке мокрый след. На полу тарелка со звоном разлетелась на осколки. Это принесло мне странное, какое-то извращенное удовлетворение. Пусть все летит в тартарары.

— Ничего! — крикнула я. — Пошел ты к черту Капелин. — И я швырнула еще одну тарелку. На этот раз промазала и залепила в стену. По стене потекла грязная вода, а я тут же потянулась за следующей.

— Лиза, Лиза, остановись, прекрати, — попытался достучаться до меня Герман.

Наивный, глупый человек. Да разве можно достучаться до разума женщины, охваченной отчаянием. Мне в руки попалась чашка с эмблемой Воронежа, какими-то рыцарями. Вот ведь, надо же, посудомойку Сережа забрал, не поленился отключить ее и вывезти, а чашку свою забыл. Чертов Сережа. Я швырнула чашку с несказанным наслаждением, на этот раз чуть не попав в голову Капелина. Герман увернулся от летящей чашки, как Нео из Матрицы от пули, и шагнул ко мне, схватил меня в охапку.

— Пусти, слышишь! Пусти, ты! — Я изворачивалась и пиналась, кряхтела и пыталась ущипнуть его. На этот раз мне было совсем не смешно, это была не игра, я не знала, как справиться с чувствами, слезы душили меня, и так было жалко — себя, его, своих детей и саму жизнь, которую я проживала так глупо, так нелогично, так непродуманно. Сказать всего два слова, и он будет со мной. Я знала это. Сказать ему, что Сережи нет, что я свободна, и в нашей семье было просто нечего сохранять — и Герман останется со мной. Все то, что не случилось между нами, снова станет возможным. Но я не могла и не хотела забывать, как Герман сидел на батарее в холле у лифта и говорил мне, что я не должна была, я не имела права, что семья — важнее, что любовь — недостаточный повод и что я должна остаться с другим.

Он ослабил хватку и теперь я со злым упрямством обиженного ребенка билась в его руках.

— Тише, тише, тише, — шептал он, его губы оказались рядом с моими волосами, он почти прикасался к ним, почти целовал меня, как отцы целуют дочерей, рыдающих над несданным экзаменом.

Я не плакала, я ждала неизбежного. Как в моем сне, я знала, что это конец. Сейчас кто-то скажет кому-то, что нужно расстаться. Я только не понимала, как так вышло, что на этот раз в этом сне это скажу я.

— Ты должен уйти, — пробормотала я. — Я прошу тебя... Уйди и больше не приходи, пожалуйста, не надо. Никогда.

— Я не хочу уходить, — сказал он и немного отстранился. Герман заглянул мне в глаза, склонившись, и улыбнулся грустной, тихой улыбкой. — Я не могу постоянно уходить от тебя.

— Ты мог остаться тогда, но теперь уже поздно. Ты знаешь...

— Я знаю, знаю, — кивнул он.

Его ладони были уже в моих волосах, на моих плечах, под халатом, на моей груди. Он смотрел на меня так, словно пытался прочитать мои мысли. Его колено скользнуло между моих коленей, он прижал меня к столешнице бедром, он развязал пояс на моем халате. Я невольно раскрыла рот, мне не хватало воздуха. Мои руки — свободные, больше не пленные, я запрещала им прикасаться к Герману, сама сковывала себя. Его длинные сильные пальцы — указательный и средний — скользнули по моим губам, по подбородку и ниже, еще ниже, по шее, под ключицей, по груди, по бюстгальтеру там, где под тканью скрывались мои отвердевшие до боли соски. Значит, вот как это могло быть — между нами. До сумасшествия, до головокружения, как в полете на сверхзвуковом самолете. Герман подался вперед, схватил меня, поднял, переставил, прислонил к стене, той самой, где раньше висел маленький плоский телевизор. Я подумала: «Вот так это и случится. Он возьмет меня — прямо здесь, прямо сейчас». Я откинулась назад, прижалась затылком к стене и посмотрела на Германа с вызовом, почти с ненавистью.

— И что дальше? Потом ты передумаешь и снова уйдешь, не так ли? Ты же всегда поступаешь правильно, Герман, разве нет? Ну же, почему ты все еще здесь? Почему ты не бежишь каяться в грехах? Я — замужняя женщина, Герман. Я — мать. Да как ты смеешь меня обнимать?!

— Я не хочу больше даже думать о том, что правильно. Я думал, что смогу... — Взгляд его опасно потемнел.

Я собрала остатки злости, всю свою нерациональность, всю свою неразумность, развернулась и кивнула.

— Я хочу, чтобы ты ушел и больше никогда не возвращался, — сказала я, но руки мои перестали слушаться меня, и я обхватила его за шею. Капелин смотрел на меня, как будто я говорила на китайском языке. — Я не хочу иметь с тобой ничего общего. Я знать тебя не хочу, я тебя ненавижу, — добавила я, запуская ладони в его жесткие волосы. — Но также я хочу, чтобы ты остался. Даже против моей воли. Что только лишний раз подтверждает твою теорию о моей безответственности и безнравственности. И, определенно, о ненормальности.

— Я никогда не говорил...

— Да-да-да, — кивнула я, и Герман сощурился.

Секундой спустя он подхватил меня под ягодицы и поднял над полом, совсем как в дешевых фильмах о любви. Я была уверена, что эта поза в жизни окажется неудобной и что любая почувствует себя глупо и нелепо, но меня, напротив, охватил восторг, как будто я летела на карусели, на американской горке, и меня подбрасывало то до небес, то вниз, в пропасть. Гера впечатал меня в стену, прижал своим телом, и я почувствовала его желание, твердость его «намерений». От этой чисто физической близости я чуть не задохнулась, нас друг от друга отделяли только пара слоев тонкой, ненадежной ткани. Все было возмутительно и неприлично, и восхитительно, и эмоции звенели и переливались между нами, как горящий пламенный алкогольный коктейль, льющийся струей огонь «голубого блейзера».

— Значит, хочешь, чтобы я ушел? — спросил Гера низким, изменившимся голосом. — Или остался? Я так и не понял.

— Любое из двух, — передернула плечами я.

Герман улыбнулся опасной, нехорошей улыбкой и ответил, что в таком случае выбирает второе. Его руки нашли застежку моего бюстгальтера, он отсоединил крючки и освободил мои груди. Несколько секунд Герман просто смотрел на меня, не шевелясь, смутно улыбаясь, а я смотрела на него, наслаждаясь каждым мгновением происходящего, как школьница, которую позвали целоваться за забором школы. Я забыла о том, что в соседней комнате сидит мой сын, спит моя дочь. Я забыла о том, что решила навсегда забыть о Германе Капелине. Да и обо всем вообще.

В этот момент дверь в кухню открылась.

Глава 17
Звезда в шоке

Майя Ветрова сидела в полутемной прихожей на маленьком пуфике и таращилась в пустоту. Когда я выбежала к ней — приличная, снова в халате и при белье на своем законном месте, — Майка покраснела и отвела взгляд. Неловко-то как. Я думала-думала, что сказать, но слов как-то не находилось, даже больше — откуда-то вдруг прорвалось глупое детское хихиканье. Мне было ни капельки не стыдно.

— Ты в порядке? — спросила я так, на всякий случай, и Майка скользнула по мне таким же взглядом, как в тот день, когда она потеряла Ланнистера. Я нахмурилась, не зная, как это понять или объяснить, но Гера уже подошел к нам, на ходу заправляя рубашку в брюки. Растрепанный, раскрасневшийся, с глазами, в которых все еще плясали ликующие бесенята. Эх, Майка-Майка, как же ты не вовремя. — Майя, познакомься, это мой очень хороший старый друг Гера Капелин. Я тебе о нем рассказывала... в свое время, но встретиться вам так и не довелось. Гера, а это — та самая Майя.

— Та самая? — переспросила она, вздрогнув. — Какая-такая «та»?

— Та самая, которая написала «Книгу брошенных камней», — ответила я.

— Ты ему рассказала? Почему? Зачем?

— Так вышло, — пробормотала я. В воздухе повисла напряженная пауза.

— Я, к стыду своему, еще не читал вашей книги, но теперь просто обязан. — Капелин улыбнулся и неловко протянул руку Майе. Она посмотрела на меня так, что я сразу поняла — что-то случилось. Майя пришла не просто так.

— Совсем не обязательно ничего читать, — рассеянно ответила Майя. — Лиза, что тут произошло?

— Тут? С чего ты взяла, что что-то произошло?

— Ты себя в зеркале видела? У тебя губа разбита.

— Ах ты об этом. Ничего особенного, это просто... ничего такого, — и тут мне в голову пришла идея. Я бросила короткий взгляд на Капелина, затем на Майку, затем прикусила губу и тихо взмолилась. — Не говори ни слова, ладно? Только не Сереже! — не настолько тихо, чтобы это было неслышно Капелину.

— Сереже? При чем тут Сережа? — переспросила Майя, и я кивнула, поймав ее взгляд и попытавшись связаться с нею телепатически. До нее доходило долго, но в конце концов дошло, и она кивнула.

— Сереже не скажу.

— Да, Сережа ведь ничего не знает, муж мой, — радостно продолжила я. — Я сама решу... так будет лучше... В конце концов, совсем не планировалось, что ты... что мы окажемся...

— Я должна была позвонить, — тут же кивнула Майка. — Я не должна была вот так врываться. Не для этого ты мне давала ключ.

— Нет-нет, ничего страшного. Просто предоставь все мне, хорошо? — И я снова посмотрела на нее самым красноречивым взглядом, на который была способна.

— Только я-то о другом говорила, если честно. Что здесь произошло... раньше, до того, как вы... я извиняюсь, конечно... Соседи сказали, тут была полиция.

— Арест, — тут же выпалила я. — Несостоявшийся, но арест. На меня надели наручники! — гордо добавила я и показала запястья. Майка посмотрела на мои руки с недоумением.

— Я не понимаю. Арест? За что? Что ты сделала?

— Я... господи, ты же ничего не знаешь, — запоздало осознала я. — Черт, черт, черт.

— Да в чем дело?

— Теперь уже поздно что-то исправлять. Я не смогу остановить всю эту историю. Юрка Молчанов...

— Юрка был здесь? Какую историю?

— Твоя книга, — мрачно пояснила я. Майка вскочила и схватилась за голову.

— Молчанов все знает? Тогда я понимаю, — пробормотала она. — Да, тогда понятно. Мне нужно идти. — И она повернулась, направилась к двери. Я выбежала за ней, догнала подругу около черной лестницы, схватила за плечо.

— Что понятно. Что тебе теперь понятно?

— Я... у меня нет времени, — ответила она, дернув плечом.

— Да подожди ты, господи, что произошло? Ты можешь объяснить толком?

— Каждый раз, когда я пытаюсь объяснить что-то тебе, потом у меня рушится весь мир, — тихо, но очень четко сказала Майя, стоя ко мне спиной. Она смотрела куда-то сквозь треснувшее стекло в двери на лестничную клетку. Ее тело было напряжено, как пружина, и я вдруг подумала, что она ведь может сейчас наброситься на меня с кулаками.

— Майя, Майечка, ну ты что, я же никогда ничего плохого тебе не хотела. Ты должна мне верить, я только... — Майя повернулась ко мне, ее губы дрожали.

— Я просила тебя оставить все, как есть. Я даже не знаю, зачем вы с Фаей поперлись к Ивану. Ну, зачем? Кто вас просил? Мне ничего не надо было.

— Я знаю, знаю. Ничего, все наладится, — кивнула я. — К тебе Молчанов приходил? Ты не обязана с ним говорить. Если ты не поддержишь всю эту историю, она никуда и не попадет. В конце концов, у Молчанова ничего и нет. Если разобраться, никто ничего и не знает. Ты же слышала интервью, ты слышала все эти разглагольствования Кукоша. Но там не было ничего о том, что книгу... не он писал... — Я наткнулась на полный ярости взгляд Майки, и слова застряли у меня в горле.

— Костя ушел! — проговорила она с горечью. — Костя от меня ушел, ты слышишь меня?

— Нет, как? Что случилось?

— Определенно, вы случились. Вы с Фаей случились со мной, и все полетело под откос. Кукош прибежал ко мне домой с разборками, не иначе, как из-за всего того, что тут у вас происходило. Может быть, он вообще сидел где-нибудь тут, в машине, ждал, чем кончится вся ваша заваруха.

— Не может быть!

— Нет? Костику это скажи. Только вот час назад мы с ним спокойно пили чай, и вдруг звонок в дверь. Иван влетел в дом как подорванный, наорал на Костика, сказал, что не позволит использовать секс с ним, чтобы очернять его же честное имя. Его, мать его, честное имя, ты понимаешь. Он все это Косте сказал. Тот только стоял и молча слушал. Я пыталась все это остановить, но он мне не дал. Костя только спросил у Ивана, когда это случилось. Тот ему чуть в лицо не плевался, а Костя стоял и слушал. А потом молча зашел в квартиру и принялся собирать вещи. Оказалось, что у него и вещей-то почти нет, он так толком и не переехал ко мне. Даже говорить со мной не стал, понимаешь? Просто вышел и швырнул на пол ключи. Не сказал ни слова.

— Господи! Какая-то космическая скорость! — только и сказала я. Майя замолчала, затем оглянулась и спросила, нет ли у меня сигарет. Я покачала головой, и она огорченно кивнула.

— Он же живет тут, в паре кварталов от нас, — горько усмехнулась она. — Собственно, он поэтому в свое время и нанял меня учить его. Было удобно... географически. Он ко мне, я к нему. Черт возьми, он же не вернется.

— Кто, Кукош?

— Какой, к чертям, Кукош. Костя не вернется. Я не могу поверить. Не могу даже понять, что мне теперь делать. Как будто я сама — это чертов кот Шредингера в Файкиной коробке, и теперь понятия не имею, мертва я или жива. Черт, черт.

— Майечка, ты чертыхаешься как сапожник. Полный тамбур чертей. Подожди, может быть, все еще наладится. Может быть, Костик еще передумает.

— Я ему изменила, а мой любовник пришел к нам качать права. Считаешь, Костя все еще может вернуться? Да уж, Файка права, ты неисправимый оптимист. До идиотизма. У меня даже не было аргументов, чтобы отрицать Кукоша. В смысле, его заявления, конечно. Я только стояла и хлопала ресницами, как дура. Нет, ты не знаешь Костика, он не такой. Он не из тех, кто прощает людей. Понимание — не его конек.

— Тогда, может... так и лучше? — ляпнула я.

— Нет, Лиза. Ни фига не так. И не все, что делается, знаешь ли, к лучшему. Ты слишком склонна во всем искать дополнительные бонусы, но жизнь устроена иначе. Иногда дерьмо — это просто дерьмо, и мы в нем вязнем. А если удается выбраться, то потом годами отмываемся, но какой-то душок все равно остается. Никому не удается отмыться до конца. Нет никаких портретов, никаких других Дорианов Греев, кроме тех, что отражаются в зеркалах, и, если что-то прогнило, оно рано или поздно бьет по нас, а не по портретам. Грехи падут нам на головы. Но ты не права, Майя, так не будет лучше. Я просто снова должна буду начинать все сначала. Без мужчины, которого люблю, и даже без кота!

Майка закончила, выдохнула и посмотрела на меня так, как актер после ослепительного, изматывающего, глубоко прочувствованного монолога дает время публике собраться с мыслями и разразиться аплодисментами. Вот только моих рукоплесканий ей было не надо. Ее глаза горели праведным гневом. Все началось с меня, с моей дачи и моих попыток исправить мир. Я не знала, что сказать, поэтому нерешительно пискнула:

— Я скоро поеду на дачу с детьми, мы поищем кота.

— Если бы я была котом, то не вернулась бы. Знаешь, парадокс, я написала книгу о карме, в которую, признаться честно, не слишком-то верю. Но ей все равно, потому что она — карма — верит в меня. И я получаю по полной. Не нужно было изменять Костику, не нужно было быть такой дурой, и книгу эту нужно было вовремя сжечь. И ничего бы плохого не случилось.

— А может, и случилось бы, — возразила я. — Я вот никому не изменяла, а плохое все равно произошло. Смотри, мне сегодня наручниками насажали ссадин. Кстати, к слову о Греях. Я сегодня поняла, что, если вдруг когда-нибудь встречу на своем пути этого, как его... Кристиана Грея из «Пятидесяти оттенков», я вот пройду мимо. Нет уж, спасибо, не нужно мне таких развлечений. Надо мной сегодня доминировали, доминировали, да не выдоминировали.

Майя тихо засмеялась, и я тоже с облегчением выдохнула. Все будет хорошо. Или — не знаю, будет как будет. Но мы с Майкой еще будем заходить друг к другу, чаи гонять или что покрепче. И помогать друг другу.

— Дурак твой Костик, что ушел от тебя, — сказала я.

— Дурак твой Сережа. Просто дурак, — сказала Майя, а я приложила палец к губам и покосилась на открытую дверь в квартирный холл. Мало ли, что там слышно.

— Развлекаться будешь? — спросила Майя. — Нет, не волнуйся, я молчу. Могила. Не могу сказать, что понимаю тебя, но какая разница. В конце концов, мне кажется, люди вообще не очень-то хорошо друг друга понимают. Им только мерещится, потому что они вроде говорят одними и теми же словами и об одних и тех же вещах. Но что кто имеет в виду — одному богу ведомо.

— Это точно. Проблемы перевода из мысли в смысл, из смысла в слова — к этому переводчика пока не придумали. Яндекс бессилен, но, если верить Фае, скоро могут и такое сделать. Тогда-то мы и увидим мир глазами собеседников.

— Главное, чтобы не разочаровались.

— Ты будешь пытаться его вернуть? — спросила я, когда Майя раскрыла дверь на лестницу. Она замерла на несколько мгновений, а затем покачала головой.

— В каком-то смысле я всегда знала, что Костя — это только мечта. Такое никогда не сбывается, остается в памяти, и все. Нет, я не буду его возвращать.

— Я тебя понимаю, — кивнула я.

— Ты правда попробуешь найти Ланнистера? — спросила Майя. — Нет, я даже не это хотела спросить. Ты правда веришь, что он еще может быть там? В конце концов, уже почти два месяца прошло. Нет, это нереально, да?

— Все реально.

— Да-да, и все к лучшему, — отмахнулась она от меня. — Кстати... если что, имей в виду, я решила, что буду биться за книжку.

— Серьезно?

— Серьезно. Раз уж этот говнюк Кукош разбил все остальное в моей, я верну себе свою книгу. Я пойду и брошу в него камень. Если повезет, попаду прямо в его самонадеянную звездную рожу. Знаешь, когда он пришел на меня орать, он ведь был по-настоящему оскорблен, понимаешь? Ну не чудеса ли, ведь это он украл у меня рукопись, издал ее, а теперь орет на меня в моем доме. Разбивает мне жизнь.

— Оскорблен?

— Да, именно так. Он ведь даже сомнений не имел, что я проглочу его оплеуху и ничего не стану предпринимать.

— Он, наверное, считал, что ты до сих пор его любишь. А тем, кого любишь, все прощаешь, — сказала я.

Майя повернулась и посмотрела на меня с непонятным мне удивлением, а затем кивнула.

— Наверняка он так и считал. Что ж, придется его разочаровать.

После того как Майя ушла, я вернулась в квартиру. В коридоре на низком пуфике сидел, прижав спину к стене, Гера Капелин. Один взгляд на него, и меня снова бросило в жар. Господи, он здесь. Нет, нет, нельзя, только не вешайся ему на шею. Он — враг, он тебя бросил, оставил тебя с Сережей, когда ты говорила ему — прямо и без всяких искажений, — что с мужем все кончено. Только не будь дурой теперь. Я заглянула в комнату к Вовке. Телефон Капелина разрядился, и «кина не стало». Вовка посмотрел на меня с обидой.

— Шнур есть?

— Вовка, отдай телефон дяде Гере, бери игрушки, пойдем, будем купаться.

— Но мультик? — возмутился он.

— Можешь купаться и представлять, что смотришь мультик, — сказала я так, видимо, строго, что Вовка вдруг не стал сопротивляться.

Василиса гулила. Сын захотел есть, но не абы что, а колбасы, которой у меня не было. И денег на нее тоже особо не было, так что я сунула ему кусок хлеба с маслом и вишневым вареньем. Вовка лопал, а я вдруг почувствовала груз от этого бесконечно долгого дня. Я прошла мимо Геры, включила воду в ванной, проверила ее температуру рукой, оставила Вовку кидать игрушки в набирающуюся ванну и вылавливать их. Плевать, что воды на пол натечет. Потом уберу. Василиса тоже хотела есть, ей пора было менять памперс. Я носилась туда-сюда мимо Геры так, словно его и вовсе не было в коридоре. Он только убирал ноги и вытягивал их обратно.

Не уходил.

Его длинные ноги практически перекрывали весь наш коридор. В какой-то момент он встал, взял меня за локоть и повернул к себе.

— Тебе помочь?

— Нет-нет, я сама, — покачала головой я. — К тому же я почти закончила. Сейчас вот Ваську покормлю... ты подождешь?

— Да-да, конечно, — покорно сказал он, явно не зная, как управиться с измотанной женщиной в халате и с двумя чужими детьми, требующими заботы и внимания.

Я вдруг увидела, так ясно и четко, каким чужестранцем Гера, должно быть, чувствует себя в моем доме. Инородное двухметровое тело, для которого нет места среди пищащих под ногами игрушек и хохочущих, плачущих, спящих и бодрствующих, вечно голодных или перемазанных вареньем детей. Семья. Я и была — семья. Мы с Вовкой и Василисой были семьей. Василиса открывала рот и норовила выплюнуть фруктовое пюре обратно, я умело сопротивлялась этому, предсказывая ее трюки с вероятностью «четыре к одному». Некоторое количество фруктового пюре все равно оказывалось на столике, на полу, на моем халате. Гера стоял в дверном проходе, и я еще не закончила кормить Ваську, как он сказал то, что я так хотела услышать и чего боялась одновременно.

— Ты должна сказать своему мужу о нас.

— Ага, сейчас, — фыркнула я. Слабость. Как же я хочу ее проявить. Нет уж.

Я заглянула в ванную. Вовка стоял в воде и полоскал там свою футболку. Гера скрестил руки на груди и встал в проходе. Темные глаза внимательно следили за моей реакцией.

— Вовка, ты зачем вещи в воду бросил? — спросила я, игнорируя Геру.

Вовка пожал маленькими плечами и ответил, что хотел мне помочь со стиркой. И плюхнул футболку так, что брызги достали до меня. Я закрыла дверь и посмотрела на Геру. Он ждал, когда я освобожусь, и дождался, я не успела сделать вид, что занята чем-то еще.

— Я должна искупать и уложить детей, вот что я должна. И посуду домыть, и ужин приготовить, и постирать. И подготовиться к завтра, потому что у меня клиенты будут целый день. Мне нужно будет поехать в центр психологии, оформить бумаги, чтоб выйти на полный график. Я планирую выйти на работу, потому что нам нужно столько всего купить. Я думала выйти в сентябре, но нет. Придется в июле. У нас с Сережей даже стиральной машины теперь нет. Не могу же я все расходы на него повесить.

— Зачем ты мне это рассказываешь? — нахмурился он.

— Затем, что это теперь — моя жизнь, Капелин. А то, что ты только что озвучил, — это несерьезно.

— Я говорил серьезно.

— У меня есть своя жизнь, к которой ты сам призывал меня вернуться. И вот — я здесь, как ты и хотел. И я другому отдана, и буду век ему... нет, верной ему я, может, и не буду. Но и уходить от него я не собираюсь. Даже если ты мне это разрешаешь, Капелин! — ответила я.

— При чем здесь «разрешаешь», я никогда...

— Никогда! Не командовал мною, не решал ничего за меня, так? — говорила я, стараясь негодовать с мак-

симальной степенью искренности и правдоподобия. —
Замужняя, я замужняя женщина. Не веришь? Могу пас-
порт показать, его как раз Сережа не украл.

Гера смотрел на меня, как на капризного ребенка,
потом поднял руку и потянул ко мне.

— Я... не так хочу, чтобы это все было, Лиза, — ответил он, но я отпрянула, словно защищаясь, и плечи его
болезненно напряглись, он вытянулся. Обиделся.

Я подумала — что буду делать, если он не выдержит
и уйдет. Как долго я продержусь до того, как побежать за
ним вслед? Пару минут. Вот бы мне сейчас наручники,
я бы приковала себя к батарее, я бы сохранила гордость,
а Капелину оставила бы его предубеждение.

— Именно в этом-то и проблема, Капелин! Почему
ты считаешь, что все должно быть так, как ты хочешь,
как ты считаешь правильным? — Я вернулась в кухню, достала Василису из стульчика, унесла в комнату,
подальше от кухонного пола, заваленного осколками,
и принялась вместе с нею собирать пирамидку. Гера сле-
довал за мной неотступно. — Ты один раз уже все за меня
решил, помирил меня с мужем. Теперь ты поменял мнение и хочешь меня от него увезти, и опять — не спросив.
А что будет завтра? Снова передумаешь? Продашь меня
арабскому шейху?

— Что за чушь, Лиза! Во-первых, я вовсе не передумы-
вал. Я сделал то, что нужно было сделать. Я не имел права... — Он остановился, не нашел слов и зло тряхнул головой. — Я не понимаю, а ты что предлагаешь? Как ты себе
это видишь, Лиза? Что я должен был, посадить вас с детьми
в машину и увезти, а твоему мужу послать эсэмэску?

— Может быть, — прошипела я. — Мне кажется, это
была просто отличная идея — тогда. Но уже несколько
поздно для этого, не считаешь?

— И что теперь мы будем делать? — спросил он.

— Отличный вопрос, а ответ еще лучше. Я не знаю,
Капелин. Я понятия не имею, что нам теперь делать. Ты

свалился мне на голову как снег, к тому же не по своей воле — Файка тебя притащила. А если бы она тебе не позвонила? Что тогда? Правильно — ничего. Я бы спокойно жила своей жизнью со своим мужем, которого я чуть не бросила, которого не очень-то и люблю. А ты бы жил со своей чистой совестью. Сейчас же ты спрашиваешь меня, как бы сохранить для тебя твою совесть. Не брошу ли я ради этого мужа?

— Не надо, Лиза! Нет, давай не будем все усложнять, — разозлился он. — Называй вещи своими именами. Значит, ты хочешь остаться с мужем. Ты это имеешь в виду? Я правильно тебя понял?

— А ты хочешь, чтобы я сегодня вечером его бросила? — проорала я практически ему в лицо.

Этого Гера, кажется, не ожидал, а я почувствовала какое-то даже облегчение. Пусть радуется, что я стаканами в него не кидаюсь. Как же он меня бесит. Я подхватила Васю, посадила ее в кроватку и полетела обратно в ванную. Домыв Вовку, я принялась растирать его полотенцем, несмотря на его яростные вопли. Гера стоял в проходе и прожигал меня тяжелым, обвиняющим взглядом. Потом он заговорил:

— Допустим, даже ты права, Лиза. Допустим, ты имеешь право... обвинять меня в... в...

— В самодурстве.

— В непоследовательности, — поправил он меня ледяным тоном. — Но права на меня орать это тебе не дает.

— Не нравится — уходи! — рявкнула я.

— И уйду.

— Отлично! Катись, Капелин. Не очень-то и хотелось! — Я оттащила пинающегося Вовку в комнату, Гера отстранился, давая нам пройти, а затем направился следом, но остановился в дверях.

— Я закрою за собой, — пробормотал он. У меня чуть не остановилось сердце, и стало трудно дышать. Не уходи!

— Спасибо тебе от всех нас. От Сережи в особенности! — процедила я, скрываясь с Вовкой в детской. Несколько мгновений я прислушивалась к тишине и кусала губы.

Вовка смотрел на меня с детским непониманием.

— Дядя Гера плохо себя вел? Это он чашку разбил?

— Он... нет, это я разбила чашку, — пробормотала я севшим голосом. — Он мне кое-что другое разбил.

— Тарелку? — уточнил Вовка. Я сглотнула ком в горле и кивнула. Услышала, как хлопнула входная дверь — с оттягом, с яростью. Все, Капелин ушел. Я выбежала в прихожую.

Гера стоял посреди коридора и смотрел на меня с почти осязаемой яростью. Я выдохнула и вдруг почувствовала обжигающе горячий шар, солнце, счастье внутри моего живота. Сердце билось сильно, как будто я забиралась по лестнице на двадцатый этаж.

— Ты хоть понимаешь, что я просто не хотел разрушать твою семью. Разве это преступление? — Он подошел ко мне, протянул ко мне руки, поднял меня, как будто я вообще ничего не весила, и прижал к себе. Гера поцеловал меня в волосы, потом поставил, обхватил ладонями мое лицо, заглянул мне прямо в глаза. Я прошептала:

— Это была не твоя семья, чтобы ее разбивать, понимаешь? Это моя семья, и я должна решать, разбивать ее или нет. И тогда, и теперь.

— Что мне с тобой делать? — спросил Гера.

— Все, что только можешь представить. — И я поцеловала его в губы.

Глава 18
Планы на будущее

В Москву пришла жара, о которой все так долго мечтали. Мы лежали на узкой полуторной кровати в спальне с полосатыми обоями на стенах и большим ковром на полу. В квартире Геры Капелина с последнего раза ничего не изменилось, и отчасти меня рассмешило то, насколько наши с ним жилища подходят друг другу. Мы оба жили в оголенных, пустых помещениях, набитых старыми вещами. Ни в моей, ни в его кухне не было ни микроволновки, ни кофеварки, ни тут ни там не было свежего ремонта, новых вещей, нормального телевизора. С другой стороны, причины на это были совершенно разные. Я жила так, потому что мужчина, которого я семь лет назад решила полюбить, оказался мерзавцем. Герман жил так, потому что не хотел ничего трогать в квартире своей умершей матери.

Два с половиной года назад Герман потерял мать, он был в этот момент далеко, работал в другой стране, занимался каким-то научным проектом. Его мама заболела, но ему ничего не сказала, запретила говорить об этом родственникам и врачам. Когда Герман вернулся, было уже слишком поздно, уже нельзя было ничего исправить. С тех пор Герман остался в Москве, работал в каком-то институте над научным проектом, что-то связанное с физикой. Он рассказал мне об этом в минуту откровенности — редкий случай, когда мы просто разговаривали и говорили правду. Как-то так получалось, что большую часть времени, которую мы проводили вместе, мы врали друг другу. Из разных соображений, по разным поводам — мы постоянно решали, что правда будет лишней и даже опасной.

Вот и сейчас — я лежала и смотрела на гладильную доску с утюгом у стены, на качающийся на ветру тюль. Дверь на лоджию была открыта, из-за окна доносился равномерный городской гул. Гера жил тут, в квартире матери, но жил так, словно был случайным гостем. Его вещей почти не было, он ничего не менял, словно ждал, когда, в один день, сюда вернется настоящий хозяин. Только стирал одежду в маленькой стиральной машине в ванной и потом сушил и гладил тут же, на гладильной доске в комнате. Самостоятельный мужчина, одинокий в свои тридцать шесть лет, сам себе готовил, сам себе стирал и гладил. Сам ездил в магазин, платил по счетам — и справлялся со всем этим весьма неплохо. Взрослый, ответственный — почти как вымирающий амурский тигр, я смотрела на него с интересом посетителя зоопарка. Почти не видела таких. Файкин Игорь не считается, с ним вообще все не так.

— Скажи, а почему ты развелся с женой? — спросила я, переворачиваясь на живот.

Я хотела задать этот вопрос давным-давно, еще весной, когда впервые встретила Германа в магазине неподалеку от моего дома. Но тогда я все не решалась, все боялась чего-то, все хотела произвести впечатление, притвориться кем-то еще, только не собой. Меньше всего люди хотят быть самими собой, особенно в начале знакомства. Тут все боятся правды, и я не была исключением. Надежда на будущее делала меня тогда глупой и испуганной, а сейчас все было иначе. Сейчас под нами было целое озеро лжи, и я дрейфовала на нем, растянувшись обнаженной на надувном матрасе из уверенности в себе. Я наслаждалась полной своей безответственностью, зная, что рано или поздно правда выплывет наружу.

— Я же вроде говорил тебе, что это она ушла от меня, — пробормотал Герман и провел пальцем по моей спине, по позвонку за позвонком, от шеи до самого низа, до ягодиц. Я замерла, как кошка, которую гладят, и повернула голову так, чтобы видеть его лицо.

— А теперь расскажи почему?

— Может быть, я не удовлетворял ее в постели, — улыбнулся он, а его большая теплая ладонь накрыла мои ягодицы.

Я рассмеялась и потянулась.

— Это вряд ли. С известной долей уверенности заверяю тебя, что дело не в этом. По крайней мере, если то, что ты делал со мной, не является заманухой. Знаешь, как, когда открывают новый ресторан, нанимают шикарного дорогого повара, готовят прекрасно, чтобы люди привыкли, начали приходить, полюбили местную кухню, распробовали бы всякие необычности, новые рецепты. Что-то поострее, погорячее, — я улыбнулась и облизнула губы. — А потом — бац, повар в отпуске, кормят быстро, второпях, каждый день одним и тем же. Никаких изысков, знаешь. Картошка с котлетами. Может быть, даже заварное пюре.

— Или быстрая лапша, да? — расхохотался Герман. — Ну-ка, гурман, поворачивайся, я покажу тебе кое-какой рецепт, от которого у тебя ноги подогнутся.

— Будет так вкусно?

— Пальчики оближешь! — добавил Капелин, наклонившись ко мне.

Мои губы болели от поцелуев, но я хотела еще. Я не знала, сколько мне достанется от этого украденного у реальности романа, и не жалела своего тела, бросала его навстречу жадным мужским рукам, гналась за любыми ощущениями, соглашалась на все. Мы же были любовниками. У нас не было будущего, у нас было только настоящее, полученное как бы нелегально, втайне от моего мужа, которому я изменяла на полуторной кровати Германа, под тихий гул летнего города. Эта игра делала все острее и ярче. Ничто не возбуждает так, как то, что досталось преступным путем. Герман тихо прошептал, что хочет сделать со мной дальше, если я, конечно, ему это позволю. Я подумала и кивнула. Герман знал, что наше теплое, заряженное пульсирующим возбуждением счастье выстроено на лжи, но не знал, на какой именно. Я не открывала ему настоящих ингредиентов. Он думал, что дело в моем муже, но дело было во мне.

— Я не хочу, чтобы ты уходила, — прошептал он мне после жаркой молчаливой любви. Гера внимательно глядел на мое лицо, в мои затуманенные наслаждением глаза. Он не дал мне свести вместе ноги, удержал их разведенными в стороны даже после.

— Я тоже хочу остаться, — промурлыкала я, позволяя ему властвовать над моим телом.

— Я даже не хочу, чтобы ты шевелилась, я хочу, чтобы ты так и лежала передо мной как сейчас, раскрытая книга, моя самая любимая страница. Я могу перечитывать тебя снова и снова.

— Читать? Да ты ни слова не увидел, только и делаешь, что рисуешь на полях неприличные картинки, — рассмеялась я.

На стене, на полосатых обоях висели большие круглые часы, они показывали время, которое утекало сквозь пальцы. Было уже половина второго. Мы провели в его квартире несколько часов, я пришла туда сама и сама собиралась уйти обратно. Вчера вечером я позвонила Герману, говорила быстро и тихо, так, словно боялась, что меня могут подслушать. В какой-то степени, это так и было, я боялась разбудить Ваську. Когда у тебя на руках ребенок, которому нет еще и года, разбудить его — самая большая катастрофа, которая только может случиться.

Герман, конечно, решил, что я прячусь от Сережи. Я сказала ему, что буду свободна с утра и до обеда. Сказала, что за мной не нужно заезжать, что я приду сама. Сделаю вид, что иду в магазин за продуктами. Что я должна буду вернуться домой к трем. Я пришла к Гере с двумя пакетами продуктов — мое железное алиби. Я не соврала в этом, у меня действительно времени было только до трех часов. Фая и Игорь забрали детей и уехали в торговый центр катать Вовку на каруселях. Иногда мне казалось, что они брали моих детей в негласную аренду, чтобы поиграть в большую семью. Тест-драйв. Поиграть — и вернуть их мне уставшими, Вовку — объевшимся мороженым, Василису — с новыми игрушками. Я, конечно, не возражала. Одинокая мать никогда не будет против, чтобы кто-то из родных посидел с ее детьми. А я стала одинокой задолго до того, как мой муж ушел от меня, прихватив все наше имущество.

— Я приеду еще, слышишь? Я никуда не денусь, мне твоя кухня очень по вкусу, — говорила я, шутливо пытаясь вырваться из объятий.

Чем больше я дергалась, тем больше объятия Германа походили на капкан. В конце концов он навалился на меня всем телом, захватив мои запястья руками и навис надо мной, глядя на мои тщетные попытки вырваться.

— Моя жена ушла от меня, потому что не хотела иметь детей, не хотела иметь большой семьи. Мне было уже тридцать три года, и я поставил вопрос ребром, после чего мы расстались.

— Но почему она... не хотела? — опешила я.

Герман отпустил меня, сел на кровати спиной ко мне и посмотрел в сторону открытой балконной двери. Затем покачал головой.

— Знаешь, она говорила, что, если у нас родится ребенок, наши отношения уже никогда не будут прежними, что я уже не стану смотреть на нее, как на женщину. Еще что-то про перенаселение планеты и про то, что любовь не живет среди грязных памперсов. Она завалила меня всеми ерундовыми и бессмысленными аргументами, которые только можно придумать. Но я знаю, она просто меня не любила. Это куда проще, куда логичнее. Впрочем, кто его знает, наш мир сошел с ума, и многие люди придумывают идеи, от которых волосы встают дыбом. И хочется встряхнуть мир за плечи, чтобы привести в чувство. Моя жена говорила мне, что это я устарел.

— А ты ее любил? — спросила я осторожно.

— Я? Конечно, любил. Впрочем, не знаю. Когда она ушла, я погрузился в работу так глубоко, что чуть не утонул. А мама никогда не одобряла моей женитьбы. Может, ей это было видно, эта нелюбовь?

— Значит, ты хочешь большую семью и детей? — уточнила я, привставая на кровати. Герман выпрямил плечи, обернулся. Я положила руку ему на плечо, мне стало как-то невыносимо грустно. — Ты ведь понимаешь, что тебе нужен кто-то другой, не я. Кто-то, кто хочет того же, что и ты. Не задерганная мать чужих детей, которая при одной мысли о том, чтобы родить кого-то еще, может выпрыгнуть в окно.

Герман долго молчал и смотрел на пустую стену. Затем коротко кивнул.

— Что ж, по крайней мере, это честно. Только ты не права. Дети не бывают чужими. Дети могут быть только счастливыми или нет. Это — единственное, что важно.

Ладно, Лиза, тебе пора, да? Я не должен был тебе этого ничего говорить. Я запутался в своей жизни, как будто бегаю по кругу и все надеюсь, что это — прямая и что она куда-то ведет.

— Я только хочу, чтобы ты был счастлив.

— Моя жена ушла от меня еще до смерти матери, я уже давно пережил это, моя жена ничего для меня не значит. Мне кажется, я придумал себе нашу с ней любовь. Даже удивительно, насколько эти чувства могут поменяться. Я видел ее, она приезжала в Москву, она осталась в Израиле, тут у нее отец. Она позвонила, мы выпили по чашке кофе. Я ничего не понимаю, с некоторых пор я вообще сомневаюсь, что любовь существует. Иначе как объяснить, куда она уходит.

— Значит, что-то все-таки осталось.

— Нет, думаю. Любовь — это чем мы с тобой здесь сегодня занимались.

— Любовь? Мы с тобой договорились, что это — не по-настоящему, что это понарошку, втихаря от настоящей жизни, — покачала головой я.

— Ну и что? В чем разница? Когда ты лежишь тут, голая, и улыбаешься, я счастлив. Счастье — это только мгновение, понимаешь? Оно в любом случае пройдет. Синяя птица. Мы не можем гореть огнем все время, иначе это был бы адский костер. Счастье — это когда ты вдруг на секунду нашел себя. За секунду до того, как снова потерять. Вот сейчас ты уйдешь к своему возлюбленному мужу...

— Я не говорила, что люблю Сережу. Я только сказала, что не готова выполнить твое спонтанное желание от него уйти, — пробормотала я. — Я не джинн, знаешь ли, не раб лампы. Я имею право на выбор.

— Осознанный выбор, говоришь? Мы все просто бегаем по пустыне с завязанными глазами в поисках человека, который нам подойдет? Да больше шансов наткнуться на игуану. Чистое везение.

— Как в картах. Можно проиграть и с фулл-хаусом, — пожала плечами я. — Мы имеем дело с тем, что нам сдала жизнь.

— Ты играешь в покер? — вспомнил он. — Почему? Деньги? Может, ты все проиграла в карты?

— Интересная идея, — расхохоталась я. — Нет, я на деньги не играю. Мой отец любил покер.

— А я этого не знал, — разочарованно протянул Гера.

— Наверное, он не хотел портить свою репутацию перед студентами. Все-таки это было бы непедагогично. Но ему всегда было интересно, как в покере переплетаются вероятности. Они там сами себя опровергают, сами себя подтверждают. Впрочем, это только ограниченная версия вселенной.

— Серьезно? — улыбнулся он. — Вселенной?

— Нужно будет привезти тебя на дачу, поиграть с нами. Лишить тебя покерной девственности.

— Ты просто невозможная, Лиза.

— Я вполне возможная, даже вполне вероятная. — И я ласково провела по его груди ладонью. Есть что-то в мужской груди, что вызывает в сердце женщины оголтелый восторг. — Мне пора.

— Нет! Вот и ты сейчас уйдешь, и я буду думать о тебе. Ты не знаешь, но я у тебя стащил из шкафа фотографию. Твои глаза — чудо, а не глаза, самый небесно-голубой цвет, какой только может быть. И у Василисы, кажется, будут такие же. И когда я представляю себе тебя голой, у меня тут же встает.

— Вот это комплимент! — ахнула я, невольно заводясь в ответ.

— Самый что ни на есть! И я мог бы заниматься с тобой этой твоей любовью часами, неделями, месяцами, годами. Я не хочу никого другого. Мое тело не хочет, моя голова не хочет. Может быть, ты все-таки должна уйти от мужа и остаться со мной? В конце концов, может быть, ты была права и не всякую семью стоит сохранять? Понимаешь, это ведь просто дикость какая-то, что нет никаких правильных ответов. Я должен тебя отпустить, но я не могу. Я хочу, чтобы ты осталась. Черт возьми! И хочу, чтобы родила мне детей. Я хочу невозможного, видишь. Как старуха у разбитого корыта. Ладно, все, Лиза. Извини. Я не хотел портить тебе настроение. Что ты молчишь? Скажи что-нибудь?

Я не знала, что сказать. Я только закрыла глаза, устало и обреченно, потому что то, что говорил Капелин, было ужасно, и это было правдой. Я подумала, что ненавижу правду. Почему она не может быть чем-то хорошим. Почему правда почти никогда не ведет к счастью?

Между нами было что-то прекрасное, чему суждено умереть. Может быть, это даже любовь.

Но я стояла на одном берегу реки, а Капелин — на другом, и ни один из нас не знал, как перебраться через эту бушующую реку обстоятельств. У меня двое детей. Я ни за что, ни при каких обстоятельствах даже думать не была готова о том, чтобы родить снова. При одной мысли об этом мое сердце замирало и отказывалось стучать. Я понятия не имела, что делать с моей жизнью такой, какая она уже есть. Герман Капелин — хороший человек, прекрасный мужчина, полный всяческих достоинств, и мне так нравится то, что есть между нами, то, с какой жадностью наши тела слились в единое целое. Мы подходили друг другу, мы желали друг друга, мы готовы были упиваться друг другом, но этого было недостаточно. Ему нужно было куда больше, чем я могла дать.

А мне... мне нужен покой. Мне нужно собрать обломки моей собственной лодки. Я едва не утонула.

— Мне так жаль, — пробормотала я. — Мне так жаль!

— И мне, — кивнул он, позволяя мне подняться с постели.

Я подцепила с пола брошенное впопыхах белье, вывернула скомканное платье и натянула его через голову. Солнце уже жарило вовсю, ветер, влетавший в комнату через балконную дверь, уже не остужал, а добавлял жара. У меня с собой был тонкий кардиган, но он был не нужен в такую погоду, и я свернула его и запихнула в сумку. У входа, в коридоре, стояли пакеты с продуктами. Герман сидел неподвижно и следил взглядом за моими движениями.

— Почему каждый раз, когда мне кажется, что я до тебя дотянулся, ты снова ускользаешь? — спросил он. Я остановилась на секунду, подняла обе руки, попыталась зацепить «крабом» сбившиеся, растрепанные волосы. Затем плюнула, бросила краб вслед за кардиганом в сумку, села рядом с Германом на кровати.

— Я не подхожу тебе, — пожаловалась я. — Будет неправильно это от тебя скрывать.

— Плевать я хотел на то, как правильно. И на мужа твоего плевать я хотел, — зло сказал Капелин. — Останься. Соври что-нибудь или брось его, мне все равно. Останься, я приготовлю нам что-нибудь поесть. Пойду и куплю бутылку вина, чтобы мы с тобой перестали наконец вести себя так омерзительно разумно. Мы обязательно сделаем друг друга несчастными, с этим ясно. Но ведь можно же не сегодня.

— Нет, — улыбнулась я.

— Да, с этим можно и подождать. Я куплю нам вина и еще презервативов. А завтра? Ты сможешь выбраться ко мне завтра? Я хочу, чтобы ты приходила так часто, как только сможешь. Твой муж может беситься и подозревать тебя, мне все равно.

— Почему тебе все равно?

— Потому что ты не любишь его! — воскликнул Герман. — Ни черта ты его не любишь.

— Ты все-таки это понял? Дошло до тебя, да? — поразилась я. — Вот скажи мне, Капелин, ну, почему все так сложно?

— Потому что эта жизнь построена абы как, безо всякого плана, по закону Мёрфи. Я встретил тебя слишком поздно.

— Сначала было слишком рано, но я все равно влюбилась в тебя — тогда, когда ты был студентом моего отца.

— Ты была в меня влюблена? — остолбенел он.

Я кивнула:

— Я лежала в комнате, под одеялом, в темноте, и мечтала о тебе. Я мечтала о том, что ты придешь и заберешь меня к себе. Каждый раз это была новая история. Иногда ты даже завоевывал меня и увозил в свою варварскую страну, где делал меня своей королевой — насильно. Но потом ты понимал, какая я чудесная девочка, и бросал все к моим ногам.

— Нет, это просто невозможно, Лиза. Раздевайся, я не отпускаю тебя, ты нужна мне. — Он притянул меня к себе и запустил руки мне под платье. — Ты будешь моей, и точка. Иначе я отказываюсь... не знаю... иначе я объявляю голодовку.

— Я остаюсь, не голодай, — рассмеялась я, позволяя ему стянуть с меня белье. — Это просто безумие, да?

— Может быть, если это будет длиться достаточно долго, мы просто измотаем друг друга? — спросил он, стягивая с меня платье. — Если, скажем, я буду вот так спать с тобой годами. Есть же предел желанию.

— И ты заскучаешь, насытишься, найдется какая-нибудь другая девушка, и ты женишься на ней, и она родит тебе детей. И ты забудешь обо мне.

— А ты останешься с мужем, чтобы не делать несчастными своих детей. Но будешь ему изменять, а он станет закрывать на это глаза. И в один прекрасный день я снова встречу тебя в магазине — снова совершенно случайно, — и все начнется сначала, потому что ты заводишь меня так, что я готов бегать по потолку. Вряд ли когда-нибудь это пройдет, так что я буду изменять своей чудесной молодой жене с тобой. Буду ездить к тебе на дачу или снимать для нас какую-нибудь квартиру. А летом мы купим путевку на один и тот же корабль, только на разных палубах, ты — со своим мужем и детьми, я — со своей женой и детьми.

— И еще одну каюту, о которой будем знать только ты и я, — кивнула я, чувствуя его внутри себя. Герман двигался медленно, словно специально сдерживая себя, и от восторга меня трясло — физически, как будто я была пьяна и утратила над собой контроль.

— Ночью, пока все спят, мы выберемся потихоньку, встретимся на палубе и будем целоваться на ветру как сумасшедшие и заниматься любовью.

— И заниматься любовью, — кивнула я.

— Пока ты не станешь молить о пощаде. А потом нас обязательно поймают. Твой муж заметит твои искусанные, красные губы, он станет следить за тобой, и будет большой скандал, и все будут кричать друг на друга и грозить разводом.

— Но это ничем не кончится. Ты не оставишь семью, твоя жена тебя простит.

— И уже следующим вечером я снова буду с тобой, — торопливо добавил Капелин. Его глаза горели, как пожарище.

— Давай так и поступим, отличный план. Идеальный.

— Да, — прошептал он и шумно вдохнул, не в силах больше сдерживаться. — Я так долго и так сильно тебя хотел. Я не знаю никакой другой правды. Лиза, у тебя, кажется, телефон звонит. Может быть, твой муж уже что-то заподозрил? Может быть, он почувствовал, чем мы с тобой тут занимаемся?

— Наверняка и он, и твоя будущая молодая жена, — улыбнулась я и свесилась с кровати наполовину, чтобы дотянуться до сумки. Звонила Фаина. Она звонила, чтобы сказать, что Иван Кукош обвиняет Майю Ветрову в шантаже. Не просто так — а по телевизору. И интервью с ним передают по каналу «Культура». Иван Кукош решил не ждать у моря погоды. Превентивный удар — он ведь всегда надежнее.

Глава 19
Неподдельная искренность

Он сидел в белоснежном кресле посреди светлой студии, спокойный, расслабленный и уверенный в себе, а за его спиной на большом плоском экране красовалась стопка его книг. Темная мужская фигура в центре была немного смазана, в фокусе было имя на обложке — Иван Кукош. «Книга брошенных камней». Изображение обложки повторялось, книг было много, они были расставлены перед камерой под разными углами, словно отражались миллионом копий в бесконечных зеркалах, и в каждом зеркале читалось имя автора. Напротив Ивана в таком же белоснежном кресле сидел ведущий программы, седовласый мужчина в темном пиджаке, надетом поверх светло-голубой рубашки в еле заметную полоску. Галстуков не было, обстановка была, скорее, неформальная, даже творческая — как и положено на телеканале «Культура». Я смотрела интервью в записи, Фая прислала мне ссылку на телефон. Герман включил программу на компьютере, подгрузить изображение на старенький телевизор его матери было невозможно. Мы лежали — все еще голые — на животах, на его полуторной кровати, упираясь локтями в простыню, положив головы на ладони. Программа была большая, почти часовая, и вся она была посвящена книге. Даже не так. Вся программа была посвящена тому, насколько никаких сомнений быть не может в том, что книга была написана именно Иваном.

Как на больших теннисных соревнованиях из серии «Grand Slam Open», игрока, Ивана, представляли долго, неторопливо и со вкусом. Для целей достижения большей солидности было даже сделано специальное видеопревью, в котором демонстрировались кусочки из фильмов Ивана, моменты, когда ему вручали награды и какие-то статуэтки. Перечислили его фильмографию, ключевые моменты биографии, показали кадры из «простой жизни» Ивана. Когда экран позади больших белоснежных кресел погас, ведущий еще несколько мгновений молчал, словно пораженный, подавленный всей этой информацией об этом Великом Человеке. Я фыркнула и покачала головой, Герман рассмеялся и шлепнул меня. Он приложил пальцы к губам и притворно нахмурился.

— Вау, да! Как сказала бы молодежь, — начал ведущий. — Впечатляющий ролик, признаюсь честно, я очень рад видеть вас, Иван Эммануилович, в моей студии. Для меня это большая честь, хотя, как я понимаю, повод для визита в студию оказался не самым приятным.

— Приятным? — переспросил Кукош, стряхнув несуществующую соринку с рукава своего темного, очень строгого пиджака. Сегодня он был весь в черном, не иначе чтобы подчеркнуть серьезность, даже трагичность момента. Темный рыцарь пера.

— Что вы чувствуете в связи с заявлениями некоей Майи Ветровой о том, что ей, а не вам принадлежит авторство «Книги брошенных камней». Скажите, это так? Действительно ли эта женщина написала книгу, которую вы издали и за которую получили премию?

— Нет, конечно! — воскликнул Иван, живописно подавшись вперед. — Ни в коем случае, в этих заявлениях нет ни слова правды. Ни миллиметра! Это сплошная ложь, меня просто оболгали. Что я чувствую, спросили вы? Я поражен, я убит. Меня ранили в самое сердце. Не могу сказать, что я удивлен, в жизни мне уже приходилось сталкиваться с человеческой подлостью и предательством, отчасти это та горькая правда, что в свое время подтолкнула меня к написанию этой книги. Поверьте мне, я вовсе не стремлюсь к пиару любой ценой. Те, кто считает, что черный пиар — это тоже пиар, просто не заботятся о своем честном имени. Я не могу понять этого и не собираюсь даже пытаться.

— Что же случилось? Как могло прийти кому-то в голову присвоить себе авторство?

— Женщины, — ответил Иван, словно одно это слово объясняло все.

Ведущий подождал, словно надеялся на продолжение, которого не последовало. Тогда он протянул руку к небольшому журнальному столику, на котором — вот сюрприз — тоже лежали книжки, и взял одну из них. Ведущий пролистал страницы.

— Серьезная работа.

— Это заняло пять лет моей жизни, — кивнул Иван. Я вздрогнула и посмотрела на Германа.

— Майя тоже говорила, что писала ее пять лет, — сказала я. — Он врет.

— Он или она. Инь — ян, — добавил Капелин тихо.

— Пять лет жизни — серьезная работа, — повторил ведущий. — Такое невозможно скрыть от окружающих.

— Я и не пытался, я не видел в этом никакого смысла. О том, что я пишу книгу, знали многие. Мои друзья, моя семья, даже моя бывшая жена. Домработница видела меня за работой. Я даже не знаю, зачем я это говорю, я не чувствую никакой потребности оправдываться. Пусть Майя оправдывается.

— Вы знаете ее? Эту женщину? Вы знакомы с ней? — спросил ведущий.

Иван взял паузу — в полном соответствии с театральным искусством. Он смотрел на свои ладони, словно искал ответа, искал выхода, но не находил. Он покачал головой и посмотрел на седовласого ведущего глазами, полными боли.

— Я не хотел бы очернять женщину, к которой я, пусть и ненадолго, но питал чувство. Я хочу понять ее, пытаюсь найти в себе силы, чтобы понять ее поступок. Оскорбленная женщина способна на все, мне ли это не знать. Меня уже предавали.

— Майя Ветрова. Расскажите мне о ней. Кто она? Как вы познакомились?

— Наши отношения... это не была любовь с первого взгляда. Я тогда готовился к большой роли в европейском кино, Майя помогала мне с языком. Она — лингвист, профессиональный преподаватель.

— Лингвист? — с удивлением переспросил ведущий, чуть приподняв бровь. — То есть в плане знания языка эта Майя — профессионал. Как и большинство... писателей?

— Что ж, если вы так ставите вопрос, да, Майя — профессионал, и неплохой. Я не знаю, насколько реально высоки ее филологические познания, никогда не видел ни одного ее текста, никогда не сталкивался с ее увлечением литературой, если таковое имело место. Я не уверен, что она вообще любит читать.

Ведущий слушал Ивана спокойно, но не дружелюбно. Журналисты.

— Иван Эммануилович, поймите меня правильно, я только заметил, что для человека с профессиональным лингвистическим образованием это было бы возможно.

— Возможно, вероятно! Знаете, сколько на свете существует людей с профессиональным лингвистическим образованием? Миллионы. А сколько из них пишет книги?

— Статистически, чаще всего книги пишут люди с журналистским образованием, люди, имеющие отношение к языкам. Это интересный феномен, хотя и вполне закономерный, — ведущий подбросил дров в огонь.

— Статистика — наука неточная. Иногда настолько, что по своей достоверности приближается к гаданию на кофейной гуще.

— Он не так и не прав, знаешь ли, — рассмеялась я.

Герман притянул меня к себе и поцеловал в шею.

— Нет, Лиза, это не так. Настоящая статистика, как теория вероятностей, невероятно точна. Хаос — это миф. Впрочем, словом «статистика» сегодня прикрывают все, что угодно. И еще — «британскими учеными».

— Как вы можете утверждать, что Майя Ветрова написала книгу? — спросил Иван так громко, что мы тут же снова уставились на экран. — С чего вы бросаетесь ничем не проверенными заявлениями?

— Я вовсе не... Иван Эммануилович, мы здесь, чтобы докопаться до правды.

— Если бы я хотел дешевого скандала, я бы согласился прийти в эфир Первого канала, это они, знаете ли, специализируются на «много шума из ничего», — пробормотал Иван, явно раздражаясь сильнее чем надо. — До какой правды вы хотите докопаться? Мне кажется, вы просто решили «докопаться» до меня.

— Нет-нет, что вы, — холодно улыбнулся ведущий.

— Вы прочитали книгу? — спросил вдруг Кукош. — В большинстве случаев мне приходится иметь дело с журналистами, которые понятия не имеют, о чем пишут и с чем они имеют дело. И с кем. Однажды меня спросили, есть ли в моей книге любовная линия. Господи, как вы так работаете, я не понимаю?!

— Я, конечно, читал вашу книгу, — ведущий принялся зло оправдываться. — Впрочем, соглашусь с тем, что современная журналистика теряет ориентиры. Качество падает, потому что в нашем сумасшедшем мире скорость главенствует над качеством. Так и есть. Люди накручивают сами себя, все бегут — и быстрее, и вприпрыжку, а куда бегут — не знают.

— Словно по беговой дорожке, — добавил Иван. — Бессмысленно и бесцельно, но все равно изматывает. И понимаешь рано или поздно, что никуда не прибежишь. Никакого реального движения. Никакой эмоции, все пустое. Вот об этом я и писал в своей книге. Об этой тотальной несправедливости, которая сегодня стала нормой. К которой все привыкли, как к пробкам или к пустой грубости на улицах, к черствости в отношении самых близких людей. Понимаете, о чем моя книга? О каких камнях идет речь?

— Значит, Майя Ветрова лжет? — кивнул журналист. — Что вы собираетесь предпринять? Что можно сделать в подобной ситуации? Ведь, согласитесь, история неприятная. Доказать, как я думаю, Майя Ветрова ничего не сможет — доказать такое куда сложнее, чем бросаться огульными заявлениями. Но ведь нельзя сбрасывать со счетов вашу репутацию. Такой скандал делает вашу бывшую любовницу популярной, а вам наносит значительный ущерб. Планируете ли вы возместить этот ущерб?

— Ущерб, который Майя нанесла мне, больше нравственный, моральный, — покачал головой Кукош. — Кто вернет мне веру в людей? Кто восстановит разбитое сердце? Я ничего не прошу, я только хочу призвать Майю вот тут, прямо здесь и сейчас, чтобы она остановилась, отозвала свои бессмысленные заявления и прекратила эту войну, в которой ей все равно не победить. Потому что победить может только тот, за кем стоит правда. С тем, кто прав, с ним бог. Не стоит ей портить свою жизнь. Я призываю к миру.

— Итак, сегодня у нас в студии был известный актер и писатель Иван Кукош, и прямо отсюда, из нашей студии, он обратился к своей бывшей любовнице, чтобы остановить скандал. Ответит ли она на его призыв? Посмотрим, что будет дальше, — сказал седовласый ведущий, и в его интонациях так и слышалось ожидание. Продолжение следует.

Продолжение началось через полчаса — столько времени заняло у меня созвониться с Майкой, одеться и уйти. Герман пытался пойти вместе со мной и довезти меня до дома. Я возражала яростно, но в итоге пришлось сдаться под грузом его аргументов — все-таки у меня были тяжелые пакеты. Я же как бы ходила за продуктами. Я же как бы изменяла мужу. Мы пошли к Майке. Она была в прихожей с телефоном в руках.

— Каков гусь? — воскликнула я, и Майка кивнула.

Герман стоял в дверях, в футболке, в светлых летних штанах, с моими пакетами в руках. Ему было неудобно, он не знал, как вести себя при Майке. Я повернулась и посмотрела на подругу с хитрой улыбкой.

— Ты только про нас Сереже ничего не говори, ладно?

— Сереже? — удивилась подруга, но, перехватив мой шальной взгляд, пожала плечами и кивнула. — Это не мое дело, ребята. Я никому ничего не скажу, даже если меня спросят. Кроме того, я не думаю, что у меня есть большие шансы увидеть Сережу.

— Потому что он много работает, — добавила я.

Майка замерла на секунду, затем задумчиво согласилась. Да, работает. Бедняжка. Весь в трудах. Герман спросил, можно ли поставить пакеты на пол, Майка встрепенулась и пригласила нас внутрь, провела в кухню, налила нам по стакану домашнего холодного компота ее собственного приготовления. Гера включил интервью Кукоша, Майка смотрела на своего бывшего любовника внимательным взглядом аналитика из ЦРУ.

— Я не понимаю одного, — сказала она, — неужели он не осознает, что этим только глубже закапывает себя. Буквально сидит в яме с дерьмом и просит подкинуть на него сверху еще немного. Что с ним не так? Зачем ему было бежать на телевидение?

— Действительно, зачем? — согласился с вопросом Герман. — Что произошло?

— Ты имеешь в виду, что еще произошло помимо нашего с Файкой дикого интервью и последующей бури в моей квартире? — уточнила я. — Разве этого мало?

— Чтобы пойти на телевидение? Определенно, мало, — кивнул Герман.

Я собралась было с ним спорить, но Майя остановила меня:

— Я наняла адвоката. Он подал иск в суд и связался с юристом Кукоша. Это наверняка его «ответ Чемберлену».

— Ты подала иск? Ничего себе!

— Можно почитать? — спросил Капелин.

— Что почитать? Книгу? Я же тебе давала ее, — пробормотала я.

— Иск, можно почитать иск? — Герман посмотрел на Майю, и та, после некоторых раздумий, кивнула.

Она наклонилась, покопалась и достала папку с нижней полки коричневого полированного серванта, который был частью старой, еще советской, «стенки», сохраненной тут в идеальном состоянии. В папке лежали бумаги, Майка перебрала их и достала несколько скрепленных между собой листов. После секундного замешательства она протянула их Герману. Тот читал молча, сосредоточенно и не давая мне заглянуть через плечо. Хотя какое там плечо, через руку. Плечо Капелина — оно же где-то там, высоко, черт-те где. Тоже мне, каланча.

— Ничего себе, — сказал он после нескольких минут тишины. — Ничего себе.

— Что там, что? — злилась я. — Дай же сюда! Ну, дай же! — Я выхватила у Капелина листы. Текст заявления был написан сухим юридическим языком, однако смысл этого заявления был вполне понятен. Майя Анатольевна Ветрова требовала безоговорочно признать за ней авторские права на произведение «Книга брошенных камней», перевести все полученные гонорары, премии и иные денежные средства, так или иначе впрямую или косвенно полученные в связи с авторством книги, на ее счет — номера и банковские реквизиты прилагались. Также Майя требовала выплатить ей компенсацию за моральный ущерб в размере десяти миллионов рублей. Я присвистнула, когда прочитала, а Майя только спокойно пожала плечами. Последнее, что Майя требовала, — это публичного признания в одной из телепрограмм ее авторства книги.

— Он никогда этого не сделает, — пробормотала я. — Он скорее повесится, чем пойдет на такое.

— Повесится? Кукош? Ты серьезно? — спросила Майя. — Он слишком ценит собственную жизнь, чтобы повеситься. Все его ценности, все, во что он якобы верит, — это все напоказ, все это — спектакль. Он сегодня будет верить в одно, а завтра в другое, в зависимости от того, что лучше продается на текущий момент. Помнишь, что Фая рассказывала о нем. Кукош не бездарен, но он всю жизнь занимался разбазариванием своего таланта, и сейчас, после стольких лет так называемой творческой жизни, он ничуть не изменился. Все тот же недалекий и жадный охотник за птицей счастья. Если перед ним положить кусок золота, он обязательно украдет его, только дай минутку. Даже если положить не золото, а блестящий кусок железа — тоже украдет.

— И книгу украдет, — кивнула я. — Как это случилось? Как вообще он смог ее украсть?

— Очень просто, Фая. Я дала ему рукопись почитать. Он унес ее к себе, потом все это как-то забылось. Я не собиралась публиковать книгу, и Иван знал об этом. Я разочаровалась в этой книге, я устала от нее — об этом ему тоже было известно. Возможно, он не сразу принял это решение. Может быть, прошло какое-то время, прежде чем он снова наткнулся на мою рукопись в своем доме. Я не знаю, как такие вещи складываются в головах таких людей, как Кукош.

— Но не мог же он не понимать, что вся эта история выплывет наружу — рано или поздно, — возмутился Герман. — Такие вещи не скроешь.

— Ты думаешь? — отозвалась Майя с сомнением. — Не знаю, может быть, он всерьез считал, что я не стану лезть в это дело. Может быть, думал, что я слишком люблю его, чтобы пойти на него войной. А может, просто не думал. Как тогда, в юности, когда продал на рынке театральные костюмы. Помнишь, Фая рассказывала. Я только теперь вижу, что это — вполне в его стиле. Иван, он из тех людей, что всегда идут на поводу у своих желаний. Он просто не в состоянии понять, что другие люди существуют и имеют тот же вес в масштабах вселенной, что и он. Для него мировая гармония — это он сам, он ее источник, он — ее цель. Для Ивана не все люди уникальны, только он.

— И что он станет делать теперь, как думаешь? — спросила я. — Вот он очернил твое имя по телевизору. Что дальше?

— Знаешь, в чем я с ним не согласна? В том, что черный пиар — это плохо. Еще вчера мое имя вообще никто не знал, я была — никто, пустота, одна из миллиона. А теперь я — одна на миллион. Посмотрим, что будет дальше, — и она улыбнулась коварной улыбкой.

Я хихикнула:

— Продолжение следует.

Глава 20
Зачем ты это делаешь?

До «программы века» оставалось всего ничего, и я дергалась так, словно это меня собирались разбирать по частям. Юрка Молчанов — организатор и идейный вдохновитель этой катастрофы — сидел напротив меня верхом на стуле, который он повернул спинкой вперед, и с интересом наблюдал за тем, как мое лицо покрывают слоем грима. Я была против. Я говорила об этом последние три дня — впрямую и намеками, аргументируя и просто заявляя, что «не пойду — и все». Итог был предсказуем, Юрка Молчанов всегда получает то, чего хочет. Ну, или почти всегда. Мою сестру, Фаю, он не получил, она его бросила, хотя и любила. Теперь же рядом с Фаей стоял высокий, флегматичный Игорь Апрель. Он тоже не одобрял всей этой затеи, поэтому настоял на том, чтобы прийти на эфир вместе с нами.

— Зачем нужно такое количество пудры? — спросила я, косясь на Молчанова. — Еще немного — и это уже нельзя будет считать макияжем. Это будет шпатлевка. По такому слою можно уже и водоэмульсионной краской крыть. Нежно-персиковой, как у Файки в спальне.

— Поговори у меня, — пригрозил Молчанов. — Ты должна выглядеть так, чтобы соответствовать высокому званию моей помощницы. Забыла? Это же ты — журналист, это же ты влезла без приглашения в жизнь и в судьбу нашего драгоценного Кукоша.

— Я вообще не понимаю, зачем мы все это делаем! И почему мы не можем быть вместе с Майкой, в конце концов, мы же пришли, чтобы ее поддержать, — пробормотала Фая, смешно морща нос. Уж ей-то такое количество «штукатурки» было как кость поперек горла.

Фая никогда не красится, и можно с уверенностью добавить, никогда не наряжается. С большой долей вероятности можно описать процесс выбора одежды моей сестрой. Она просыпается, наверное, в трусах и майке, бредет в ванную, умывается, чистит зубы, потом идет на кухню, пьет кофе, таращась в какой-нибудь планшет, читает новости или даже нет, какие-нибудь научные статьи. Просто так, потому что ей нравится с утра почитать про что-нибудь квантовое. Потом она идет в прихожую, где вдруг вспоминает, что идти на улицу голой нехорошо и могут не так понять. Тогда она оглядывается, и первое, что попадется ей на глаза, станет основой ее стиля на день. Это может быть скомканный свитер, рубашка ее бойфренда или какая-нибудь безумно растянутая футболка с надписью «Лига Звездных Войн». Никогда — юбки, никогда — платья. За исключением сегодняшнего дня, потому что сегодня все было подчинено интересам программы. Мы участвовали в том самом ток-шоу, о котором сам Кукош так точно отозвался, как о фабрике «дешевых скандалов». Только наш скандал был дорогим, и ради этого Фая была накрашена и одета в легкое светлое платье — форменная пытка для моей сестры.

— Майя — главная героиня, поэтому ее, как и Ивана, держат отдельно. Чтобы не испортить сюрприз.

— Неужели ты думаешь, что сегодня тут хоть что-то будет решено? — фыркнула Фая. — Поорем друг на друга, обвиним друг друга во всех смертных грехах. Кукош будет трясти доказательствами, Майка — я уж даже не знаю чем, но тоже потрясет. У нее хоть есть доказательства? Что думают ее адвокаты?

— Видишь, — улыбнулся Юра Молчанов. — Тебе уже интересно. Если бы я позволил Майе Ветровой сидеть с вами в одной гримерке, все самое интересное случилось бы здесь. А нам дали добро на это шоу не под такие условия.

— Ну, хоть намекни, есть у Майки шансы? — спросила я. — Как доказать, что рукопись твоя? Может быть, по почерку? Хотя она ж не вручную ее писала. Кукош тоже наверняка все распечатывал и позаботился, как-нибудь все права зарегистрировал.

— Хватит задавать мне вопросы, скоро уже все узнаешь, — вывернулся Юра, продолжая загадочно улыбаться. Скоро — это, как оказалось, в условиях «большого телевидения» было очень размытое понятие. Мы просидели в гримерке еще около часа, выслушивая заверения худенькой девочки-редактора, что все начнется «вот-вот».

Сначала увели Фаину, вместе с нею убежал и Юрка Молчанов. Когда меня действительно позвали в студию, я уже неимоверно устала и проголодалась. В гримерке был чай, кофе, даже баранки, но на этом, собственно, все. Настоящие телевизионщики еду не употребляют, они только курят и пьют кофе. И отбеливают зубы, очевидно, если судить по их ослепительным улыбкам. Каждый из них, даже самый последний помощник массовика-затейника, в чьи полномочия входило приводить и уводить гостей, мечтал рано или поздно попасть в центр студии, под свет софитов, в объективы камер. Ради этого и жили тут, в коридорах «Останкина». У меня же, как оказалось, был страх камеры.

Я запаниковала практически сразу, как вошла в сравнительно небольшое помещение студии. В телевизоре все казалось больше и безопаснее. Тут все оказалось, как бы это сказать... взаправду. Я увидела аудиторию — живых, настоящих людей на трибунах. Они шушукались, разглядывали меня, пили чай из термосов. Сквозь декорации на меня, как пулеметы из амбразур, таращились большие видеокамеры. Еще одна летала по воздуху, на гигантской железной «руке». Меня поставили в условной точке, махнули рукой и сказали, чтоб я ждала команды. Ко мне под платье просунули микрофон, прицепили коробочку к бюстгальтеру. Руки звукооператора были ледяными. Наверняка она тоже была голодная, бедняжка. Фаина уже была там, в зале с приглушенным светом, на скамеечке в первом ряду. Я видела Кукоша, он сидел на мягком диване в середине, напротив трибун. Я видела Майю, она сидела на диванчике слева. Все молчали, словно их поставили на паузу.

Мимо меня прошел ведущий программы, молодой, красивый, а главное, абсурдно стильный и ухоженный парень, которого я сразу узнала в лицо, хоть почти никогда не смотрела этой программы. Он был настолько хорошо пострижен и одет, так равномерно и уместно загорел, что я испытала еще один острый укол страха и неуверенности в себе.

— Это Лиза Ромашина. Журналистка. Из молчановских.

— Хорошо, — кивнул ведущий и приложил руку к уху. Несколько мгновений он растерянно смотрел в пустоту, а потом кивнул и сказал пустоте, что «сделает это сразу после запуска».

— У него в ухе ракушка, — пояснила мне девушка-редактор. — С ним разговаривал продюсер.

— Ага, ну, слава богу, а то я за его здоровье забеспокоилась. Психологическое, — зачем-то добавила я.

Редактор посмотрела на меня с каким-то даже сочувствием. Телевидение — свой микромир, вселенная, в которой все знают, что такое — ракушка в ухе. Я вздрогнула от резкого звука. Что-то включилось, заиграла громкая музыка, загорелся свет.

— Учительница английского языка Майя Ветрова обвиняет прославленного актера Ивана Кукоша в краже книги, которую уже сегодня называют явлением в мире литературы. Иван категорически отрицает обвинение, он утверждает, Майя просто мстит ему за то, что в свое время она была отвергнута звездой. На чьей же стороне правда? Давайте разбираться дальше. У нас в студии журналист и психолог Елизавета Ромашина, которая впервые выдвинула версию о том, что книга была украдена. Встречайте!

— Идите! — услышала я сдавленный шепот у себя за спиной. Ноги встали, словно столбы. Я окаменела. — Да идите же вы, что стоите.

— Я не выдвигала впервые... — пробормотала я. Еще секунда — и я получила увесистый пинок от худенькой девушки-редактора. Не пинок — толчок в спину, но кто бы мог подумать, что в этих хилых ручках таится такая сила.

— Здравствуйте, Елизавета, присаживайтесь, — ведущий встретил меня с невероятной, почти нечеловеческой радостью. — Значит, вы утверждаете, что книга была написана Майей Ветровой.

— Да, пожалуй. Это я утверждаю, — согласилась я и неуверенно огляделась. Зал замер, все молчали. Минута славы, мать ее. Я не знала, что еще сказать, Иван Кукош смотрел на меня с соседнего дивана с выражением глубочайшего презрения.

— Эта женщина обманом проникла в мой дом, обманом заставила меня дать интервью! — сказал он, продолжая морщиться.

— Но она, по крайней мере, ничего у вас не украла! — выкрикнул кто-то из зала. Иван Кукош услышал это, повернулся к залу и ответил с достоинством:

— Я этого не знаю. Я не Кощей, над златом не чахну. Может, и украла.

— Давайте вернемся к теме, пожалуйста. В первой части программы Иван Кукош рассказал нам, как задумал книгу, когда летел со съемок из Сочи, а также поделился рабочими материалами и ранними версиями книги. В конце программы наши эксперты объявят, действительно ли текст принадлежит его руке, — влез ведущий. — А пока давайте спросим Елизавету Ромашину, при каких обстоятельствах ей стало известно о том, что книга украдена.

Я продолжала молчать. Я знала, это было очень странно, но я ничего не могла сделать. Несколько раз я открывала рот, но не находила слов и закрывала его обратно. Тогда мне на помощь пришел мужчина с лысиной а-ля Брюс Уиллис, с крайнего правого дивана. Рядом с ним сидел Юрка Молчанов. Брюс Уиллис оказался Майиным адвокатом.

Майкин адвокат.

— Моя клиентка находилась в гостях в дачном доме Елизаветы, когда она увидела кадры церемонии вручения премии за книгу. Моя клиентка от шока упала в обморок, — ответил вместо меня адвокат.

— И она сразу призналась в том, что стало причиной этому обмороку? — спросил ведущий.

— Нет, напротив. Она решила убедиться, что не ошиблась и все поняла правильно. В конце концов, Иван мог «позаимствовать» только название книги.

— Так все было? — ведущий повернулся к Майе.

— Я вернулась в Москву, купила экземпляр «Книги брошенных камней» и прочитала ее, — подтвердила Майя. Кукош только громко фыркнул.

— И что? Много было изменений?

— Изменений? Их не было вообще.

— Хватит врать, Майя, успокойся уже. Ничего я у тебя не крал, побойся бога! — громко, театрально прокричал Кукош. — Мы, кстати, привезли в студию материалы из Российского авторского общества, хоть это и было совершенно лишним. Сам факт опубликования мною книги подтверждает мое право на книгу.

— Но только это не так! — крикнул Брюс. — Публикация подтверждает ваше авторское право только при условии, что вы опубликовали то, что написали сами. Если же это не так, никакая публикация не имеет значения.

— Не имеет? Совести у вас нет! Да неужели же нет справедливости на свете, разве можно вот так беспардонно пытаться влезть в рай на чужом горбу? Вы же просто денег хотите, да? Хотя я думаю, это больше месть. Простая женская месть.

— Наши эксперты поставят точку в этом деле после рекламы! — Ведущий повторял заученную фразу, картинно улыбаясь в камеру. Свет погас, и голоса утихли, скандал, полыхавший до этого, угас, словно по команде. Без камер никто не будет сиять. Кукош советовался с подбежавшим откуда-то из-за декораций мужчиной в дорогом костюме. Мужчина что-то оживленно говорил, а Кукош кивал и посматривал на Майю. Та сидела не шевелясь, как статуя. Бледная и решительная, Диана, богиня охоты. Свет загорелся снова, ведущий вышел вперед и повторил «вводную». Затем он кивнул, и с дивана поднялся Юра Молчанов. Он поднял руку и жестом потребовал тишины.

— Вы хотите что-то добавить?

— Мы пришли, чтобы рассказать правду. Мы могли бы слушать эти бредни еще долго, но я предлагаю взять и выпустить демона на свободу. Это я и собираюсь сделать. Знаете почему? Потому что «Книга брошенных камней» была написана Майей Ветровой.

— Не доказано! — выкрикнул Кукош. — Ложь.

— Позвольте начать издалека. Десять лет назад в городе Магнитогорске юная тогда еще Майя Ветрова осталась без отца, — сказал Юра.

Студия затихла, даже Кукош замер, словно вокруг него остановилось время. Я вдруг вспомнила, ведь Кукош рассказывал мне что-то об отце своей пассии. Майка никогда не упоминала.

— Юра, нет! — Майка вздрогнула и встала, но Молчанов только покачал головой.

— Сегодня время открыть правду. Скажи всем, что твой отец застрелил своего бывшего начальника, а затем покончил с собой.

— Что? — ахнула я.

Зал загудел. Поверх общего шума, громким голосом, Юра договорил:

— Десять лет назад с нервным срывом Майя Ветрова была доставлена в местную больницу. Мы нашли свидетелей того ужасного события. Внимание на экран.

Я обернулась к большому экрану, и все обернулись — и, к нашему изумлению, оказались в коридоре обшарпанной больницы. Пожилая полноватая женщина в медицинском халате остановилась перед камерой.

— Конечно, я хорошо это помню, — сказала женщина на камеру. — У нас тогда об этом только и говорили. Толю Ветрова же уволили с работы, причем незаконно. Все это знали, но как докажешь? Эти начальники — у них же все куплено. Толик бегал по судам, по адвокатам, но ничего не вышло. Он год пытался добиться справедливости, но ничего не получилось. Он стал просто одержим!

— И что случилось?

— Ох, ужас, — выдохнула женщина, розовая от возбуждения. Она попала в телевизор, как же! — Он подстерег своего начальника и застрелил его из охотничьего ружья. Майе тогда было, наверное, тринадцать лет или около того. Столько лет прошло, а я, как сейчас помню. Мать ее тогда была у родственников, а Майя нашла дома отца... то есть, ну... труп его... он повесился...

— Она нашла его? — переспросил Юра Молчанов.

— Да, у нее же поэтому и срыв-то случился. Господи, да не дай бог такого никому. Это ж какой кошмар, понимаете? Она все себя винила, понимаете?

— Почему? В смысле... как девушка-подросток могла иметь к этому отношение?

— Да разве для этого нужна причина, — спросила женщина в халате, и экран погас.

Студия молчала, тишина была поистине гробовая. Даже Кукош растерялся и не лез, не зная, как реагировать. Майя сидела бледная, ровная, как палка, и смотрела перед собой. Ведущий подошел к ней и тихо сел рядом.

— Скажите, вы можете говорить с нами о том, что случилось с вами в Магнитогорске десять лет назад.

— Двенадцать... — пробормотала Майя почти беззвучно.

— Что — двенадцать? — растерялся ведущий.

— Двенадцать лет назад. Но я помню все, как будто это было вчера. Такое нельзя забыть, к сожалению.

— Вы действительно винили себя в смерти отца?

— Я... он говорил со мной, — слова давались Майе с трудом. — О многом говорил. Он ведь весь мир возненавидел. Его ненависть была куда больше, чем то, что случилось с ним. Его ненависть была — как болезнь, и она сожрала его, как рак. Ненависть сводила его с ума, но он еще больше накручивал себя. Он носился с идеей несправедливости как новой морали. Как у Достоевского, «тварь ли дрожащая», знаете? Только он ничего не хотел проверять, он считал, что справедливость нужно наносить, как удар.

— Он его нанес, не так ли?

— Я никогда не думала, что за этими разговорами может скрываться что-то серьезное. Ему все говорили, что нужно обратиться к врачу, что нужно как-то успокоиться, начать жить дальше. Но он только накручивал себя еще больше. Он каждый день читал и смотрел новости — только плохие, словно он питался всем этим мировым кошмаром. Он искал доказательства этой своей ужасной правоты. Возможно, ему казалось, что он их даже находил. В нашем мире полно зла, особенно если смотреть телевизор... извините.

— Ничего. Я понимаю, — улыбнулся ведущий, но так, чтобы улыбка не была счастливой. Улыбнулся приличествующей моменту грустной улыбкой.

— Но убийство... я уверена, это было последней каплей. Такое невозможно пережить, понимаете. Он был хорошим человеком, который совершил ужасный поступок. Может быть, если бы я была настойчивее, если бы я попыталась сделать что-то... — И Майя замолчала и сжала кулаки, тяжело дыша.

На этот раз паузу никто не прерывал, наверное, целую минуту. Время замерло. Затем со своего места встал Кукош.

— Но это не значит, что я украл твою книгу, Майя, — вкрадчиво добавил Кукош. — Зачем ты делаешь это? Зачем тут нужен этот цирк?

— Я делаю это, потому что вы, — сказала Майя, акцентируя на «вы», — вы мою книгу украли. И несправедливо будет, если это сойдет вам с рук. Несправедливо.

— Я ничего у тебя не крал, — упрямо процедил Кукош. — Это абсурд, да и книга моя — о другом.

— Нет, Иван Эммануилович, вы понятия не имеете, о чем моя книга.

— Тебе лечиться надо! — выкрикнул Кукош. — Пора заканчивать этот цирк.

Он выглядел убедительно. Во всяком случае, достаточно убедительно, чтобы оставить сомнения. Сомнения — все, что было нужно, чтобы обрушить историю

Майи. Но тут встал с места Брюс, Майин адвокат. Он дождался полнейшей тишины в зале, даже ведущий замолчал и застыл, словно чувствовал, что сейчас будет сказано что-то совершенно иное, чего никто не ждет, к чему никто не готов.

— «Книга брошенных камней» была полностью закончена моей клиенткой шесть лет назад и частично опубликована в Магнитогорском литературном журнале «Уральский самородок». Всего годом позже книга была издана полностью там же, в Магнитогорском издательстве «Городской дом книги». Вскоре по просьбе автора книга была изъята из продажи. Однако часть тиража сохранилась и была любезно предоставлена издательством по нашему запросу, — под аккомпанемент мертвой тишины адвокат открыл сумку и бросил в Кукоша светло-зеленым томиком. Кукош растерянно поймал книгу и посмотрел на нее. На светло-зеленом фоне не было никаких рисунков, только тисненые буквы с позолотой говорили, выжигали как огнем, — Ветрова М. А. «Книга брошенных камней». Студия взорвалась. Голоса в студии перемешались в нестройный звуковой гул, словно плохой оркестр настраивал скрипучие инструменты перед концертом в каком-нибудь заштатном уездном концертном зальчике.

— Что?

— Как?

— Это точно?

— Не может этого быть!

— Врет, она все врет! Она... она печатала и... придумала... и ложь, все это ложь! — Кукош метался и махал руками, а потом замахал и Майкиной книгой, как будто собирался швырнуть ею в нее. Мужчина в дорогом костюме подбежал и вывел его из студии. Кукош был раздавлен, потрясен, растерян, даже дезориентирован. На него было жалко смотреть. Майя же сидела неподвижная, белая, прямая, гордая и смотрела прямо перед собой, словно читала молитву. Я вдруг почувствовала, что мне отчего-то стало совершенно не по себе. Страшно, как же страшно жить.

— Вот такие неожиданные повороты случаются порой в студии нашей программы, — перекрыл гул наш красавец ведущий. — Продолжение этой душераздирающей истории вы увидите сразу после рекламы.

Глава 21
Мне так жаль, так жаль...

Скандал получился грандиозным — сильнее и масштабнее, чем мои самые худшие предположения. Даже до меня и Фаи долетали его отголоски. Однажды журналисты поймали нас с Германом прямо на выходе из магазина, меня забросали вопросами о Майе Ветровой, о том, знаю ли я ее лично, что могу сказать о ней, могу ли я организовать с нею встречу или хотя бы прийти на какую-то программу, посвященную теме защиты авторских прав. Этот вопрос вдруг всем стал интересен, медиашторм, который Кукош хотел обрушить на нас, целиком ударил по нему. Актера и, как теперь говорили, экс-писателя Ивана Кукоша буквально «смыло с бульвара». Каждый канал, каждая программа, каждый ведущий новостей сочли своим долгом высказаться по поводу случившегося — с негодованием, конечно. Каждого возмущал и потрясал до глубины души поступок Кукоша. Каждый задавался логичным вопросом — как же так, как же он мог? Как же он, Иван Кукош, решился на такое?!

Не могу сказать, что этот вопрос не интересовал и меня.

— Как он, опытный, известный человек, не подумал, что будет, если все это вылезет на поверхность? И что он скажет людям, когда все это всплывет? Ведь его раздавили! Я слышала, его сняли со съемок в большом историческом сериале! — удивлялась я, пока Герман жарил свои фирменные стейки на рифленой сковородке на моей кухне. Был вечер среды, Сережа «снова уехал в командировку на неделю», так что мы могли чувствовать себя вполне спокойно — два изменщика под одной крышей.

— Странно, что тебе его жалко, ведь он украл книгу. Он признал это, он принес официальные извинения Майе! Она, между прочим, была более чем щедра к нему, отозвав заявление из суда.

— Да, я знаю, видела, — процедила я. — Думаю, не найдется ни одного человека в нашей стране, кто не видел этого кошмара и унижения.

— Но он заслужил это! И он отделался мировым соглашением! Деньги — это не самое страшное, теоретически он мог и под уголовное дело попасть, — снова повторил Герман, аккуратно поворачивая ароматное мясо на другую сторону.

Мясо шипело и испускало умопомрачительный аромат, на прожаренной стороне сияли ровные темные полоски. Если до этого я и не была голодной, теперь я почти падала в обморок от этого запаха.

— Я не говорю, что он этого не заслужил, понимаешь? Я говорю, что он должен был это предусмотреть!

— Люди совершают глупые поступки, Лиза. А потом жалеют о том, что сделали, но становится уже поздно, и ничего уже не исправишь.

— Взять, к примеру, нас.

— В каком смысле? — удивился он. — При чем тут мы?

— Ну как же. Помнишь, как я хотела уйти от мужа, а ты сказал, что я должна остаться с ним, даже если не люблю его. Ну что ж, я осталась, и вот мы с тобой — в моей кухне, и все идет не так, как мы хотели, и ничего нельзя исправить.

— Ничего нельзя исправить? — повторил Герман, словно пробуя эти слова на вкус. — Мне совсем не нравится то, как это звучит.

— Мне тоже, поверь. Впрочем, во всем есть свои плюсы. Я не наношу травму детям.

— А Майя, считай, выиграла джекпот. Тоже плюс, да? Кто-то проигрывает, а кто-то выигрывает. Так всегда и бывает. Но в нашем случае, признаться, все это меня совсем не радует. Я не хотел.

— Я тоже не хотела этого, — ответила я сухо. — Просто так вышло, и теперь мы имеем дело с тем, с чем имеем, верно?

— Верно. Все вышло как вышло, — кивнул Герман и снова сосредоточился на стейке.

Надо признать, он знал, что делает, и результат превзошел все мои ожидания. Мы сидели на моей кухне за столом с двумя красивыми тарелками. Стейки шипели и дымились, поверх них Гера бросил горсть кедровых орешков, веточку тимьяна, вяленые помидоры, все как он любил еще с Израиля. Вулканически-острая горка нежного пюре, сверху как лавой политая мясным соусом. Кисло-сладкий соус из клюквы — нет, его он не делал, принес с собой в какой-то узкой бутылочке.

— Ты готовишь божественно.

— Правда, нравится? — спросил он, и я рассмеялась.

— «Правда, нравится» — этого даже не начинает покрывать того, что я хочу сказать. Я настолько в восторге, что планирую украсть Вовкину порцию. Если мне удастся, то и твою — хотя бы частично. Если бы ты был шеф-поваром в ресторане, я бы подняла тебе зарплату, но ты — просто мой любовник, отсюда и идея того, чем я могу тебе отплатить.

— Мне нравится ход твоих мыслей, — улыбнулся Герман. — Говори.

— Как тебе идея одного купона на безвозмездное применение одной сумасшедшей фантазии без ограничений и без осуждения.

— Ты должна быть весьма осторожна в выборе терминов, Лиза, — вдруг сказал Герман строго, отложив в сторону нож и вилку. — Не говори мне про «без ограничений» и «без осуждения», а то я могу поверить, и тогда тебе придется узнать мои тайные черные мечты.

— Я обожаю черные мечты. Особенно тайные. — Я захлопала в ладоши и выронила вилку, та со звоном упала на пол. — О, кто-то придет.

— Может быть, твой муж? — предположил Герман.

Каждый раз, когда речь заходила о Сереже, я испытывала муки совести за то, чему подвергаю Капелина, но потом я вспоминала свой сон, и как он сидел напротив и говорил, что нам надо расстаться, и мне становилось легче оставаться непреклонной.

— Вряд ли это мой муж. Он в слишком далекой командировке, в Белоруссии, так что не стоит волноваться.

— Скажи, а почему тебе муж хотя бы утюга не купит? Он все работает, работает, а никаких изменений нет. И стирать ты ездишь ко мне? Разве это нормально? В конце концов, стиральная машина стоит копейки.

— Не копейки, — нахмурилась я. — И у нас другие насущные проблемы, поверь.

— Какие? Скажи мне, может быть, я помогу. В конце концов, если ты и осталась с мужем, это не значит, что я не могу тебе помочь, верно? Я не могу смотреть, как ты выбиваешься из сил. И вообще, знаешь, я признаю — я совершил ошибку. Хочу начать платить тебе за секс.

— Интересно, как мне рассчитывать тариф? — ухмыльнулась я, а Гера внезапно помрачнел.

— Зачем ты меня мучаешь? Я не понимаю, как ты можешь так спокойно вести себя. Как ты с ним живешь, с мужем своим? Как ты с ним спишь? Вот этот вопрос можешь ты мне прояснить? Как ты с ним спишь? У него тоже есть купон на фантазию? Что именно он любит с тобой делать? Отличается это от того, что делаем мы? Кто тебе больше нравится? С кем тебе лучше? Нет, не отвечай, потому что я все равно буду сомневаться. И вообще я не могу так! — Он вскочил, оттолкнув тарелку. — Я не могу тебя ни с кем делить. Это не в моей природе, не в моих правилах, понимаешь?

— И все же ты здесь, — прошептала я.

В этот момент в дверь позвонили. Мы с Герой переглянулись и, не сговариваясь, посмотрели на упавшую вилку.

— Я надеюсь на то, что это он. Я все ему скажу. Мне плевать. Тебе нужно будет выбирать.

— Не смей! Это же мой муж, моя семья, дети! — крикнула я, выходя в коридор. Я вдруг подумала — вот будет смешно, если на пороге и в самом деле окажется мой муж Сережа Тушаков. Раскаявшийся, с повинной головой. С моим компьютером, возможно. Точно без денег с кредитной карточки, их он наверняка уже давно потратил. Денежные проблемы всегда были одним из самых крепких уз, которыми он был ко мне привязан. У меня можно было жить, я его кормила. Я стирала ему, конечно, когда у меня еще была стиральная машина. Гера прав, стиралка стоит не так дорого, но Капелин не знает о долге в триста тысяч. Я выбивалась из сил, чтобы только погашать кредитные проценты, чтобы не было «качелей», чтобы долг не начал расти в геометрической прогрессии. Я предпочитала называть этот долг моим кредитом «на развод». Стиралка подождет, тем более что мне нравилось пользоваться Гериной. Пока программа крутила вещи, мы тоже... «крутились» как могли. Купон, почему я раньше не подумала про купон. Интересно, какие у Капелина фантазии.

— Привет! — на пороге стояла Майя, в руках у нее был игрушечный самосвал. — Чем это у тебя таким вкусным пахнет, я тоже хочу. Занята?

— Нет, заходи. А пахнет стейками, которые мы все уже слопали, к сожалению. Так что ты пролетела мимо кассы.

— Конечно, вы все слопали. Нет, чтобы оставить Майке хоть чуть-чуть. Все как всегда!

— Так, не надо прикидываться сиротой. Майя, ну, чего стоишь? Заходи, ты как сама-то? Ты жива вообще? Ты, мне кажется, в последнее время из телевизора даже не вылезаешь. Тебе не приходится еще прятаться от журналистов? Не отвечать на звонки, не открывать дверь? Нанимать вооруженную охрану? Если будешь выбирать, бери кого-нибудь типа Кевина Костнера из «Телохранителя», такого же сильного и красивого...

— Если честно, в каком-то смысле все это — сильный перебор, и я устала от этого всего просто безумно. Вчера ко мне в квартиру журналистка какая-то попыталась проникнуть вместе с моим учеником. Причем не то что бы она ворвалась в квартиру — это было бы противозаконно. Нет, она подкупила моего ученика, чтобы попасть ко мне под видом потенциальной студентки. Представляешь себе картину, я ее тестирую, задаю вопросы, пытаюсь понять, как дура, уровень ее грамматики, спрашиваю о целях и задачах. А стоило мне на кухню выйти за водой для нее же, по ее же просьбе, так она принялась все вокруг фотографировать. Мы с ней практически подрались, я у нее фотокамеру отняла и ногами разбила, можешь себе такое представить? — Майка рассмеялась. — Я проявила насилие. Да я поверить не могу.

— Странно, что ты все еще продолжаешь преподавать, — пожала плечами я.

Майка посмотрела на меня озадаченно:

— Почему странно?

— Ну, не знаю, ты же теперь звезда. Все, что произошло... теперь уже ничто не может быть прежним. Кстати, как Костик? Он не вернулся?

— Шутишь? — Майя сощурилась и хмыкнула. — После того, как на каждом федеральном канале рассказали о моем романе с Иваном? Кто угодно, но только не Костик. А у тебя, как у тебя дела с Германом? Он уже знает?

— О чем? О чем должен знать Герман? — донесся до нас звук с кухни.

Майка покраснела и посмотрела на меня со смущением.

— Ой, ты здесь!

— Ты же уже знаешь, что Майка теперь — великий русский писатель? — спросила я легко, шутливо, и Герман вышел улыбаясь, поздравил Майю с этим замечательным событием, да так официально и торжественно, что Майка зарделась еще больше.

Гера ушел, на кухне полилась вода, кажется, он решил помыть посуду. Майка с выражением кивнула в сторону кухни и присвистнула.

— Неплохо, неплохо. Значит, развлекаешься? Мучаешь мужика?

— Мы все, как мне кажется, не скучаем. Так как тебе оно — быть звездой? Переедешь теперь в особняк на Мальдивы?

— Все шутишь? Мальдивы я не люблю, я бы переехала куда-нибудь поживленнее, в Рим, к примеру. Итальянский бы выучила. А если честно, я никак не могу осознать этой мысли, мне все время кажется, что это не про меня. В свое время я именно из-за этого и решила убрать книгу из продажи. Я ничего не хотела менять, понимаешь? Особенно я не хотела менять своей тихой жизни. Ладно, что выросло — то выросло. Держите ваш самосвал, Вовка у меня его сто лет назад забыл. — И Майя протянула мне пластмассовое чудовище. Я забрала его, потом, чуть поколебавшись, пробормотала:

— Я не знала, что это был твой отец, мне очень жаль. Тот... сосед, о котором ты рассказывала...

— Мне тоже жаль, поверь, — кивнула она, оборвав меня на полуслове. Мы обе замолчали, словно любое продолжение этого разговора было бы нарушением какого-то негласного протокола о неразглашении.

— Скажи, а тебе не жалко... Кукоша? — все-таки решилась я спросить.

Майя подняла на меня взгляд, и что-то в ее глазах снова заставило меня похолодеть и поежиться, словно в жарком коридоре резко похолодало. Словно рядом с нами появился какой-то полный ненависти призрак, источающий холод.

— Почему я должна его жалеть, Лиза? Он сделал то, что сделал. Это был его выбор. У него этот выбор был, разве нет? Он мог оставить рукопись лежать на столе, верно? Но нет, он ее взял и украл. — И она пожала плечами, давая понять, что не желает больше об этом говорить. — Мы на дачу-то поедем? Ничего не меняется?

— Да-да, едем, конечно. Вот, Герман нас повезет в пятницу. Да, Гера? Кстати, наконец-то ты хоть с нами в покер поиграешь.

— В покер? — Гера снова высунулся из кухни. — Но я же не умею.

— Странно! — удивилась Майка. — Ты же математик вроде? Как же ты в покер не играешь?

— Во-первых, я физик. А во-вторых, у меня нет миллионов, чтобы проиграть. Хотя Лиза говорила, что вы вроде без денег играете.

— Без денег только дети играют, — фыркнула я. — А мы — на триста рублей.

— Это сколько ж играть, чтобы проиграть дома и миллионы, — усмехнулся Герман. — Впрочем, если ты меня научишь, я с удовольствием. С тобой я все — с удовольствием. — И он потянулся, чтобы поцеловать меня.

Майка смотрела на нас спокойным, даже отрешенным взглядом. Я подумала, как странно, что она так спокойна. Я совсем ее не знаю. Совсем.

— Передавай Сереже привет, — сказала Майя и повернулась к выходу. Герман отстранился и помрачнел. Майка выбрала момент и подмигнула мне, но я это еле заметила.

Как только она ушла, я побежала, нашла свой треснутый телефон в куче журналов и книг — они временно заменяли нам телевизор — и позвонила Файке.

— Ну же, ну. Бери ты эту чертову трубку, — злилась я, потому что мне не терпелось спросить у сестры, что она думает... кое о чем, что беспокоило меня. Оно беспокоило меня уже некоторое время, но только теперь я вдруг совершенно точно поняла, почему и что именно.

— Ну чего тебе, — вместо «здрасте» бросила мне заспанная моя сестра и громко зевнула.

Я посмотрела на часы, чисто рефлекторно, — было около семи часов, солнце, как говорится, еще высоко. Не время спать ложиться. Или вставать, с моей сестрой понять невозможно.

— С добрым утром, — подколола ее я.

— С добрым. И что стряслось на этот раз? — полюбопытствовала она.

— Вставай, а то тебя реально сочтут за компьютерного вампира и примутся кормить чесноком.

— Я не люблю чеснок, — согласилась Фая. — Но и кровь не люблю.

— А чего ты у меня тогда столько ее повыпила? — хмыкнула я.

— Ну, раз уж ты нас разбудила... рассказывай, чего надо.

— Нас? — вытаращилась я и густо покраснела. Каждый раз, когда Фая приводит ко мне своего Апреля, я смотрю на нее и не понимаю, что их может объединять. Он — спокойный красавец в костюме или на крайний случай в твидовом свитере. Она — верблюжья колючка в мятом балахоне с надписью «Не подходи, убью», да еще с такой уверенностью в себе, что и не подойдешь. К тому же пессимистка с вечно наполовину пустым бокалом из-под коньяка. Их объединяла любовь, их объединял секс. Это не укладывалось у меня в голове. С другой стороны, если посмотреть на меня и на Капелина... ужас. Любовь нелогична, она стреляет наугад, но если попадет — все, пиши пропало.

— Слушай, ты хорошо помнишь программу эту злополучную?

— Какую программу? Майкину? — спросила Фая, интонационно давая мне понять, что ничего хорошего от разговора не ждет.

— Да, Майкину, — подтвердила я. Плевать, что там Фая думает. — Ты можешь прийти ко мне? Срочно? Или я к тебе? Даже лучше, если я к тебе, у тебя хоть телевизор с компьютером есть.

— О господи, за что мне все это! — воскликнула Фая, но согласилась меня принять.

Я прибежала к ней через пятнадцать минут, с Василисой в коляске, с Германом и Вовкой позади меня. Игорь, флегматичный и, как всегда, великолепный в своих светло-серых домашних шортах и футболке поло, впустил нас в свою небольшую квартиру и церемонно предложил нам прохладительные напитки.

— Прохладительные напитки? — передразнила его Файка. — Воды им из-под крана дай.

— Вы, Фая, сейчас говорите совсем как ваша мама когда-то, — улыбнулся Герман. — И те же слова, и голос похож. Как там у нее дела?

— Дела у нее — хуже некуда. Ей нравится в этом ее Йемене. Она считает, что там она обретает новый смысл жизни. А мы меж тем живем без ее пирогов. Ну да ладно, не это же вас ко мне привело с Лизаветой. И, раз уж так, скажите, милейший Герман... как там вас по батюшке, чего это ты мне «выкаешь»? Обидно даже как-то.

— Это я ради высокопарности, — ухмыльнулся он.

— Фая! Запись? — спросила я.

Сестра пожала плечами, словно давая понять, как устала от моих номеров, но прошла в комнату и включила уже приготовленную и выставленную на паузу запись.

— И что ты хотела тут показать? — спросила она. — Чего еще мы не знаем о милейшем, добрейшем, а главное, честнейшем Иване Эммануиловиче?

— Не о нем, — покачала я головой, перематывая запись так быстро, как только могла. — Вот, смотри.

— Да на что? — Фая повернулась к телевизору.

Я не ошиблась, я хорошо запомнила этот момент, но я все равно сомневалась в себе. Все кричали, кто-то повскакивал со своих мест, адвокат наслаждался моментом, а Иван стоял в растерянности и повторял — и его можно было услышать вполне четко — «она печатала, печатала...» и много всего остального, в основном не имеющего никакого значения.

— Вот! Что он имеет в виду?

— Да откуда я знаю, — всплеснула руками Фая и, кажется, решила уйти. Я схватила ее за подол балахона.

— А ты посмотри еще раз, — настояла я. — Слышишь? «Она ПЕЧАТАЛА».

— И что?

— Получается, он видел, как Майя печатала книгу?

— Что? Да о чем ты, Лиза? — сморщилась сестра. — Что именно ты хочешь сказать.

— Что не мог он видеть, как она ПЕЧАТАЛА, не мог. Она ему целую рукопись дала. Книга к моменту их знакомства была давно написана. Я вообще тогда не понимаю, почему она ему дала почитать не книгу, а РУКОПИСЬ.

— Да какая разница? — возмутилась Фая, но ее Игорь, кажется, понял меня.

Он подошел и промотал запись.

— Он говорит искренне, — сказал Апрель. — Кукош ваш был в шоке.

— И что? Какой я должна из этого сделать вывод? Рукопись или нет, он книгу украл. Ты же не будешь с этим спорить! — развела руками Фая. Игорь покачал головой.

— С этим даже сам Кукош уже не спорит, — вмешалась я. — Но что, если...

— Все самые ужасные события моей жизни начинаются, когда Лиза говорит «но что, если...». Конечно, о чем еще будет беспокоиться моя дорогая сестра. Спаситель обездоленных и воров. Да почему ты вообще защищаешь Кукоша?

— Да потому что она его подставила! — крикнула я.

И все сразу замолчали. И обернулись ко мне. Я занервничала.

— Понимаешь, ее адвокат сказал, что Майя отозвала книгу из продажи, что она не хотела ничего о ней знать, но тогда... странно как-то это все. Майя обмолвилась как-то при мне, что хотела сжечь эту книгу. Я думала, она говорила фигурально, но потом она то же самое сказала и Ивану. А он повторил — нам с тобой, Фая, на интервью. Он был уверен, что Майя не будет против него выступать. Был уверен, что она никогда не попытается вернуть себе права, а еще более был уверен, что у нее ничего не получится. Почему? Нас всех удивляла эта его безумная уверенность в собственной безнаказанности. Так что, если...

— Ну, допустим, он такой дурак. Дебил. Но у него же есть адвокаты, и он же с ними советовался — уже потом, когда скандал начался, — влезла Фая.

— Да ничего его адвокаты не знали. Никто не знал.

— Да! — кивнул Игорь Апрель. — Что, если Майя все это подстроила заранее. Иван Кукош был совершенно уверен, что рукопись существует в единственном экземпляре, потому что Майя печатала этот роман в его присутствии. Он видел, как она работает над романом. День за днем. Возможно, читал какие-то страницы как бы прямо у нее из-под рук.

— Это, конечно, теория... — пробормотала я, потирая виски.

— Но теория какая-то ужасная, — тихо добавил Герман. — Она заставила его украсть рукопись? Это разве возможно?

— Вполне возможно, — кивнула я. — Майя сказала мне — дословно, — что Иван имел выбор и теперь должен за него отвечать. Он забрал рукопись. Забрал, а мог бы и не брать. Она положила рукопись для него как наживку, и он клюнул. Она заранее это все придумала.

— Но я так и не могу понять, зачем? Зачем? — спросил Герман.

— А вот тут у меня есть одна идейка, — заверила нас Фая и принялась бить по клавишам ноутбука.

Глава 22
Moving All-In[1]

К пятнице мы знали все, но еще не до конца верили. По крайней мере, я отказывалась верить, хоть это и была моя собственная идея. Я говорила, а что, если все эти факты связаны между собой, но связаны как-то иначе, не так, как я подумала? В конце концов, я могу ошибаться. И Майя может иметь какие-то другие причины, кроме этих, ужасных, о которых говорит моя теория. Я надеялась на это. Когда Майя Ветрова приехала ко мне на дачу, тоненькая, красивая, с развевающимися пепельными волосами, что-то во мне перевернулось, свернулось клубочком и заплакало. Я не хотела оказаться правой, я хотела все забыть.

— О, вы уже тут! — радостно поприветствовала нас Майка. Беззаботная, в новеньком платье из светло-бежевого шелка, с белым телефоном в руках, она продолжала набивать какую-то эсэмэску, отпуская такси. Она вошла в дом и бросила сумочку на подоконник. Майя была похожа на беззаботную героиню-аристократку из детективов Агаты Кристи.

— Красивое платье, — заметила Фая.

Майка ответила не сразу, вчитываясь в текст ответного сообщения. Затем легко кивнула и улыбнулась, тряхнув волосами.

---

[1] Ставка «ва-банк» в покере.

— Нужно же как-то наслаждаться своим положением, раз уж все так вышло. Буду носить дорогие платья.

— В этом-то все и дело, да? В деньгах? — спросила Фаина.

Только тут Майя заметила, что стол в моей дачной гостиной не разобран и не накрыт старым зеленым сукном и что никто не разжигает мангал, напротив, люди стояли по краям комнаты и смотрели на нее пристально, без улыбок.

— Что происходит? — нахмурилась она. Ее нежное, красивое лицо моментально стало лисьим, по-звериному внимательным. Она чувствовала: что-то было не так, она все чувствовала. Майя Ветрова отлично разбиралась в людях. Куда лучше, чем, скажем, я. Чем даже Игорь Апрель. Она играла людьми в покер. Но в покере можно проиграть, даже если у тебя фулл-хаус.

— Объясни нам, зачем ты сказала, что отозвала тираж из типографии? — продолжила Фая. — Ты ведь ничего не отзывала, тираж был выпущен, но не был распродан. Издательству не удалось продать даже половины.

— О чем ты? — Майка побледнела.

— Тираж. Через год его почти целиком уничтожили, чтоб не занимать место на складе. Магнитогорское издательство маленькое, у них склад размером с эту комнату.

— Откуда ты...

— Я с ними созвонилась. Я разговаривала с директором, который твою книгу и «зарезал». Ведь так? Это он тебе сказал, что для большого успеха нужны большие деньги? Скажи нам правду, для разнообразия. Или ты боишься?

Майя огляделась, словно в поисках выхода, хотя ее, конечно, никто бы не стал удерживать. Но затем она тряхнула своими прекрасными пепельными волосами и холодно улыбнулась.

— А чего мне бояться? — Лицо Майи вдруг исказила гримаса презрения. — Я ничего такого не сделала. Да, не совсем точно отразила ситуацию своему адвокату, но эта информация не имеет никакого значения и ничего не меняет. Книга не продавалась. Совершенно. Нет, не подумайте, она всем нравилась, и мои знакомые приходили ко мне и говорили, как они потрясены всем случившимся, и что они не знали, что я ТАК все пережила, но что книга прекрасная. Однако оказалось, что маленькая магнитогорская издательская контора не может и жука перепродать.

— Почему же ты не отправила рукопись другому издательству? — спросила я тихо. Майя посмотрела на меня с искренним удивлением.

— Я отправила. Я показала книгу кое-кому. Но сегодня мы живем в сумасшедшем мире. Костик был прав, и если за историей не будет стоять известного имени, больших денег или большого скандала, то ни о каком результате и говорить не приходится.

— Костик? — пробормотала я, но Майка только отмахнулась.

— Директор издательства. Не важно. Он был прав. Сегодня всем интересно только то, о чем пишут все желтые журналы, о чем говорят в телепередачах. И знаешь что, дорогая Лиза, оглянись вокруг! Сумасшествие, порок, ложь, разврат — это все продается, это все финансируется. Я просто пошла еще чуть-чуть дальше и создала условия для того, чтобы совместить имя, деньги и скандал во времени и пространстве.

— Так это правда, да?

— Что именно? — склонила голову Майя. — О какой конкретно правде ты говоришь? Только не бросайся глупыми заявлениями на тему того, что правда всегда одна. Это не так, понимаешь? Да, я выбрала Ивана. Я выбрала его, понимаешь? — Глаза Майи горели, она улыбалась, она сияла. — Я долго думала, кто это мог быть, я анализировала, понимаешь. Это ведь огромный шаг, это большой риск. Что, если человек не оправдает твоего доверия? Что, если он окажется лучше, чем ты думаешь, честнее, чем ты считаешь, — и не возьмет книгу? Что, если он окажется просто трусом и побоится сделать то, что хочет? Я отмела нескольких других кандидатов. У некоторых не хватило бы на меня денег. Фая права. Это тоже важно — деньги. Потом, я ведь планировала рисковать и собой. Это должен был быть такой уровень доверия, при котором мужчина теряет бдительность. Только на одном уровне это случается по-настоящему, и мы все знаем, когда это происходит.

— Ты продумывала это все три года?

— Три года я шла к своей цели. Думаешь, Лиза, это случайность, что я купила квартиру тут, в нашем районе, всего в десяти минутах пешком от царского дворца Кукоша? Я — очень плохая девочка. Это — его правда. Я печатала рукопись, я доставала большую пыльную печатную машинку и печатала на ней, потому что я как бы не умею пользоваться компьютерами. Я *писала* книгу прямо при нем, невротичка, которая решила выкинуть книгу в помойку.

— Единственный экземпляр, — добавил Игорь.

— Он меня долго проверял. Но я прошла все тесты. Синий чулок, помешанная на книгах сумасшедшая. С технологиями не дружу, даже электронной почты нет, еле смартфоном научилась пользоваться. Он поверил. Да вы все поверили. Ты же сама, Лиза, надо мной все время подшучивала, но хорошо смеется тот, кто смеется последним. Да, я наврала, Лиза, и про это тоже. И не надо на меня смотреть такими глазами. Кто в наше время не умеет пользоваться компьютером? Но кто пострадал от моей лжи? Никто! Иван не в счет, он сам виноват. Приходил ко мне, лежал со мной, изменял своей тогда еще жене, учил английский на халяву — да, для него даже такая мелочь была приятной, а я с него денег не брала. Я же «любила» его. И читал — отрывок за отрывком — мою книгу. Глотал наживку — лист за листом.

— Это просто ужасно, — пробормотала я.

— Считаешь? Только не забудь, Лиза, что брать рукопись его никто не заставлял. Он забрал ее себе. На память — понимаешь? Он опубликовал ее, хороша память. Единственный экземпляр, как он считал. Отчасти, наверное, помогло, что книга написана от имени мужчины. Так что ты хочешь мне сказать, Фая? Что ты докопалась до правды? Молодец, да. Ты всегда была умнее Лизы, что тут сказать. Только эта правда ничего не изменит. Знаешь почему? Потому что Иван Кукош виновен. Он украл рукопись. И нет никакой разницы в том, что это было подстроено.

— Нет? Никакой разницы? — возмутилась я. — Это же чистая провокация.

— Именно она, Лиза. Отлично исполненная провокация. Ладно, раз уж у нас с вами тут такой вечер откровений, я поделюсь еще кое-чем. Я ведь тщательно записывала каждый ее этап, поверь. Это был удивительный, я бы даже сказала, уникальный эксперимент. Знаешь, был такой научно-социальный эксперимент — реальный, я не шучу. С коробкой, полной крыс, которым давали бесконечное количество еды. Так вот, после того как они пересекали определенный рубеж сытости, крысы от скуки сами себя начали пожирать. Потому что им было нечего больше хотеть. Думаешь, Фая меня разоблачила? Да Фая со своим Молчановым мне только помогли. А теперь у меня есть материал на следующую книгу. Я уже сейчас вижу, о чем она будет и как ее следует писать. На этот раз у меня не будет никаких проблем с ее изданием, согласна, Фая? Или как ты считаешь? Я же теперь — великий русский писатель, как сказала Лиза. У меня премия, у меня кино, со мной любой будет только рад работать. Никто не скажет, что я аморальна. Все скажут, что это было *гениаль-*

но. Все-таки прав был Константин. Большое имя, большие деньги или большой скандал. А лучше — все вместе.

— Между прочим, обо всем этом не я, это Лиза докопалась, — хмуро ответила Фая. — Не стоит оскорблять людей в их же доме, особенно если ты даже не понимаешь, насколько то, что ты делаешь, ужасно.

— Серьезно? Не ты? — переспросила Майя, проигнорировав «чудовище». — Ну что ж, Лиза, ничего не могу сказать. Удивила. Обычно ты буквально ничего не замечаешь, даже того, что у тебя перед носом. Ну что ж, я так понимаю, покера сегодня не будет? Жаль. А я-то думала, сыграть с вами напоследок. Потому что я, знаете ли, конечно, теперь перееду из нашего дома. Мне нужно какое-то место, более соответствующее моему положению.

— Положению предателя, — сказала я.

— Называй меня как хочешь, — пожала плечами Майя. — В конце концов, я же никого не убила.

— А как же Константин? Его ты ведь просто принесла в жертву? Мужчина твоей мечты! — вспомнила я. Майя молчала, на ее губах играла неприкрытая, хитрая улыбка. И тут до меня дошло. — Его ведь и не было, да? Никогда не было.

— Почему не было. Это был Иван. Я называла его Константином, на всякий случай, в честь моего издателя. Знаешь, ностальгия. А аллергия на котов у Кукоша самая что ни на есть настоящая. Так что в каком-то смысле я вовсе и не врала.

— Ты мне про него столько всего рассказывала. Ты даже сказала мне, что он к тебе переезжает? Он же переехал. Якобы переехал! — возмутилась я. И тут же осеклась. Я посмотрела на Майю, она на меня, и мы тут же поняли друг друга, только на этот раз она отвела взгляд.

— Ты решила избавиться от Ланнистера! — бросила я ей в лицо. — Так? Ты просто решила избавиться от кота. Ты все равно знала, что уедешь, и не собиралась брать его с собой.

Майя ничего не ответила, она подождала несколько мгновений, а затем достала телефон и набрала номер — она вызвала себе такси. Машина вернулась за ней быстро, та же самая — видать, не успела уехать далеко. Майя не стала прощаться ни с кем из нас, она просто вышла на крыльцо, достала из сумки пачку сигарет и закурила — еще одна новая деталь, я не знала, что она курит. Каждого из нас создают детали, множество черт его характера, сложная комбинация генов, воспоминаний, ошибок и острых чувств. И в этом бурном «коктейле Молотова» никогда не бывает правильных и неправильных ответов, а всегда «все сложно», но есть что-то одно, что окрашивает все в какой-то универсальный тон. Как фильтр у кинематографистов, который при наложении делает мир чуть более глубоким синим или режущим белым. Цветом Майи Ветровой была ложь. Она порождала ее, пожирала ее, спала с ней, рожала с ней детей. Я ушла в дом и закрыла за собой дверь. Я не хотела больше видеть ее — даже лишние две минуты.

Я только теперь поняла ее книгу до конца. Несправедливость — ее территория, зона поражения.

— Ты как? — тихо спросил меня Герман, положив руку мне на плечо. Он присел рядом со мной и посмотрел через мое плечо на фотографию, которую я держала в руках. — Это тот самый кот? Когда он потерялся?

— Еще в мае, — грустно ответила я. — Да, это Ланнистер. На столе сидит, он у нас тут так испугался, что отказывался со стола слезать. Знаешь, как она тогда плакала.

— Кто?

— Майя. Я поверить не могу, что она уже тогда планировала просто избавиться от кота. Я знаю, это просто глупо, да?

— Нет, это вовсе не глупо, — покачал головой он. — Любить кота — вовсе не глупо. Не глупее, чем любить детей, мужчин, жизнь. Я помню тебя еще совсем девочкой, Лиза, я помню, как ты танцевала в гостиной, нацепив наушники. Ты не видела меня, и у тебя были такие смешные движения. Какая-то диско-музыка, потому что ты то подпрыгивала, то начинала двигать локтями в ритм и головой качать. У тебя были закрыты глаза, ты была погружена в музыку, и на твоем лице было столько любви, что я чуть было не поцеловал тебя прямо там. Хорошо, что ты этого не видела.

— Я видела, — улыбнулась я сквозь слезы.

Герман замер и посмотрел на меня с недоверием:

— Врешь.

— Ничего я и не вру, — притворилась обиженной я. — Я видела тебя сквозь ресницы. И твой ошалевший взгляд видела и поэтому продолжала танцевать. Я как раз поняла, что тебе нравлюсь. А это же так круто — привлечь внимание папиного аспиранта. О, если бы ты хоть шаг сделал ко мне...

— Если бы я хоть шаг тогда сделал к тебе, твоя мама меня бы отправила прямиком в тюрьму, — рассмеялся Капелин.

— Что ж, сейчас рядом со мной мамы нет, — развела руками я.

Гера помог мне подняться, вытер слезы с моего лица и вынул из рук фотографию кота, положил ее на стол. Затем он приблизил мое лицо к своему и поцеловал меня — нежно, крепко, длинным, возмутительным поцелуем, к концу которого все присутствующие заулюлюкали и принялись над нами шутить. К вечеру подтянулись соседи, они притащили своего племянника, долговязого тинейджера, который выглядел совершенно спящим, но на деле оказался прекрасным игроком в покер. Мы потом еще не раз высказали соседям свое недовольство их родственничком. Приехал и Юрка Молчанов. Мы не стали рассказывать ему о Майке, хотя Фая и хотела — но я запретила. По крайней мере, не сегодня. На один вечер нам было более чем достаточно Майи Ветровой. А расскажи Молчанову — он тут же побежит что-то там расследовать, интервью брать, писать разоблачения. Бед не оберешься. Тем более что Юра приехал злой и один, оказалось, что Катюша его бросила. Или он ее — с Юрой этого никогда нельзя сказать точно. Он вполне может бросить женщину, а затем предаваться горю и жаловаться на то, какие все женщины змеи подколодные. Причем жаловаться будет Фаине. И предлагать им сойтись обратно, как только Фая бросит своего Апреля. И все это при самом, собственно, Игоре Апреле.

Нет, на сегодня — только покер. Вовка ушел на весь вечер к другу. Василиса спала тут же, рядом с нами, в коляске. Прибежали Кирилл с Томой. Мы разложили сукно, достали фишки из чемодана, снова — в который уже раз — поспорили по поводу правил. На этот раз о том, можно ли «чекать натс»[1], или нужно обязательно поднимать ставки. Играло десять человек. Первым вылетел Игорь Апрель, но он свой проигрыш воспринял стойко, по-философски. Мне кажется, он был даже рад. Вторым, что вполне объяснимо, лишился всех фишек Герман Капелин. Что было менее объяснимо — это то, как сильно он огорчился.

— Но почему, почему я проиграл? — спрашивал он. — У меня же три карты одного достоинства. Три короля! Это же очень круто!

— Очень круто, — соглашался мелкий соседский «дрыщ», не меняя сонного выражения своего лица. — А у меня флеш.

---

[1] Check nuts — термин в покере, подразумевающий неподнятие ставок игроком с заведомо лучшей покерной комбинацией на руках. Рассматривается как нарушение правил в некоторых покерных сообществах.

— И что это? Что это такое флеш? — горячился Гера.

— Это когда пять карт — и на всех одно и то же нарисовано. В моем случае, видите, дядя Гера, крестик, — глумился подросток.

Гера посмотрел на меня, но я только развела руками.

— Капелин, я люблю тебя, но я, когда три трефовых карты еще на флопе увидела, уже спасовала. Ну много нас, кому-нибудь флеш да выпадет. Такая теория вероятностей.

— Да ну вас с вашей теорией, — махнул рукой Гера. — Я пойду лучше погуляю. Лиза, ты со мной?

— Ты что, Капелин, — возмутился Юрка. — Она у нас сейчас дилером идет. Да и денег у нее еще полно. То есть фишек, конечно.

— Иди, Гера, гуляй, — нежно прогнала его Фая.

Гера ушел, а игра продолжилась. Я вылетела седьмой после Кирилла. Меня вышиб проклятый тинейджер. Как раз когда он это делал — вышибал меня, — в дом вернулся Гера Капелин. Однако вел он себя странно. Он схватил что-то с кухонной полки, затем диковато огляделся, выпил стакан воды и снова исчез.

— Дикий он у вас какой-то, — сказал тинейджер и вышиб Фаину. Теперь в игре остались только злой как черт Юрка Молчанов и тинейджер.

— Может, разделите банк? — предложил Кирилл, но тинейджер сонно отказался. Юрка сощурился и подтянул к себе колоду карт.

— Что ж, тогда продолжим, — процедил он, и в этот самый момент дверь в дом распахнулась с грохотом.

Капелин открыл ее ногой, потому что руки у него были заняты. В руках он держал большую картонную коробку. Гера улыбался и смотрел на меня так, словно принес торт «Павловой», который ему прямо тут, на углу, продала сама Павлова или, вернее, ее призрак.

— Поднимаю до тысячи! — крикнул подросток.

— Да погоди ты! — отмахнулся Юра. — Чего у тебя там, Гера.

— Не скажу. Подарок. Для Лизы.

— Серьезно? Ботинки нашел? — хмыкнула Фая, когда Гера плюхнул коробку на стол.

— Нашел, но не ботинки. Это было в доме одной пожилой женщины из дачного товарищества.

— Не поняла, ты что-то украл? — вытаращилась Фая. — Ты забыл, что красть грешно? Помнишь, что Майка с Кукошем сделала?

— Ничего, мне можно, у меня пока на душе еще не так много грехов.

— Что это такое, можно открыть? — спросила Тома, а я стояла и смотрела Гере в его улыбающиеся глаза.

Я подумала о том, что знаю, что там. Мое сердце билось как сумасшедшее. Я протянула руку, но еще раньше, чем я достала до крышки, коробка мяукнула и двинулась.

— Кот Шредингера, — прошептала Фаина. — Он существует. Кот в коробке.

— Я боялся, что не донесу. Далеко. Поэтому решил с коробкой, — сказал мне Герман.

— А это точно он?

— Да точно. Во-первых, я сравнил с фотографией. Вылитый твой Ланнистер. Во-вторых, я спросил у женщины, откуда у нее кот. Она сказала, что он давно уже прибился. Но ведь май — это тоже давно. Я спросил, не видела ли она объявлений, которые были развешаны буквально ВЕЗДЕ, и она так как-то нехорошо отвела глаза, что сомнения мои развеялись. Украла она кота. Может, не украла, а зажала просто. Держала в доме, чтоб он обратно не убежал.

— Ланнистер! — прошептала я, доставая рыжего бродягу из коробки.

— Котик! — захлопала в ладоши Томка. — Вернулся!

— Дай подержать, — попросила Файка. — Ну дай, чего тебе, жалко, что ли?

— Жалко, — ответила я, улыбаясь. — Это наш кот. Мой и Капелина. И вообще, мы с Капелиным решили жить вместе. Вот, все забывали вам сказать.

— Мы... да? — просиял Герман. — Мы решили? Да? А когда? Только что, я так понимаю. Черт, это я удачно кота нашел. Ты серьезно? Ты решилась, да? А Сережа? Что ты будешь делать с Сережей?

— С Сережей? — скривился Юрка Молчанов и раньше чем я успела на него зашипеть, продолжил вещать: — Да ничего с ним не поделаешь. Жалко, конечно, денег. Да и вещей жалко. Можно, правда, поехать в Воронеж и морду ему набить. Кстати, наверное, именно так и стоило поступить. Я могу легко узнать его адрес в Воронеже. Сколько он у тебя свистнул с кредитки, Лиза? Триста тысяч, да? Нет, скотина, конечно. Хуже этого вашего Кукоша. Тот просто рукопись стырил, а Сережа — все, что только смог. И у кого. У жены, у матери его двоих детей. Если вдуматься, нужно об этом статью написать.

— Ты все сказал? — спросила я, дождавшись паузы.

Юра с удивлением посмотрел на меня и добавил:

— Нет, не статью. Нужно сделать целую программу в разделе «Человек и закон». Это ж ведь какой «баг» в нашем законодательстве, если ты на практике ничего не можешь сделать с этим. Ну что значит — невозможно доказать. Вы на момент кражи уже пару месяцев как разошлись, что легко могут подтвердить свидетели. И то, что все это он вывез в один день — пока ты была на даче, — тоже известный факт. Надо поговорить с адвокатами, может получиться хорошая программа.

— Заткнись, пожалуйста, Юра, — попросила Фая сквозь зубы, зло и с изрядной долей яда. — Заткнись хоть на секунду.

— Лиза, — пробормотал Гера, а затем замолчал.

— Я бросила его. Я даже не собиралась возвращаться к нему, — сказала я. — Это было невозможно, спасти нашу семью. Но ты не хотел этого понимать. Ты так легко меня оставил. Как Майка Ланнистера.

— Это не было легко... подожди, но, тогда как же... все это время... Лиза, посмотри на меня! Да ты просто издевалась надо мной, да? — Его голос повышался и, кажется, сжимались кулаки. — Ну-ка подойди ко мне, Елизавета.

— Ты меня теперь снова бросишь? — спросила я с ужасом.

Гера замер, словно наткнулся на преграду, поднял голову и с удивлением посмотрел на меня:

— Брошу? И не надейся! Никогда я тебя не брошу. Но ответить тебе за это придется. Ты ведь... вот черт, ты заставила меня думать, что я увожу тебя из семьи. Я тебе за это...

— Купон! — крикнула я.

— Купон? Какой купон? — с удивлением спросила моя сестра.

Гера остановился прямо передо мной, он почти загнал меня в угол.

— Да, какой купон? — спросил он меня, еле заметно улыбаясь.

Я посмотрела на него, затем на кота, затем снова на Геру Капелина:

— Такой же точно, который ты уже получил тут недавно. Ну, купон на одну фанта...

— Идет! Договорились! — оборвал меня Гера, краснея и оборачиваясь на остальных.

Я выпустила кота на пол, предварительно убедившись, что двери закрыты, встала на цыпочки и поцеловала Капелина в губы. Мир вдруг снова стал огромным, похожим на оранжевый воздушный шарик, и мы с Капелиным летели обнявшись и держась за нить этого шарика по ярко-голубому небу.

— Так кто выиграл-то? — спросил Капелин, оторвавшись от меня. — В этот ваш дурацкий покер по триста рублей? Такие копейки, а столько нервов.

— Да, кто же выиграет? — подхватила Фая, глядя на своего бывшего.

Юра тут же встрепенулся, вернулся к покрытому зеленым сукном столу и пристально посмотрел в сонные глаза тинейджера.

— Ставку до тысячи принимаю и поднимаю еще на тысячу. Сдавай карты, дитя. Посмотрим, что готовит нам судьба.

Оглавление

Литературно-художественное издание

Татьяна Веденская

КЛЮЧ К СЕРДЦУ МАЙИ

Ответственный редактор *О. Аминова*
Литературный редактор *О. Грузкова*
Младший редактор *М. Мамонтова*
Художественный редактор *К. Гусарев*
Технический редактор *О. Лёвкин*
Компьютерная верстка *Л. Панина*
Корректор *Н. Овсяникова*

В коллаже на обложке использованы фотографии:
Antonova Ganna, ItzaVU, Abstractor / Shutterstock.com
Используется по лицензии от Shutterstock.com

ООО «Издательство «Эксмо»
123308, Москва, ул. Зорге, д. 1. Тел.: 8 (495) 411-68-86.
Home page: www.eksmo.ru   E-mail: info@eksmo.ru
Өндіруші: «ЭКСМО» АҚБ Баспасы, 123308, Мәскеу, Ресей, Зорге көшесі, 1 үй.
Тел.: 8 (495) 411-68-86.
Home page: www.eksmo.ru   E-mail: info@eksmo.ru.
Тауар белгісі: «Эксмо»
Интернет-магазин : www.book24.kz
Интернет-дүкен : www.book24.kz
Импортёр в Республику Казахстан ТОО «РДЦ-Алматы».
Қазақстан Республикасындағы импорттаушы «РДЦ-Алматы» ЖШС.
Дистрибьютор и представитель по приему претензий на продукцию,
в Республике Казахстан: ТОО «РДЦ-Алматы»
Қазақстан Республикасында дистрибьютор және өнім бойынша арыз-талаптарды
қабылдаушының өкілі «РДЦ-Алматы» ЖШС,
Алматы қ., Домбровский көш., 3«а», литер Б, офис 1.
Тел.: 8 (727) 251-59-90/91/92; E-mail: RDC-Almaty@eksmo.kz
Өнімнің жарамдылық мерзімі шектелмеген.
Сертификация туралы ақпарат сайтта: www.eksmo.ru/certification

Сведения о подтверждении соответствия издания согласно законодательству РФ
о техническом регулировании можно получить на сайте Издательства «Эксмо»
www.eksmo.ru/certification
Өндірген мемлекет: Ресей. Сертификация қарастырылмаған

Подписано в печать 22.06.2018. Формат 84х108$^{1}/_{32}$.
Гарнитура «Newton». Печать офсетная. Усл. печ. л. 15,12.
Тираж 8000 экз. Заказ Е-1601.

Отпечатано в полном соответствии с качеством
предоставленного оригинал-макета
в типографии филиала АО «ТАТМЕДИА» «ПИК «Идел-Пресс»
420066, г. Казань, ул. Декабристов, 2.

Оптовая торговля книгами «Эксмо»:
ООО «ТД «Эксмо». 142700, Московская обл., Ленинский р-н, г. Видное,
Белокаменное ш., д. 1, многоканальный тел.: 411-50-74.
E-mail: **reception@eksmo-sale.ru**

По вопросам приобретения книг «Эксмо» зарубежными оптовыми
покупателями обращаться в отдел зарубежных продаж ТД «Эксмо»
E-mail: **international@eksmo-sale.ru**

International Sales: International wholesale customers should contact
Foreign Sales Department of Trading House «Eksmo» for their orders.
international@eksmo-sale.ru

По вопросам заказа книг корпоративным клиентам, в том числе в специальном
оформлении, обращаться по тел.: +7 (495) 411-68-59, доб. 2261.
E-mail: **ivanova.ey@eksmo.ru**

Оптовая торговля бумажно-беловыми
и канцелярскими товарами для школы и офиса «Канц-Эксмо»:
Компания «Канц-Эксмо»: 142702, Московская обл. Ленинский р-н, г. Видное-2,
Белокаменное ш., д. 1, а/я 5. Тел./факс +7 (495) 745-28-87 (многоканальный).
e-mail: **kanc@eksmo-sale.ru**, сайт: **www.kanc-eksmo.ru**

В Санкт-Петербурге: в магазине «Парк Культуры и Чтения БУКВОЕД», Невский пр-т, д. 46.
Тел.: +7(812)601-0-601, **www.bookvoed.ru**

Полный ассортимент книг издательства «Эксмо» для оптовых покупателей:
Москва. ООО «Торговый Дом «Эксмо». Адрес: 142701, Московская область, Ленинский р-н,
г. Видное, Белокаменное шоссе, д. 1. Телефон: +7 (495) 411-50-74. **E-mail:** reception@eksmo-sale.ru
Нижний Новгород. Филиал «Торгового Дома «Эксмо» в Нижнем Новгороде. Адрес: 603094,
г. Нижний Новгород, ул. Карпинского, д. 29, бизнес-парк «Грин Плаза».
Телефон: +7 (831) 216-15-91 (92, 93, 94). **E-mail:** reception@eksmonn.ru
Санкт-Петербург. ООО «СЗКО». Адрес: 192029, г. Санкт-Петербург, пр. Обуховской Обороны,
д. 84, лит. «Е». Телефон: +7 (812) 365-46-03 / 04. **E-mail:** server@szko.ru
Екатеринбург. Филиал ООО «Издательство Эксмо» в г. Екатеринбурге. Адрес: 620024,
г. Екатеринбург, ул. Новинская, д. 2ш. Телефон: +7 (343) 272-72-01 (02/03/04/05/06/08).
E-mail: petrova.ea@ekat.eksmo.ru
Самара. Филиал ООО «Издательство «Эксмо» в г. Самаре.
Адрес: 443052, г. Самара, пр-т Кирова, д. 75/1, лит. «Е».
Телефон: +7(846)207-55-50. **E-mail:** RDC-samara@mail.ru
Ростов-на-Дону. Филиал ООО «Издательство «Эксмо» в г. Ростове-на-Дону. Адрес: 344023,
г. Ростов-на-Дону, ул. Страны Советов, д. 44 А. Телефон: +7(863) 303-62-10. **E-mail:** info@rnd.eksmo.ru
Центр оптово-розничных продаж Cash&Carry в г. Ростове-на-Дону. Адрес: 344023,
г. Ростов-на-Дону, ул. Страны Советов, д. 44 В. Телефон: (863) 303-62-10.
Режим работы: с 9-00 до 19-00. **E-mail:** rostov.mag@rnd.eksmo.ru
Новосибирск. Филиал ООО «Издательство «Эксмо» в г. Новосибирске. Адрес: 630015,
г. Новосибирск, Комбинатский пер., д. 3. Телефон: +7(383) 289-91-42. **E-mail:** eksmo-nsk@yandex.ru
Хабаровск. Обособленное подразделение в г. Хабаровске. Адрес: 680000, г. Хабаровск,
пер. Дзержинского, д. 24, литера Б, офис 1. Телефон: +7(4212) 910-120. **E-mail:** eksmo-khv@mail.ru
Тюмень. Филиал ООО «Издательство «Эксмо» в г. Тюмени.
Центр оптово-розничных продаж Cash&Carry в г. Тюмени.
Адрес: 625022, г. Тюмень, ул. Алебашевская, д. 9А (ТЦ Перестройка+).
Телефон: +7 (3452) 21-53-96/ 97/ 98. **E-mail:** eksmo-tumen@mail.ru
Краснодар. ООО «Издательство «Эксмо» Обособленное подразделение в г. Краснодаре
Центр оптово-розничных продаж Cash&Carry в г. Краснодаре
Адрес: 350018, г. Краснодар, ул. Сормовская, д. 7, лит. «Г». Телефон: (861) 234-43-01(02).
Республика Беларусь. ООО «ЭКСМО АСТ Си энд Си». Центр оптово-розничных продаж
Cash&Carry в г.Минске. Адрес: 220014, Республика Беларусь, г. Минск,
пр-т Жукова, д. 44, пом. 1-17, ТЦ «Outleto». Телефон: +375 17 251-40-23; +375 44 581-81-92.
Режим работы: с 10-00 до 22-00. **E-mail:** exmoast@yandex.by
Казахстан. РДЦ Алматы. Адрес: 050039, г. Алматы, ул. Домбровского, д. 3 «А».
Телефон: +7 (727) 251-59-90 (91,92). **E-mail:** RDC-Almaty@eksmo.kz
Интернет-магазин: www.book24.kz
Украина. ООО «Форс Украина». Адрес: 04073 г. Киев, ул. Вербовая, д. 17а.
Телефон: +38 (044) 290-99-44. **E-mail:** sales@forsukraine.com

Полный ассортимент продукции Издательства «Эксмо» можно приобрести в книжных
магазинах **«Читай-город»** и заказать в интернет-магазине **www.chitai-gorod.ru.**
Телефон единой справочной службы 8 (800) 444 8 444. Звонок по России бесплатный.

Интернет-магазин ООО «Издательство «Эксмо»
www.book24.ru
Розничная продажа книг с доставкой по всему миру.
Тел.: +7 (495) 745-89-14. E-mail: imarket@eksmo-sale.ru

ISBN 978-5-04-096021-7

9 785040 960217 >

Книги
Татьяны БУЛАТОВОЙ
для женщин
от 18 до 118 лет

«Книги Татьяны Булатовой заставляют задуматься о тех, кто рядом. О тех, кого мы любим и не всегда, увы, понимаем!»

Мария Метлицкая

ЛЕНА ВЕРНЕР

ЕЛЕНА ВЕРНЕР

«...все люди на земле –
свидетели. Свидетели бытия друг
друга. Как зеркала,
которые просто куски
стекла с амальгамой,
пока в них
не отразится
чье-нибудь
лицо».

ДЕСЕРТ
ИЗ КАШТАНОВ

ЕЛЕНА ВЕРНЕР ДЕСЕРТ ИЗ КАШТАНОВ

**Искренняя и пронзительная
проза Елены Вернер —
в новой серии «Дыхание жизни».**

Ольга Покровская

Герои этих произведений не идеальны,
они мечутся и совершают множество ошибок,
однако есть то, что спасает и оправдывает их
в любой ситуации. Это любовь — настоящая,
яркая, всепобеждающая.
Читая книги Ольги Покровской, вы будете
смеяться и плакать, восхищаться
и негодовать, но никогда не останетесь
равнодушными.

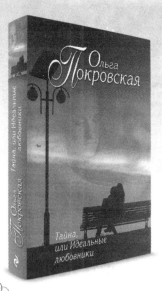